定西笔记 Dingxi Biji

时代出版传媒股份有限公司
安徽文艺出版社

序

贾平凹

安徽文艺出版社编辑了这套散文，我看了一下目录，一半是三十多岁时写的，一半是近二十年来写的。我没想到竟还写了这么多。如果说散文最能体现作家本身的真实，那么这几十年里，~~////////////~~ 在这样的时代里，在这样的土地上，我经历了什么，思想了什么，我苦或快乐，放荡或隐忍，是喜和忧忧，尽在里边，是了我的历史。

现在经常有人问道：你认为哪一时期的散文好呢？这我难以回答，说：都好吧。或说：都不好。当年轻时的好处，年轻就是资本，一切都饱满，写作的欲望如爱无穷，稍一响动，它就浮现，又讲究起承转合，名锤句炼字，名伏笔，名灵动，企望着别人读了说：哇，有才气呀！还可能在笔记本上摘录那么几句。而年岁慢了老起来，激情是少了，又多是在写完这一部长篇后和又写另一部长篇前，向陈里有许多想写成散文的东西了，确实确实觉得意思不大又不想，而要写就写自己在生活中~~////////~~ 那点真知和体悟，能长便长，不若就短，似乎再没什么风头豹尾

① 圆圆圈圈织大了果实，有词有韵的回答都嫩而柔软，能以回答都若而土瘪儿硕果呢？！

我简单，质朴。我说生命，生活，写好我该诚的，真情

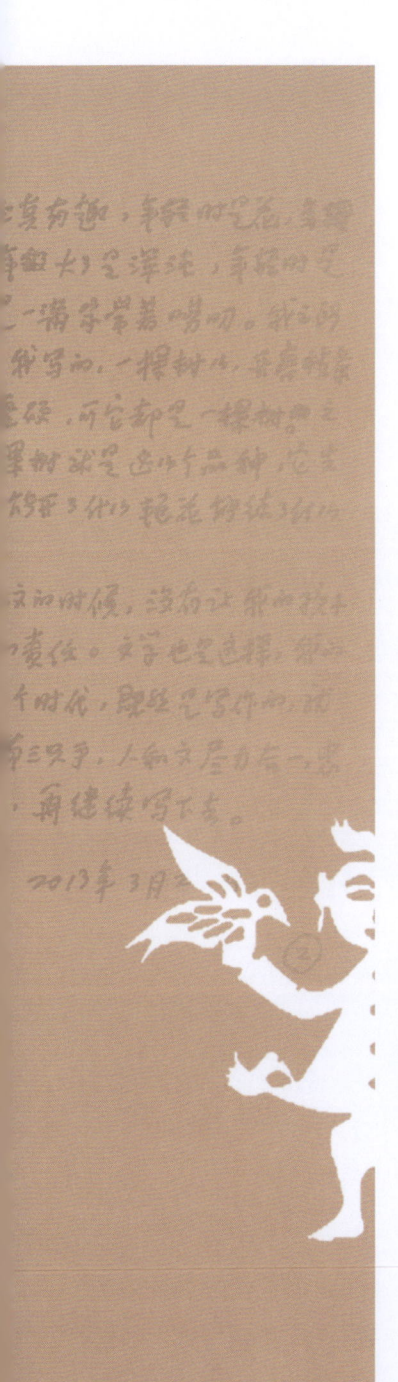

贾平凹
散文典藏大系（文墨本）
定西笔记

Jia Pingwa Sanwen Diancang Daxi
(Wenmo Ben)
Dingxi Biji

贾平凹　著

时代出版传媒股份有限公司
安徽文艺出版社

图书在版编目(CIP)数据

定西笔记/贾平凹著.—合肥:安徽文艺出版社,2013.4(2017.3重印)
(贾平凹散文典藏大系)
ISBN 978-7-5396-4396-0

Ⅰ.①定… Ⅱ.①贾… Ⅲ.①散文集-中国-当代 Ⅳ.①I267

中国版本图书馆 CIP 数据核字(2013)第 047259 号

总 策 划：朱寒冬　刘景琳	出版统筹：韦　亚
责任编辑：张　磊	装帧设计：丁　明

出版发行：时代出版传媒股份有限公司　www.press-mart.com
　　　　　安徽文艺出版社　www.awpub.com
地　　址：合肥市翡翠路 1118 号　邮政编码：230071
营 销 部：(0551) 63533889
印　　制：安徽新华印刷股份有限公司　(0551) 65859128

开本：880×1230　1/32　印张：9.5　字数：250 千字　插页：9
版次：2013 年 4 月第 1 版　2017 年 3 月第 2 次印刷
定价：560.00 元(全七册,精装)

(如发现印装质量问题,影响阅读,请与出版社联系调换)

版权所有,侵权必究

定西笔记

杂事如同手机，烦死了它，
又离不得它，被它控制，
日子就这么在无聊和不满无聊的苦闷中一天天过去。

序

贾平凹

安徽文艺出版社编辑了这套散文,我看了一下目录,一半是三十多岁写的,一半是近二十年来写的。我没想到竟还写了这么多。如果说散文最能体现作家本身的真实,那么六十年里,在这样的时代里,在这样的土地上,我经历了什么,思想了什么,悲苦或快乐,放荡或隐忍,足迹和心迹全在里边,是了我的历史。

现在经常有人问道:你认为哪一时期的散文好呢?这我难以回答,说:都好吧。或说:都不好。当年轻的时候,年轻就是梦想,一切都敏感,写作的欲望如夏天的云,稍一响动,它就落雨,又讲究要起承转合,要锤句炼字,要优美,要灵动,企望着别人读了说:哇,有才气呀!还可能在笔记本上摘录那么几句。而年龄慢慢老起来,激情是少了,又多是在写完这一部长篇后和又写另一部长篇前的间隙里,有许多想写成散文的东西了,琢磨琢磨觉得意思不大又不想了,而要写就写自己在生活中那点真正的体悟,能长便长,不长就短,似乎再没什么凤头豹尾,囫囵的,一锅煮。写作也真有趣,年轻时是花,年纪大了是果,年轻时是清秀,年纪大了是浑沌,年轻时是有词有韵的朗颂,年纪大了是一满家常着唠叨。我之所以回答都好,因为它们都是我写的,一棵树么,开春枝条嫩而柔软,入冬枝条苍而僵硬，可它却是一棵树。之所以回答都不好，又因为这棵树就是这么个品种，它生长的土瘠水少，又多风多雨，能开了什么艳花能结了什么硕果呢?！

我前年回老家为父母修坟的时候，没有让我的孩子们去，我说：一辈人尽一辈人的责任。文学也是这样，我的生命在这块土地上经历着这个时代，既然是写作的，就写好我该写的文章，笔是第三只手，人和文尽力合一，忠诚的，真情的，几十年写过来了，再继续写下去。

2013年3月22日

目录

《贾平凹语画》序 / 1

《废都》再版序 / 3

《贾平凹长篇系列》序 / 5

吃面 / 7

荞麦园 / 9

我有了个狮子军 / 11

经过豆沙关 / 15

在《秦腔》首发式上的讲话 / 18

食神 / 20

沈从文的文学 / 22

生活一种 / 32

面对当下社会的文学 / 34

《贾平凹禅思美文》序 / 40

从棣花到西安 / 42

怀念路遥 / 46

四月三十日游青城后山 / 49

钟国康 / 51

说铜仁 / 53

六棵树 / 55

天气 / 65

松云寺 / 66

药王堂 / 68

写给母亲 / 70

走了一趟崂山太清宫 / 73

一块土地 / 75

走了几个城镇 / 85

定西笔记 / 100

说棣花 / 161

又上白云山 / 173

不能让狗说人话 / 182

震后小记 / 185

武帝山记 / 190

说《黄河魂》/ 191

画家王金岭 / 192

小记怀一 / 195

寻找商州 / 197

《高兴》后记 / 199

《古炉》后记 / 222

《秦腔》后记 / 232

《浮躁》序言之一 / 243

《浮躁》序言之二 / 245

《带灯》后记 / 247

《怀念狼》后记 / 259

《土门》后记 / 263

《病相报告》后记 / 268

《高老庄》后记 / 275

《海风山骨——贾平凹书画作品选》序 / 281
关于写作 / 284
我们的文学需要有中国文化的立场 / 292
天气就是天意 / 295

《贾平凹语画》序

我有个熟人，官做到了副厅级，却热衷起写文章，曾一时在同僚中算是文人，到了文学圈里又被以官者敬着，颇觉风光。可几何时，他便沦为另类，两头都忌妒他，同僚们嫌他了酸味，文人圈也不爱了他的官气，结果，文章还是三流，官职再未得到晋升。

我弄起书画时，家人就要我以熟人为戒。我说：这不一样的，现在的作文和从政在思维上是难相通的，但文章和书画则从来同源；再者，人的能量也是大小之分，比如，狗只能看门，牛会耕地也会拉磨，最重要的是你的文章写得怎么样，看你的书画又作得怎么样。我这么说，家人就骂我狂妄。我再一次分辩，口锐者天钝之，我从不敢狂妄，只是我感觉里我还能书画，如果当初先不写文章肯定会从事书画的，你给我个十年二十年，我一定要枝生连理花开并蒂的。

给家人如此说，如立军令状，其实心里倒是吃劲，之后虽弄书画，但还是骨子里有尽数，以写作为主以书画为副的。

数年过去，书画并未分散写作的专注，书画而是被许多人肯定和喜欢了，愿掏钱购买。钱毕竟是一种诱惑，到后来，就成了卖书画为着写作了。我在书房中贴了告示：以文立身，以书画养家，买书者敬我，买书画者帮我，来的都是朋友，江湖故有道法。

社会上都知道了我能文章又会书画,有报刊就极力鼓动我发表一批书画再配上短文,于是在《文汇报》和《散文》上就辟了专栏。《文汇报》上的专栏短些,《散文》竟连续了两年,原本是受撺掇又乘好玩的性儿,没想还这么欢迎,出版社再要结集,那就结集吧。
　　真正要结集了,我倒惶惶不安,全然没了自信:这些文章可读吗?这些书画可观吗?或许,我是重蹈我那熟人之辙了,虽落个在作家里是书画家,在书画家里是作家的名分,却一尽平庸呢。
　　所以,读者你一翻此册,作者我就脸红了。

2003 年 8 月 20 日

《废都》再版序

《废都》一九九三年出版,二〇〇四年再版,一隔十二个春秋。人是有命运的,书也有着命运。十二年对于一本书或许微不足道,对于一个人却是个大数目,我明显地在老了。

关于这本书,别人对它所说的话太多了!出版的那一年,我能见到的评论册有十几本,加起来厚度超过了它四五倍,自后的十年里,评论的文章依然不绝,字数也近百万。而我从未对它说过一句话,我挑着的是担鸡蛋,集市上的人群都挤着来买,鸡蛋就被挤破了,一地的蛋清蛋黄。

今年今月今日今时,《废都》再版了,消息告诉给我的时候,我没有笑,也没有哭,我把我的一碗饭吃完。书房的西墙上挂着的"天再旦"条幅是我在新旧世纪交替的晚上写的,现在看着,看了许久。然后我寻我的笔,在纸上写:向中国致敬!向十二年致敬!向对《废都》说过各种各样话的人们致敬,你们的话或许如热夏或许如冷冬,但都说得好,若冬不冷夏不热,连五谷都不结的!也向那些<u>盗</u>版者致敬,十二年里我差不多在热衷地收集每年的各种盗版本,书架上已放着了五十个版本,他们使读者能持续地读了下来!

十二年前,《废都》脱稿的前后,我是独自借居在西北大学教工五号楼三单元五层的房间里,因为只有一张小桌和一个椅子,书稿

3

就放在屋角的地板上。一天正洗衣服,突然停了水,恰好有人紧急通知去开个会,竟然忘了再关水龙头就走了。三个小时后,搭一辆出租车回来,司机认出了我,坚决不收车费,并把我一直送到楼下,刚一下车,楼道里流了河,四楼的老太太大喊:你家漏水啦,把我家都淹啦!我蓦地记起没关水龙头,扑上楼去开门,床边的拖鞋已漂浮在门口。先去关水龙头,再抢救放在地板上的东西,纸盒子里的挂面泡涨了,那把古琴水进了琴壳,我心想完了完了,书稿完了,跑到屋角,书稿却好好的,水是离书稿仅一指远竟没有淹到!我连叫着:爷呀,爷呀!那位司机也是跟了我来帮忙清理水灾的,他简直是目瞪口呆,说:"水不淹书稿?!"我说:"可能是屋角地势高吧。"司机说:"这是地板,再高能高到哪儿去?"事后,我也觉得惊奇,不久四川一家杂志的编辑来约稿,我说起这件事,她让我写成小文章,要在他们杂志上。但他们杂志在已排好了版后又抽下了,来信说怕犯错误,让我谅解。我怎能不谅解呢?也估摸这个小文章永远发表不了,索性连原稿也没有要回。一年后,我从那间房子里搬走了,但那间房子时时就在我梦里,水不淹书稿的事记得真真切切。

昨天,我和女儿又去了一趟西北大学,路过了那座楼。楼是旧了,周围的环境也面目全非。问起三单元五层房间的主人,旁人说你走后住了一个教授,那个教授也已搬走了,现在住的是另一个教授。但楼前的三棵槐树还在,三棵槐树几乎没长,树上落着一只鸟,鸟在唱着。我说:"唱得好!"女儿说:"你能听懂?"我说:"我也听不懂,但听着好听。"

2004 年 1 月 1 日

《贾平凹长篇系列》序

这一套书收编了除《废都》和新写的《秦腔》外,它囊括了我此前所有的长篇。这些长篇在当初出版后,虽分别有过无数的再版,但非常零杂,以至于书市上没货而盗版者乘虚而入,所以当广州出版社提出重新集中出版,我是同意了。

现在的中国仍然是浮躁不堪,这当然包括我们的写作和出版。写作的土壤在严重地影响着作品之花,而出版社也是猴子扳玉米,扳一个夹在胳膊下再去扳另一个,扳了另一个胳膊下的第一个又丢掉了,一畦地扳过去,胳膊下只夹着一个玉米。我就经历过这样的尴尬。但是,当广州出版社决定一次性重新再版这些作品,我却惶恐了。与其说这是对广州出版社的一次考验,也是对读者的一次考验,更是对我的一次最大的考验吧。现在是夏天,六月六晒丝绸,我的作品不是丝绸,但穷人家的粗布袄、烂套子也晒晒这大红日头。

编这套书需要我提供最早的版本,我寻找时才发现一些版本已经找不着了,费了好大劲,在一些朋友家的书架上找齐了,我立即给编辑寄去,并附了这样一句话:如果我是茅草,让风来侧伏了我;如果我是高木,让凝霜来吹我。

现在,这套书面对了我的读者,我想起了一首老歌,其中一句真像我的心情,词是:我这张旧船票,能否登上你的客船?

2004 年 3 月 27 日

吃　　面

　　陕西多面食,耀县有一种,叫盐汤面,以盐为重,用十几种大料熬调料汤,不下菜,不用醋,辣子放汪,再漂几片豆腐,吃起来特别有味。盐汤面是耀县人的早饭,一下了炕,口就寡,需要吃这种面,要是不吃,一天身上就没力气。在县城里的早晨,县政府的人和背街小巷的人都往正街去,正街上隔百十米就有一家面馆,都不装修,里边摆两三张桌子,门口支了案板和大环锅,热气白花花的像生了云雾。掌柜的一边吹气一边捞面,也不吆喝,特别长的木筷子在碗沿上一敲,就递了过去。排着长队的人,前头的接了碗走开,后头的跟上再接碗,也都不说话,一人一个大海碗,蹴在街面上吃,吃得一声价儿响。吃毕了,碗也就地放了,掌柜的婆娘来收碗,顺手把一张餐纸给了吃客,吃客就擦嘴,说:"滋润!"

　　这情景十多年前我见过。那时候,我在县城北的桃曲坡水库写小说,耀县的朋友说请我吃改样饭,我从库上下来吃了一次,从此就害上了瘾。在桃曲坡水库待了四十天,总共下库去吃过六次,水库到县城七八里路,要下一面塬坡,我都是步行去的,吃上两碗。一次,返回走到半坡,肚子又饥了,再去县城吃,一天里吃了两次。

　　后来回到西安,离耀县远了,就再没吃过盐汤面。西安的大饭店多,豪华的宴席也赴了不少,但那都是应酬,要敬酒,要说话,吃得头上不出汗。吃饭头上不出汗,那就没有吃好。每每赴这种宴席时,我就想起了盐汤面。

今年夏天,我终于对一位有小车的朋友说:咱到耀县吃盐汤面!洗了车,加了油,两个小时后到了耀县,当年吃过的那些面馆竟然还在,依旧是没装修,门口支着案板和环锅。我一路上都在酝酿着一定要吃两碗,结果一碗就吃饱了,出了一头汗。吃完后往回走,情绪非常好,街道上有人拉了一架子车玫瑰,车停下来我买了一枝。朋友说:"我以为你是贵人哩,原来命贱。"我说:"咋啦?"他说:"跑这么远,过路费都花五十元,就吃一碗面呀?"我说:"有这种贱吗?开着车跑几个小时花五十元过路费十几元油费就为吃一碗面啊!"

那面很便宜,一元钱一碗,现在涨价了,一碗是一元五角钱。

2005 年 8 月 28 日

荞麦园

如果说陕西人的性格保守,那是吃出来的,他们之所以不能四海为家,因为离不得陕西的饭菜。现在的西安城,似乎成了一张大的饭桌,各县的吃喝都往上摆,人嘴就吃馋了,也吃刁了。

城南有家饭店,叫荞麦园,专卖陕北土饭,文化界的朋友聚餐,一打电话,问:到哪儿?差不多都说:荞麦园呀!

陕北原本是苦焦地方。越是苦焦的地方,饭菜做得越细法。虽然都是一些荞面、糜子、南瓜和土豆,这样的饭菜过去养育了革命,现在更符合饮食时尚。

吃饭有各种吃法,有要显派的,有要办事的,也有要应酬的。这种饭不到荞麦园去。是给自己吃,和亲近的朋友一块吃,要能吃出头上的水,我就到荞麦园去。去年冬天有一次在那里吃高兴了,写了一张条幅:鼓腹而歌。

荞麦园的老板是个陕北女子,人很白净,性格也活泛。办饭店当然要挣钱,但她坚持"财上平如水",几年下来,没有钻到钱眼去,反倒多了贵气。文化圈的人都知道她,她名字叫莹巧,大家却都叫她:荞,荞。

"非典"期间,差不多的饭店生意都清淡了,荞麦园依然客满。几个画家竟端着碗圪蹴在店门口吃,故意招揽。

荞麦园里有一面墙,专门为顾客签名的,上面的名字密密麻麻。如果仔细看,西安城里所有的文化人名字都能找见。

人活在世上虽然不能说是为了吃喝来的,这如同买了一部车不是纯纯为加油,但车要加油,却必须加好油。荞麦园里饭吃得久了,容易上瘾。我几次碰见一对年轻男女去那里,男的曾经对女的说:请相信我,我对你的爱如胃一样专一。胃是讲感的,荞麦园培养了一大批忠诚的胃。

2004年11月6日

我有了个狮子军

我体弱多病，打不过人，也挨不起打，所以从来不敢在外动粗。口又笨，与人有说辞，一急就前言不搭后语，常常是回到家了，才想起一句完全可以噎住他的话来。我恨死了我的窝囊。我很羡慕韩信年轻时的样子，佩剑行街，但我佩剑已不现实，满街的警察，容易被认作行劫抢劫。只有在屋里看电视里的拳击比赛。我的一个朋友在他青春蓬勃的时候，写了一首诗："我提着枪，跑遍了这座城市，挨家挨户寻找我的新娘。"他这种勇气我没有。人心里都住着一个魔鬼，别人的魔鬼，要么被女人征服，要么就光天化日地出去伤害，我的魔鬼是汉罐上的颜色，出土就气化了。

一日在屋间画虎，画了很多虎，希望虎气上身，陕北就来了一位拜访我的老乡，他说，与其画虎不如弄个石狮子，他还说，陕北人都用石狮子守护的，陕北人就强悍。过了不久，他果然给我带来了一个石狮子。但他给我带的是一种炕狮，茶壶那般大，青石的。据说雕凿于宋代。这位老乡给我介绍了这种炕狮的功能，一个孩子要有一个炕狮，一个炕狮就是一个孩子的魂，四岁之前这炕狮是不离孩子的，一条红绳儿一头拴住炕狮，一头系在孩子身上，孩子在炕上翻滚，有炕狮拖着，掉不下炕去，长大了邪鬼不侵，刀枪不入，能踢能咬，敢作敢为。这个炕狮我没有放在床上，而是置于案头，日日用手摩挲。我不知道这个炕狮曾经守护过谁,现在它跟着我了,我叫它:来劲。来劲的身子一半是脑袋,脑袋的一半是眼睛,威风又调皮。

古董市场上有一批小贩,常年走动于书画家的家里以古董换字画,这些人也到我家来,他们太精明,我不愿意和他们纠缠。他们还是来,我说:你要不走,我让来劲咬你! 他们竟说:你喜欢石狮子呀? 我们给你送些来! 十天后果真抬来了一麻袋的石狮子。送来的石狮子当然还是炕狮,造型各异,我倒暗暗高兴,萌动了我得有个狮群,便给他们许多字画,便让他们继续去陕北乡下收集。我只说收集炕狮是很艰难的事情,不料十天半月他们就抬来一麻袋,十天半月又抬来一麻袋,而且我这么一收,许多书画家也收集,不光陕北的炕狮被收集,关中的小门狮也被收集,石狮收集竟热了一阵风,价钱也一度再涨,断堆儿平均是一个四五百元,单个儿品相好的两千三千不让价。

我差不多有了一千个石狮子。已经不是群,可以称作军。它们在陕北、关中的乡下是散兵游勇,我收编它们,按大小形状组队,一部分在大门过道,一部分在后门阳台,每个房小门前列成方阵,剩余的整整齐齐护卫着我的书桌前后左右。世上的木头石头或者泥土铜铁,一旦成器,都是有了灵魂。这些狮子在我家里,它们是不安分的,我能想象我不在家的时候,它们打斗嬉闹,会把墙上的那块钟撞掉,嫌钟在算计我。它们打碎了酒瓶,一定是认为瓶子是装着酒的,但瓶子却常常自醉了。闹吧,屋子里闹翻了天,贼是闻声不敢来的,鬼顺着墙根往过溜,溜到门前打个趔趄就走了。我要回来了,在门外咳嗽一下,屋里就全然安静了,我一进去,它们各就各位低眉垂手,阳台上有了窃窃私语,我说:谁在喧哗?顿时寂然。我说:"嗨!"四下立即应声如雷。我成了强人,我有了威风,我是秦始皇。

秦始皇骑虎游八极,我指挥我的狮军征东去,北伐去,兵来将挡,遇土水淹,所向披靡,一吐恶气。往日诽谤我、羞辱我的人把他绑来吧,但我不杀他,让来劲去摸他的脸蛋,我知道他是投机主义者,他会痛哭流涕,会骂自己猪屎。从此,我再不吟诵忧伤的诗句:"每一粒沙子都是一颗渴死的水。"再不生病了拿自己的泪水喝药。我要想谁了,桌上就出现一枝玫瑰。楼再高不妨碍方向西飞,端一盘水就可收月。书是我的古先生,花是我的女侍者。

到了这年的冬天,我哪儿都敢去了,也敢对一些人一些事说不,我周围的人说:你说话这么口重?我说:手痒得很,还想打人哩!他们不明白我这是怎么啦。他们当然不知道我有了狮军,有了狮军,我虽手无缚鸡之力,却有了翻江倒海之想。这么张狂了一个冬季,但是到了年终,我安然了。安然是因为我遇见大狮。

我的一个朋友,他从关中收购了一个石狮,有半人多高,四百余斤。大的石狮我是见得多了,都太大,不宜居住楼房的我收藏,而且凡大的石狮都是专业工匠所凿,千篇一律的威严和细微,它不符合我的审美。我朋友的这个狮子绝对是民间味,狮子的头极大,可能是不会雕凿狮子的面部,竟然成了人的模样,正好有了埃及金字塔前的蹲狮的味道。我一去朋友家,一眼看到了它,我就知道我的那些狮子是乌合之众了。我开始艰难地和朋友谈判,最终以重金购回。当六人抬着大狮置于家中,大狮和狮群是那样的协调,让你不得不想到狮群在一直等待着大狮,大狮一直在寻找着狮群。我举办了隆重的拜将仪式,拜大狮为狮军的大将军。

  有了大将军统领狮军,说不来的一种感觉,我竟然内心踏实,没有躁气,是很少给人夸耀我家里的狮子了。我似乎又恢复了我以前的生活,穿臃臃肿肿的衣服,低头走路。每日从家里提了饭盒到工作室,晚上回来。来人了就陪人说说话,人走了就读书写作。不搅和是非,不起风波。我依然体弱多病,讷言笨舌,别人倒说"大人小心";我依然伏低伏小,别人倒说"圣贤庸行"。出了门碰着我那个邻居的孩子,他曾经抱他家的狗把屎拉在我家门口,我叫住他,他跑不及,站住了,他以为我要骂他揍他,惊恐地盯着我,我拍了拍他的头,说:你这小子,你该理理发了。他竟哭了。

              2005年1月7日

经过豆沙关

我经过的,最险要的峡谷,是云南的豆沙关。

原本是从盐津县坐车去水富县的,天一直是雾腾腾,车在半山腰的路上爬,绕来拐去,看不清三百米外的东西。路面虽然平整,但很窄,一有会车,来的就紧靠了凿出的崖壁,去的则往边,再往边,轮胎刚刚压在路沿的石条上,还一颠一颠的。这让我受不了。坐在临窗处往车下看,路下万丈的深渊,半渊处斜长着一株秃树,披挂了数丈的根须,再往下,就是关河,关河水很急,翻滚如雪。我调换了座位,眼不见心不乱,却再不敢说话,死抓了扶手,把心提在嗓子眼上。又走了一阵,车停下来,说是前边两辆卡车撞了,立即前后的车辆全堵起来,而我们的车正停在一处窝崖下,崖上有瀑布流下,叮叮咣咣落在车棚上。公路上有瀑布,这是我从未见到过的,如果车辆一冲而过,多好玩的一景,可现在让瀑布一直敲打我们的车,就十分地难受了。从车里跑下来,蹲在一处吃纸烟,不知堵塞几时疏通,看天窄得如一条龙,河对面的沟里有一户人家,可能在做饭,烟雾在屋上罩了一堆,久久不散。

车辆终于可以通行了,路越发窄,而且一直下行,但路往下,河也往下,似乎路与河要往地心去。这样着天已黄昏,前面的峡谷收拢起来,再收拢,突然间两山紧靠,如关了门,关河就不见了。司机说:豆沙关到了!

如何想象,豆沙关都不该是这个模样,但豆沙关就是这么个模样。说雄,它不是多雄,却险得让我心惊肉跳。或许是西南山高峡深多的缘故,在盐津县城的时候,介绍人并没有说到它的险恶,而夸耀的是山崖四五百米高的僰人悬棺,以及关上的五尺道。僰人部落现已没有,悬棺是怎样抬上去的,数千年为何还完整保存,这是一个谜。五尺道是秦时开凿,可以见证当年南丝绸之路的繁荣。但这些我倒不太感兴趣,走了一截五尺道,蹲下望了望悬棺,便又只打问这山有多高,峡有多深。一个时代有一个时代的故事,故事可以变幻,山水却是依旧啊。我的询问,旁边的人不能回答,而天色苍茫,仰头我望不到山顶,俯身也瞧不到谷底,只听到水的轰鸣。我有了一个幻想,极力想蓦然看到一树山桃,没有山桃,盯着一片不知名的林子,林子和山色慢慢成了一色,天就黑了。顺着一条小道往上走,便走到了一个镇子上。这里还有一个镇子,这令我百思不解,也让我来了兴致。

镇子不大,仅仅一条街。但街上两边都是门面房,房子结构十分讲究。虽然已经晚上了,各门面还开张,卖饭的卖饭,卖货的卖货,但却没有人买。风从街道上飕飕往过吹,吹得家家屋里吊着的小灯泡晃荡,道面上便有各种影子缩小张大,跳来跳去。我踏进一家店里,是出售锅盆碗盏和镢头铁锨一类铁器,昏暗中物件都闪一点幽光,店主就坐在柱子边,好像只有半个脸。我进去他没有反应,我看了看又走出来,他也没有反应。门口里一个妇女抱着小孩,母子也是默然,我下了台阶从街上往前走,街上一处黑一处白的,才朝着白处下脚,扑哧溅起水,听见那妇女在说:朝黑处踏,黑处是干的。从门面里照出来的一道挨一道光亮里还走着一只鸡,体大如鹤,翅羽斜斜,像披着一件外衣。鸡的步伐很闲,走着走着也成夜了,街顶头就没有了灯火,而另有三四人在晃动,能听到喘粗气。走近了,他们在搭一个席棚,席棚的门和门面门对着,旁边隐约有一堆柏朵。我猜想这家是死了人,柏朵是垫棺用的,奇怪的是门面屋里并没有哭声。走过了街,远处竟出现一点火,像萤火虫,到了跟前,方是蹲着了一个人,他在吸纸烟。

镇子的夜晚太寂静,寂静得像那些石头,和石头缝里长出的树。关河的响声越大,镇子越寂静。头顶上空那一长狭的天都是黑的,出现了星星,数了又数,七颗星成勺形,是七斗星吧,我记得今夕是二〇〇四年的十二月十五日。

2005 年 1 月 18 日

在《秦腔》首发式上的讲话

《秦腔》今日首发,我很高兴。我感谢神灵让我为故乡完成了一部书,感谢出版社出版了这部书,感谢西安建筑科技大学主办这个仪式,感谢来参加仪式的各媒体记者、嘉宾和各位师生。

《秦腔》在二〇〇三年初动笔,到二〇〇四年九月落笔,这是我费时最长、修改最多、最耗心血的一部长篇小说。故乡几十年来一直是我写作的根据地,但我大量的作品取材于一个商州概念的泛故乡,而真正描述故乡的,《秦腔》应是第一部长篇,可以说,《秦腔》的写作动用了我素材的最后一块宝藏。

《秦腔》的写作,对于我来说,它不仅仅是一般意义上的写作,它倾注了我生命和灵魂中的东西,写它的时候,我甚至产生过不准备发表的念头,写作过程中没有企图去迎合什么,没有企图想去获利,在近两年时间内,我安静地去写,缓缓地去写,只是为了我灵魂的寄托,只是我宣泄我胸中的块垒,只是想着为故乡树一块碑,对得起家乡的土地和土地上的父老。

但是,这样的写作是在惊恐中进行的,我无法理清我复杂的感情矛盾,痛苦,分裂,困惑。我无法带任何观念进入作品,在现实生活面前我觉得任何观念都是渺小的、褊狭的、生硬的,所以我只是呈现,呈现出这一段历史。在我的认识里,这一历史通过平庸的琐碎的泼烦的日子才能真实地呈现,而呈现得越沉稳、越详尽,理念的东西就愈坚定突出。社会发生转型变革,它是关乎到人类的事情,能引发许许多多值得思考的问题。而中国农村时下的状况,一切都混沌不清,处处都矛盾交错,常常是"最分明处最模糊"。时代给了我们太多的叹喟,人生透着一种苍凉,所以,对于"三农",今日的理解已不同以往,乡土文学的概念也决然和传统不同。

面对着"无关痛痒"的生活,作品也就得重新寻找最合适的写法。佛语讲:安忍不动,犹为大地,静虑深密,犹为地藏。《秦腔》力求简淡,在简淡而迷离之中见苍茫。现在流行一种写法,是语言上极尽化,即色彩上的夸咤,状语连接式的推进,增加阅读上的快感。《秦腔》则是整体的、混沌的、循环的。最当下的生活是难写的,既要写出鲜活,又要写得没有光气。

《秦腔》在未出单行本之前,《收获》杂志先分两期发表。发表之后,引起了社会广泛注意。上海复旦大学当代文学创作研究中心、《文学报》《收获》杂志社召开了作品研讨会,与会的评论家给了它较高评价,而最近消息,苏州大学也准备召开一次他们组织的评论家研讨,北京也准备开一个四五十人的大型研讨会。总之,评论界给了很大的关注和更多的肯定、赞誉。这些肯定和赞誉给予了我莫大的欣慰。但单行本出版后,广大读者如何看,整个社会如何看,我诚惶诚恐,等待着他们的声音。

今天在西安建筑科技大学召开这个首发式,蒙大家的厚爱,来了这么多人,我热切盼望大家给以支持和对《秦腔》指正。下午我将在图书大厦为读者签名,更盼望广大读者能喜欢这本书。

我再一次向大家致谢!

食　　神

　　饕餮是个什么样子,我不知道。但我见过食神。

　　食神叫赵芷滢,女的,八〇年生人,身高一米三,体重四十三公斤,瘦得皮包骨头,还有点羞怯,遇着陌生人就低头眨眼。

　　我见赵芷滢是在西安的一家宾馆餐厅,眼看着她吃了十二斤红烧肉、十斤三文鱼片,还有几乎我们八人没有动几筷的一大桌各类海鲜、糕点和面条,又喝了三大碗油汤、四罐羔、十瓶苹果醋饮。她吃喝起来很急,急不可耐,甚至来了脾气,催服务员再上一笼三文鱼片呀,要肥一点的,再上一盘红烧肉呀,越热越好,还问:不是要了一盘烧鳗和四个鱼头吗,鱼呢,那鱼呢?!

　　我们都惊骇地看着她,好像在做梦。后来围观的人便多起来,有服务员,有餐厅老板,厨房里的师傅也跑了来。大家都兴奋,似乎赵芷滢是星外来客,一个怪物,带来了从未有过的观赏快乐。

　　饭局持续了两个半小时,赵芷滢一直在吃喝,而她没有上厕所,肚子也不见凸起来。桌上的碗盘全都空了,又要了一盘的三文鱼片和炒蛋迟迟没有端来,陪她来的是一位领导,说:吃好了没?大家都忙,时间不早啦!赵芷滢这才放下筷子,舌头舔了舔嘴唇上的明油,说:好了吧。给我们抱歉地笑笑。

　　席间,我和那位领导有过短暂的交谈,我问是不是赵芷滢有病,比如甲亢什么的,他说没有。我问那吃喝得这么多,吃到哪儿去了呢,怎么一点儿不胖呢?他说,用常规思维是无法解释的,有关部门每月提供赵芷滢百分之八十的伙食费,对她已观察研究了七年,但至今的研究结果仅仅证明她的胃和正常人一样大小,而消化酶高出正常人的六倍,食物一到胃立即就分解了,转为能量。她是从来没有饱的感觉,只是觉得身上热了就算吃喝好了,一旦热量充分,她能透视人体病灶,没有不准的。

送走了赵芷滢,看热闹的人仍兴奋得不能安静,有的说:天哪,看她吃喝,我真恐怖!有的说:谁接待她也只能接待一次吧?有的说:如果和某自助餐馆有仇,每日就领了她去!有的说:和她接接吻,能不能多些酶咱也就胃病好了?

这些人说得没了谱,倒让我有些生气。回到家里已是深夜,我在日记本上写了这么两段话:

一、食神只能出现在盛世。我小的时候,整个社会都贫穷,家里常常没东西吃,越是没吃的越是吃得多,被人骂作"饿死鬼"。饿死鬼托生的我最多也就吃三碗包谷糁稀饭,而如果赵芷滢也是那时候生的,那她一定就饿死了,不饿死也得被人掐死。现在物质丰富而有剩余,她才到处受邀吃喝。

二、被邀请去吃喝,有多少人是出于理解和保护赵芷滢呢?别人是为了好奇,赵芷滢就得自己把自己保护好。既然有关部门研究了七年未解开其"超人"之谜,不妨自己每日记笔记,详细记录自己状况,给人类留下一份资料,科学必会发展,谜底定能揭开。

2005 年 6 月 3 日

沈从文的文学

——在西安建筑科技大学的讲演

上一次在小教室讲"文学的语言",我以为这次还是小范围讲,没想来了这么多人,又在这么大的地方,我可能讲不好了。这个题目是中文系给我出的。让讲讲沈从文和张爱玲,这两个作家是二十世纪中国伟大的作家,文坛熟悉,大家也熟悉,就很难讲。我只能讲讲我阅读的体会。这一堂讲沈从文,下一堂讲张爱玲。

中国的作家是从来不缺乏天才的,比如李白、苏东坡、曹雪芹、鲁迅,这样的名字可以列一大串。正是因为有他们存在,中国的文学才立于世界文学之林。他们留下了一份遗产和一份光荣,才使我们作为后人的在面对着西方文学不至于那么惶恐和自卑。学中文的人,搞汉语写作的人,我们必须了解他们的人生,熟读他们的作品,这是最最基本的学业修养。但天才作家的作品,我们只能神灵一般地敬奉他们,而无法复制和模仿,因为他们的写作无规律可循,常常是不从事写作的人读了他们的作品感觉他也可以写作,而从事写作的人读了却觉得自己不会了写作。今天我讲另一个天才作家,那就是沈从文。对于沈从文大家可能也是没人不知道吧,关于他的话题也可能是大家听过了许多吧,我要讲的依然不是他作品的具体分析,还是我刚才说过的,天才作家只能受其启示而不可仿制的,正像天才画家齐白石说过:似我者死。伟大的作品都是看起来似乎非常平易,似乎人世间就真有那么些故事,不是笔下写出来的,是天地间原本就存在着的,牛顿故居的墙上有人写着这样一首诗:自然和自然规律隐藏在黑暗中,上帝说,让牛顿去搞吧,于是,一切就光明了。天才的作家也是这样。我们读《红楼梦》,读《西厢记》,你能感觉那是在编故事吗?你不觉得真真实实有那么一段生活吗?你难道认为那是在运用什么技巧吗?世界名牌服装都是那么简洁,只有小裁缝们做衣服才费尽心机,在领口上做花边,在袖头上绣饰物。盆景是精致的,大山上的草木和石头不需要布置。如果说人才、怪才、天才,人才是学成的,怪才是出绝招的,它太注意突出自己的不同一般,太刻意,气量就狭小,而天才一切都"蹈大方",它是具体的,看似乎和,如水一样,谁都可以进去,进去就淹死了,是未为奇而奇。扯远了,还是说沈从文。

先说沈从文的生平。先要说他的生平,这是因为什么生存状态决定什么人,什么人写什么文章。火而有焰,文是人的精神之光。研究一个作家,必须先研究他的生平。世上有许多作家,我们能不能学他,只有研究他生成的原因,才能得出结论。肉是好东西,我也承认,但我是素食主义者,这肉对我是不宜的。为什么有的作家对你有感应,有些则没有呢?原因就在这里。我讲一个例子,有一个画家带学生,要学黄宾虹,先是什么也不教,也不让临摹,而是半年内熟知黄的身世,生活习性,甚至穿类似黄穿过的衣服,让学生自我感觉自己就是黄宾虹。然后再接触黄的画,学他的技法,竟然进步神速。再举例子,我等多喜欢川端康成,搞不懂为什么能写的那样的小说,我寻找所有资料,才明白日本的川端康成作品之所以阴郁，是他从小失母，身体多病，孤独敏感的原因，也为此，寻找我能不能学他，那些东西与我的气质有关，那些东西我无法得到。沈从文是一九二〇年出生于湘西凤凰。湘西凤凰地处于川、湘、鄂、黔四省交界，多民族杂居，现在是著名的旅游胜地，当然人们去那里旅游有沈从文故乡的原因，但那里自然风光非常好，就是说那里的风水好。中国有古话说："得山水清气"，说"地杰人灵"，那是有道理的。穷山恶水是产不出佳木的，平原上的村多横长，深山的树多高直，戈壁滩上长的骆驼草，太白山顶上的树只有一个高。沈从文的祖父是大将军，曾率领当地的一支军队随湘军攻打过太平军，也曾任贵州的提督。但死得早，祖母是苗族，没儿女，将祖父弟弟的二儿子过继了，这就是沈从文的父亲。父亲也是一个恪守边关的大将，一九〇〇年八国联军攻陷了天津，其父解甲归田，母亲是土家族，回到凤凰第二年生下沈从文。沈从文十四岁入地方队伍，当过卫兵、班长、文件收发员、司书等。二十岁的时候，独自到北京寻找发展，如当今的"京漂族"。他考了无数的大学，没有考上。外语不利，一口湘西土语，交际受障碍，在北京混不下来，就又返回家乡当兵。但在队伍中领伙食费时，又改变了主意，离开了队伍，又到北京谋生。这时他开始写作投稿。在这期间，因投稿屡屡不中，生活极度困难，临时当过图书管理员、报社编辑，再后因作品发表，逐渐声名起来，到私立大学教书，以至最后任教到北大。从此成为名作家名教授。这就是他前半生的经历。

　　他前半生的经历决定了他的作品一切基调。他的后半生，变化更是巨大，但没有再从事文学写作。后半生我在后边再讲。这前半生的经历可以概括这么几点：一、绮丽的自然山水赋予他特殊的气质，带来多彩的幻想。二、民族交混，身上有苗、汉、土的血液，少数民族在长期受压历史中积淀的沉忧隐痛，使他性格柔软又倔犟、敏感又宽厚。三、出身地方豪门大户，经见得多，又生活丰实，看惯了湘兵的雄武以及各种迫害和杀戮的黑暗。四、在写作初期受尽艰辛，培养了"安忍静虑"的定力。他的前半生的经历完全成就着一个作家的要素。什么样的人可以当作家？可以说有各种各样的，如托尔斯泰是贵族，如司马迁受过屈辱，如屈原不被重视，如曹雪芹经历了繁华与败落。一般情况下，小时候受过磨难多的人容易成为作家，因为磨难多，人情炎凉就体验得多，而文学就是写这些的。胸中要有说话，有悲情，有郁情，有情绪，不吐不快，不就不利。艺术都是情绪的"东西"，有社会情绪和个体生命的情绪。结合到一起，写出来的就是好作了，任何艺术也都有情结在里面，如李商隐说："春蚕到死丝方尽，蜡炬成灰泪始干。"那不是凭空说，一定有对象，只是李商隐死了，谁也不知道。好作品的产生就是这种情结的产物。古人说：读万卷书，行万里路。古人的行万里路，那时交通不便，骑个毛驴出走，一路上风雨冰雪，一路上不知吃在何处投宿哪里，有狼虫虎豹，有强盗蟊贼，他的体验是生命的体验，如果现在坐飞机旅游，一两个小时就到一地，这个城市和那个城市大致一样，吃喝不愁，你就是行万里，你也没多少体验的。我再讲几个小例子。沈从文的《湘西散论》里写了大量的少年生活，他是生活在多民族的环境中，又是地方豪门大户，那里孔孟的东西少，自然的、野性的东西多，他不受约束，生命是活泼的、天真的，所以长大以后做人没顾忌。他曾经和丁玲有矛盾,他到北京后因丁玲也是湖南人,声名也大,与之交往,感情真挚,丁玲入狱后他听到丁玲死了还写悼念文章,但后来两人发生误会,他隐忍着。他在京最困难的时候,冬天很冷,在一个仓库里写作,没有火取暖,衣服单薄,郁达夫去看他,把围巾送给了他。他投稿屡投屡退,当时《晨报副刊》的主编是孙伏园,一次编辑部会上,孙搬出一摞他的未用稿,说:这是某某大作家的作品。说完扭成一团,扔进纸篓。他到北大后看上了张采和,张采和是一个美女加才女,他爱得不行,给人家写求爱信,张却看不上他,把信交给了校长蔡元培,蔡元培说:沈从文能给你写信,这是难得的好事呀!后来经蔡元培尽力作合,他们才结了婚。解放初期,沈从文境遇极度不好,夫妻关系不好,但他一直深爱张采和,他有一个单独的学习写作的房子,每天带点熟食一早去,晚上回来,这样的生活一直十多年。我是没有见过沈从文的,当年一个朋友去北京见过他,回来说:老头像老太太,坐在那里总是笑着,那嘴皱着,像小孩的屁股。我告诉说那是他活成神仙了。有一个很奇怪的现象,凡是很杰出的人,晚年相貌都像老太太。我说这些是什么意思呢?说明沈从文不是个使强用狠的人,不是个刻薄刁钻的人,他善良温和,感受灵敏,内心丰富,不善交际,隐忍静虑,这就保证了他作品阴柔性、温暖性、神性和唯美性。

现在分头说说,他作品的这几方面特点。

沈从文真正创作时间并不多,从一九二四年到一九四九年,总共二十五年左右,人不到五十岁就停止了。五四时期那一批作家,一九四九年后创作也基本上停止了,也都是五十岁左右。陕西的

南宫山

辛巳冬 流浪狗

老作家,五十不到,四十岁左右,"文革"开始了,创作也就停止了。这些作家命运都也悲惨。沈从文二十五年时间作品结集八十多部,是现代作家中成书最多的一个。人们熟知的,比如《柏子》、《龙朱》、《阿里小史》、《月下小景》、《边城》、《黄河》、《湘西散记》等。

说他的阴柔性。他的作品有一种忧郁气质,有一种淡淡的情感基调。作品的题材都是社会下层的士兵、妇女、小职员的日常人生,即便写妓女也都是低等妓女。在他写作的年代,国家破坏、民族灾难,鲁迅在写《彷徨》、《呐喊》,茅盾在写《子夜》,巴金在写《家》、《春》、《秋》,还有柔石那一批作家,还有延安边区那一批作家。而沈从文的作品似乎并没直接涉及当时的风云。换句话说,他不是政治性强的作家,他的作品没有成为政治宣传品,不是匕首和投枪,他也不是战士。没有直接写政治,写社会问题,使他的作品不阴刚,也因此不僵硬。当他初写出来的时候,以别样的生活别样的色彩惊动着文坛,成为京派作家的一员大将,但他在那个时候不可能成为强手,以至于后来政治性的、社会问题性的、大题材性的东西占领了中国文学,沈从文便渐渐边缘化,受到了漠视排挤和攻击,一九四九年以后,虽有种种原因他退出了文坛,可以说,即使他还在文坛,他也是写不出来的。我在"文革"后期,有一天去图书馆翻到他的一本书,那是我第一次读他的书。书是丛书,序言由别人写的,序言中说他如何有才华,文笔如何好,但有一句话我记得清楚,就是:他只能算二流作家。我一直读过这样的话,作品必须经历五十年的考验,如果五十年后有人还在读,那就是好作品。五十年后沈从文怎么样呢?沈从文成了中国现代文学超一流作家,成了作家和从事文学工作者的必修课。为什么呢？文学有文学的规律，文学就是写人性的，脱离了写人性，而将文学当作政治的宣传品，你轻视着文学规律，文学也就最后抛弃你，近五十年后沈从文的浮出，是中国文学观的改变，可以说，对待沈从文的态度变化，是二十世纪中国文学的心路历程。

他的温暖性。善良而宽容的作家才能写出温暖的作品。沈从文写下层社会人的日常人生，同时期老舍也是写下层社会的日常人生，两人都是伟大作家，但老舍的眼光是批判的眼光，以一个改革者的眼光去看待人性的，而沈从文以温和的心境，尽量看取人性的真与善。对人性的真与善关注的肯定，集中体现于笔下的女性形象的塑造。我们姑且不论其长篇、中篇，即那些短篇，比如《柏子》和《丈夫》中的妓女都是那么可爱、可怜，读完让你心跳和叹息。作品的温暖性，可以使作品有慈爱心。我有这样体会，小时候家境不好，父亲从学校带回一点吃食，当我们只四人在那里吃的时候，他是静静地坐在那里看着我们吃。我做了父亲后，每当弄些好吃的回来给孩子吃，我也是坐在对面看着，我体会到了一个做父亲的那种感觉。读沈从文的小说，我就想到父亲的神情，我感觉沈从文对他的人物就是这种神情。作品的温暖性，更使文笔优美，没有生硬尖刻，没有戏谑和调侃，朴素而平实，幽默也是冷幽默。

说到神性，好小说都是有神性的，也就是有精神的。作品要讲究维度，要提升精神层面。有的作品是政治传声筒，这是令人反感的，有的是把人物作为背景，去研究一个个具有当下性的社会问题，这是讨厌的，有的以观念写作，全文就为着演义一个观念，同样面目可憎。现在有许多作品,写现实,不应称之为现实主义,没有精神的现实作品不是现实主义作品。沈从文写的下层社会人的日常生活状况,就是他探寻的是关于最为根本意义上的爱、真、美,他的小说才具备了生命力。他有一句名言,说他的作品是建一个希腊小庙。一方面是经营希腊小庙,一方面现实却是人欲横流,红尘滚滚,这样就必须产生孤独和悲凉,他的作品又温馨又哀伤是自然而然的。我画莲喜欢画出藕、茎和花,莲花就是藕的精神之花,这朵花是艳丽的、洁净的,艳丽和洁净得又无比哀伤。

再说唯美吧。中国作家历来分两类,一类政治性强,大题材,大结构,雄浑刚健,这类作家和作品弄得好当然好,而且在当代走红,讲究语言,讲究气韵。当然弄得不好,影响大气,沦为柔弱和矫情。但这类作家的作品寿命长,他的文字至老都好,即使留一个便条都有味道。举个例子吧,现代作家废名是唯美的,沈从文向他学习过,他的作品特别讲究,太讲究的就冷僻、孤寂,失去大气,古诗人贾岛如此,废名也如此,而沈从文学废名脱于废名,他作品的气是向外喷的。孙犁的荷花淀之所以后继无人,就是后学者气小了。唯美性的作家作品有一个很重要的特点,艺术感觉好,文笔美,善于运用"闲话",增加韵味,我比喻为往水面上抛石子,有人抛一个石子,咕咚就沉水了,有人的石在水面上连打水漂。举《柏子》的一些句子。他们反复叙说一件事,文笔独思妙想,有无尽的细节,这需要感觉和想象。沈从文、张爱玲也如此。大家可以读沈的《龙朱》。(这里不能具体分析。有许多东西靠自己去悟。没有悟性,那就不是干这行的料了。)

下面,我谈谈沈从文给我的启示。

一、成功的作家,必须是天生的一份文学才能,这份才能不是学校能培养的,它是大自然的产物。只要他胸中有文学,一经开发就有文学作品,若胸中没有,后天的努力也只能成就一般。知识并不等于智慧,而智慧就是悟的积累。张爱玲讲"发展自己是天才",只要你感觉你在这方面有才,你就好好去发展,许多写作人初期都询问:自己是不是这方面材料,最后能不能成功？别人是无法回答,自己有感觉,这如同端来一碗饭,你会感觉自己能不能吃下。

二、文学是人学,应该写出人的理想,写出人的自己追问。这是正道也是唯一的道。所以,在中国这个政治性特强的国度里,一定要建立文学观,否则一时红火,得名取利,都是最后悲伤的。中国作家,有人是在政途上失意后转入文学,有人以文学作为跳板进入政途的,有人说是搞文学,经不住一个科长职位的诱惑,这样都不是真正弄文学,也可以说不是能在文学上成事的人。沈从文埋没几十年,是海外重视而影响国内的,也是社会进步后对文学重新认识的。当年沈从文无法搞文学,转向文物研究,他经拿过月瓷器、铜器、玉器、漆器、绘画、家具、绸缎一百万件,当讲解员几十年,接待三十万人次,写了《中国丝绸图案》、《唐宗铜铣》、《明锦》、《战国漆器》等。他"安忍不动犹如大地,静虑深密犹如地藏"。但是金子终究发光,古镜愈磨愈亮,当夏志清在海外大力宣传他,海外汉学者去研究他,而获得博士学位,他终于文物出土。

三、社会复杂,人生亦复杂,各色人等,当人境逼仄的时候,精神一定要浩渺无涯,与天地往来。人要高贵,作品立意要高贵,这种高贵不是你去当官,得势,是你要隐忍,要静水深度。

四、对于沈从文,任何人讲都无法讲清,真正了解他,认真读他人作品,品味他的一句一字,悟出沈从文为什么是沈从文,悟出沈从文能不能与自己有反应。你只有感应了,你就会学到他许多东西。

本来,在讲沈从文之前,我应该要求同学们熟读他的作品,但我先来讲了,可能要比听我现在讲的理解要深,那就以我讲的作为一个引子你们再去读吧。声明的是,我讲的是我读过的沈从文,是一个作家去读另一个作家的感受,这种感受只是:他那样写我能不能那样写,他写的东西哪些我可以写,哪些我写不了?所以,我讲的不是全面的评价沈从文,只是一家之言而已,仅供参考。

2005 年 11 月 18 日

生活一种

院再小也要栽柳,柳必垂。晓起推窗如见仙人曳裙侍立,月升中天,又是仙人临镜梳发。蓬屋常伴仙人,不以门前未留小车辙印而憾。能明灭萤火,能观风行。三月生绒花,数朵过墙头,好静收过路女儿争捉之笑。

吃酒只备小盅,小盅浅醉,能推开人事、生计、狗咬、索账之恼。能行乐,吟东坡"吾上可陪玉皇大帝,下可陪卑田院乞儿",以残墙补远山,以水盆盛太阳,敲之熟铜声。能嘿嘿笑,笑到无声时已袒胸睡卧柳下,小儿知趣,待半小时后以唾液蘸其双乳,凉透心臆即醒,自不误了上班。

出游踏无名山水,省却门票,不看人亦不被人看。脚往哪儿,路往哪儿,喜瞧巉岩钩心斗角,倾听风前鸟叫声硬。云在山头,登上山头云却更远了,遂吸清新空气,意尽而归。归来自有文章作,不会与他人同,既可再次意游,又可赚几个稿费,补回那一双龙须草鞋钱。

读闲杂书,不必规矩,坐也可,站也可,卧也可。偶向墙根,水蚀斑驳,瞥一点而逮形象,即与书中人、物合,愈看愈肖。或听室外黄鹂,莺莺恰恰能辨鸟语。

与人交,淡,淡至无味,而观知极味人。可邀来者游华山"朽朽桥头",敢亡命过之将"××到此一游"书于桥那边崖上者,不可近交。不爱惜自己性命焉能爱人？可暗示一女子寄求爱信,立即复函意欲去偷鸡摸狗者不交。接信不复冷若冰霜者亦不交,心没同情岂有真心？门前冷落,恰好,能植竹看风行,能养菊赏瘦,能识雀爪文。七月长夏睡翻身觉,醒来能知"知了"声之了。

养生不养猫,猫狐媚。不养蛐蛐,蛐蛐斗殴残忍。可养蜘蛛,清晨见一丝斜挂檐前不必挑,明日便有纵横交错,复明日则网精美如妇人发罩。出门望天,天有经纬而自检行为,朝露落雨后出日,银珠满缀,齐放光芒,一个太阳生无数太阳。墙角有旧网亦不必扫,让灰尘蒙落,日久绳粗,如老树盘根,可作立体壁画,读传统,读现代,常读常新。

要日记,就记梦。梦醒夜半,不可睁目,慢慢坐起回忆静伏入睡,梦复续之。梦如前世生活,或行善,或凶杀,或作乐,或受苦,记其迹体验心境以察现实,以我观我而我自知,自知乃于嚣烦尘世则自立。

出门挂锁,锁宜旧,旧锁能避蟊贼破损门,屋中箱柜可在锁孔插上钥匙,贼来能保全箱柜完好。

面对当下社会的文学
——在咸阳的报告

我们生活在一个剧变的年代,价值观混乱,秩序在离析,规矩在败坏,一切都在洗牌,重新出发,各自有各自的中国梦。在消融禁锢和权威,可以自我做主,可以说什么话了,但往往水在往东流总会有一种声音说水往西流。总会有人在大家午休的时候大声喧哗。破坏与建设、贫穷与富有、庄严和戏谑、温柔与残忍、同情与仇恨等同居着,混淆着,复杂着。中国人的秉格里有许多奴性和闹性,这都是长期的被专制、贫穷的结果,人性的善与恶充分显示。有一年,我去合阳,看到了流经那里的黄河,我写下了八个字:"厚云积岸,大水走泥。"我们身处的社会就是大水走泥。

这样的年代,混沌而伟大。它为文学提供了丰富的素材和想象的空间。

从文学的队伍来看,有右派作家、知青作家、寻根作家、先锋作家和网络作家。从文坛格局来看,五世作家的前四世是一个生存模式,作家们靠杂志、评论家、作品研讨会而成名获利。而今天很新的一代作家,完全断裂了前辈的模式,他们靠网络、媒体、出版商、与读者见面而成名获利。从作品分布来看,纸质书本不论散文和中短篇小说,每年约有一千五百多部出版。网络上的作品更是无法统计。从读者群来看,前几代作家里发行最好的作家,一般发行量在二三十万册,而新一代作家印上百万册也不是极少数。我认为,不必追究哪个作家的作品是否长存而成为经典,首先应面对的是变化了的文学观念。不容置疑的是,文学审美发生了前所未有的变化。

那么,一个问题提出,在消费化娱乐化的年代里,文学是否还会有它的神圣?在人性善与丑充分展示的当下社会中,文学该有怎样的立场?这就是我今天要讲的。做人在任何时候都应该有做人的基本,文学也同样在任何时候都有文学的基本,这如同现在物质丰富,有各种培育的菜,有多种调料,有各种食品,但人类生存的主要食物仍是米和面。布料可以做多种服饰,乃至装饰,但衣服的基本功能还是取暖。孙悟空虽然大闹天宫,而最后他依然是去西天取经。破坏的目的在于建设。

在中国古典文学传统里,有"天下"之说,有"铁肩担道义"之说,有"与天为徒"之说,崇尚的是关心社会,忧患现实。在西方现代文学的传统中,强调现代意识,现代意识也就是人类意识,以人为本,考虑的是解决人所面临的困境。所以,关注社会,关怀人生,关心精神,是文学最基本的东西,也是文学的大道。

文学是虚无的,但世界是虚与实组成的,一个民族没有哲学、文学、艺术是悲哀而可怕的。加缪说过:"文学不能使我们活得更好,但文学使我们活得更多。"

有一句话,说:"艺术生于约束,死于自由。"足球踢得好,必须是在一个方框里,而且不能用手,不能越位,不能拉、抱、蹬腿等,在一系列规则中踢得好才算踢得好。

你可以有不同的文学观念,可以有多种写法,大道的东西不能丢。丢掉大道的东西,不可能写出杰出之作。中国文学可能在精神层面上的叩问比不上西方文学,这与中国人生存状态及生存经验有关,与中国的文化有关。但中国文学最动人的是有人情之美,在当下,人性充分显示的年代,去叙写人与人的温暖,去叙写人心柔软的部分,也应是我们文学的基本。

我在前年末和去年初,读了二三十本中国当代长篇小说。这些长篇是在几千部长篇中筛选出的,作者都是当代第一线作家。这些作品大致分两类。(同一时期作家们思考什么、写什么有共同之处,这如半坡的尖锥瓶和西方的尖锥瓶几乎同一时期出现一样。)一类是批判现实主义的作品,一类是现代的先锋的元素较多的作品。我读后很有一些感慨。我不是评论家,我阅读同行作品的标准是:一、这部作品给我提供了什么样的感悟?这些感悟是否新鲜和强烈,是否为之一振或过目不忘?二、这部作品有没有一种有生命力的东西在里边?也就是说有没有一种生活的实感?还是以理念进入写作,以技术性的外在东西遮掩着虚假矫情的编造?第一类作品有写得非常好的,有生活实味,厚重,扎实。但存在的不足,常常是以文学去演绎历史,有影射、暗喻,对应历史事件。在这里,我谈我的认识,我觉得文学不是对应历史事件的,历史应还原文学。文学是在一个时代一个社会的大背景下虚构起的独立的世界。《红楼梦》之所以伟大,是它虚构了一个大观园,它没有去影射和暗喻什么,它只是把大观园里的人与物写圆满。圆满是最重要的。写作不是要你去图解、影射什么,写作时也不是要你去露骨地表述你的观念,而那些诗性的、神性的、精神的、终极关怀的字眼是你的文学观念而不是你用文学直接写出来。你的作品应是你具备了这些观念而去尽量圆满地写你虚构出来的那个世界,这如一个人身体健康了就精气神足,他才可以去担当许多事情。一个病人,还指望担当什么呢？所以,把虚构的那个世界,比如曹雪芹的大观园,或者一座什么楼,把大观园和楼盖好、盖得豪华就行了。《红楼梦》没有对应影射什么,《红楼梦》里却什么都有,它反映和批判了当时社会,它的悲剧不是如我们所写的坏人造成的悲剧(谁把谁杀了),不是盲目命运造成的悲剧(社会压迫了你),而是王国维说的"通常之道德、通常之人情、通常之境遇"所造成的悲剧,从而使《红楼梦》具备了大格局大情怀。另一类作品,采用的现代主义元素很多,这类作品中有写得很好的,让人耳目一新,具有批判的尖锐锋芒,但也存在不足。有些作品完全以理念进入写作,它采用了团块式的西方结构,某些场景渲染到位,虽有才华却总觉得生活实感的东西太少,因为在编造,一写到实处就漏了气,没有写实的功夫,只能用夸张、变形、虚张声势来叙述。如摇滚乐,现场的狂乱和感官的刺激很带劲,但离开现场,就没有了古典音乐给人的长久回味。这里我要说的,任何现代主义都产生于古典主义,必须具备扎实的写实功力,然后进行现代主义叙写,才可能写到位。实与虚的关系,是表面上越写得实而整体上越能表现出来虚,如人要跳得高必须用力在地上蹬,如果没有实的东西,你的任何有意义的观念都无法表现出来,只能是高空飘浮,虚假编造。

这里又存在这样一个问题,即,没有想法的写实,那是笨,作品难以升腾,而要含量大,要写出精神层面的东西,你要写实。要明白,中国古典文学传统的那一套写法,如线型结构,如散点透视,西方现代文学的色块结构,叙述人层层进入结构,都是在文化的生存状态的背景下产生的。要中西化结合,必须了解背景,根据个人条件去分析哪些可以借鉴,哪些可以改造和如何改造。这样才能写出属于自己的作品,而这样的作品不同于中国传统,也不属于西方现代主义。每个作家都有自己的师傅,但不能死学师傅。举个例子,有人学西方语言,要么三四个字一个句号,连续这样的短句,要么一句话几百字几千字一个句号。外国人和中国人说话方式不同,节奏不同,作品中的人与物环境不同,才有那样的句式。如皮毛模仿,就是那个东施了。语言绝对与人身体有关,它以呼吸而调节奏,一个哮喘病人不可能说长句,而结巴人也只能说短句。

现在我再谈四个问题。

一、我们当代作家,普遍都存在困惑,我们常常不知所措地写作。文坛目前存在着大量写作,是经验的惯性写作,我们的经验需要扩展,小感情、小圈子生活可能会遮蔽更多的生活。这个时代的写作应是丰富的而非单薄的。

二、这个时代的精神丰富甚或混沌,我们的目光要健全,要有自己的信念,坚信有爱,有温暖,有光明,而不要笔走偏锋,只写黑暗的、丑恶的。要写出冷漠中的温暖,恶狠中的柔软,毁灭中的希望,身处污泥盼有莲花,沦为地狱向往天堂。人不单在物质中活着,活着需要一种精神。神永远在天空中星云中江河中大地中,照耀着我们,人类才生生不息。中国人生活得可能不自在,西方人生活得也可能不自在,人类的生存任何时候都存在着物质和精神的困境,而重要的是在困境中突破。

三、现在有一种文风在腐蚀着我们的母语文学,那就是不说正经话,调侃、幽默、插科打诨。如果都是这样,这个民族成不了大民族,这样的文学就行之不远。

四、我们需要学会写伦理,写出人情之美。需要关注国家、民族、人生、命运。这方面我们还写不好,写不丰满。但是,我们更要努力写出,或许一时完不成而要心向往的,是写作超越国家、民族、人生、命运,眼光放大到宇宙,追问人性的、精神的东西。

我再次强调,我不是评论家,看问题可能不全局,仅从一个作家面临的问题而作局部思考,说出来仅供参考,并求指正。

《贾平凹禅思美文》序

这些年里,我主要是写一些长篇小说,短文章较少,书店中很难见到汇编的新作集子。于是,不法书商乘虚而入,私自编辑我的旧作上市,比如《贾平凹小说集》、《贾平凹全集》、《贾平凹文选》等,版本极其厚,印刷粗糙,装帧恶劣,错别字随处可见。我原本不愿将旧作让人这样那样重复编选着出版的,但鉴于非法出版物的放肆,也就同意了广东人民出版社委托孔明、孙见喜先生编辑的这一本书出版。等第一版出来,我看到了所选的目录,倒觉得他们很费了心思,书也印得精美,向他们和出版社说了许多感谢的话。现在,出版社准备再版,一定要我写几句话在书前,一时却不知说什么是好了。

这本书名孔明起了个"禅思美文",这多少令我有了难堪,说实在的,我对禅不求甚解,若平日谈些关于佛的话,犹如我说的英语,中国人听不懂,外国人也是听不懂的。我是个兴趣广泛,但仅仅是兴趣的人,曾交往过一二位僧人,翻阅过一二本佛学小册子,全都是为了对写作有所帮助,对人生有所启示而已。以我的陋见,古今中外,任何宗教、哲学,以及任何学科、行业,其最高境界都是一回事。对于禅,我能知道的就是禅是平常心,是在日常生活之中。从这个角度讲,我并不主张或者同意世上有什么禅乐禅画禅文章的。

而禅对我的启示使我明白了我首先是人,其次才是作家,清醒和更正了很长时间来老把自己当作职业写作人对待。这一点启示,对别人或许没什么,对我却十分重要,做平平常常的人,过平平常常的日子,才能以自己的生命体悟这个世界。体悟到了,充满着自己的生命,自然而然,文章就有了真情、激情和个性色彩。

借此机会,我谈我这点体会,以便读者不要见到"禅思"二字就搞得迷迷糊糊,也以便顺着我的思路去读这些文章,就明白我写这些文章时的心态和文章中的含义了。

1998 年 11 月 3 日

从棣花到西安

秦岭的南边有棣花,秦岭的北边是西安,路在秦岭上约三百里。世上的大虫是虎,长虫是蛇,人实在是个走虫。几十年里,我在棣花和西安生活着,也写作着,这条路就反复往返。

父亲告诉过我,他十多岁去西安求学,是步行的,得走七天,一路上随处都能看见破坏的草鞋。他原以为三伏天了,石头烫得要咬手,后来才知道三九天的石头也咬手,不敢摸,一摸皮就粘上了。到我去西安上学的时候,有了公路,一个县可以每天通一趟班车,买票却十分难场,要头一天从棣花赶去县城,成夜在车站排队购买。班车的窗子玻璃从来没有完整过,夏天里还能受,冬天里风刮进来,无数的刀子在空中舞,把火车头帽子的两个帽耳拉下来系好,哈出的气就变成霜,帽檐是白的,眉毛也是白的。时速至多是四十里吧,吭吭唧唧在盘山路上摇晃,头就发昏,不一会儿有人晕车,前边的人趴在窗口呕吐,风把脏物又吹到后边窗里,前后便开始叫骂。司机吼一声:甭出声!大家明白夫和妻是荣辱关系,乘客和司机却是生死关系,出声会影响司机的,立即全不说话。路太窄太陡了,冰又瓷溜溜的,车要数次地停下来,不是需要挂防滑链,就是出了故障,司机爬到车底下,仰面躺着,露出两条腿来。到了秦岭主峰下,那个地方叫黑龙口,是解手和吃饭的固定点。穿着棉袄棉裤的乘客,一直是插萝卜一样挤在一起,要下车就都浑身麻木,必须揉腿。我才搬起一条腿来,旁边人说:那是我的腿。我就说:我那腿呢?我那腿呢?感觉我没了腿。一直挨到天黑,车才能进西安,从车顶上卸下行李了,所有人都在说:嗨,今日顺利!因为常有车在秦岭上翻了,死了的人在沟里冻硬,用不着抬,像捐椽一样捐上来。即使自己坐的车没有翻,前边的车出了事故,或者塌方了,那就得在山里没吃没喝冻一夜。

九十年代初,这条公路改造了,不再是沙土路,铺了柏油,而且很宽,车和车相会没有减速停下,灯眨一下眼就过去了。过去车少,麦收天沿村庄的公路上,农民都把割下的麦子摊着让碾,狗也跟着撑。改造后的路不准摊麦了,车经过刷的一声,路边的废纸就扇得贴在屋墙上,半会落不下。狼越来越少了,连野兔也没了,车却黑日白日不停息。各个路边的村子都死过人,是望着车还远着,才穿过路一半,车却瞬间过来轧住了。棣花几年里有五个人被轧死,村人说这是祭路哩,大工程都要用人祭哩。以前棣花有两三个司机,在县运输公司开班车,体面荣耀,他们把车停在路边,提了酒和肉回家,那毛领棉大衣不穿,披上,风张着好像要上天。沿途的人见了都给笑脸,问候你回来啦?所有人猫腰跟着,偷声换气地乞求明日能不能捎一个人去省城。可现在,公路上啥车都有,连棣花也有人买了私家车,才知道驾驶很容易的,几乎只要是个狗,爬上车都能开。那一年,我父亲的坟地选在公路边,母亲说离公路近,太吵吧,风水先生说:这可是好穴哇,坟前讲究要有水,你瞧,公路现在就是一条大河啊!

我每年十几次从西安到棣花,路经蓝关,就可怜了那个韩愈,他当年是"雪拥蓝关马不前"呀,便觉得我很幸福,坐车三个半小时就到了。

过了二〇〇〇年,开始修铁路。棣花人听说过火车,没见过火车,通车的那天,各家在通知着外村的亲戚都来,热闹得像过会。中午时分,铁路西边人山人海,火车刚一过来,一人喊:来了——所有人就像喊欢迎的口号:来了来了!等火车开过去了,一人喊:走了——所有人又在喊口号:走了走了!但他们不走,还在敲锣打鼓。十天后我回棣花,邻居的一个老汉神秘地给我说:你知道火车过棣花说什么话吗?我说:说什么话?他就学着火车的响声,说:棣花——不穷!不穷!不穷不穷,不穷不穷!我大笑,他也笑,他嘴里的牙脱落了,装了假牙,假牙床子就笑了出来。

有了火车,我却没有坐火车回过棣花,因为火车开通不久,一条高速路就开始修。那可是八车道的路面呀,洁净能晾了凉粉。村里人把这条路叫金路,传说着那是一捆子一捆子人民币铺过来的,惊叹着国家咋有这么多钱啊!每到黄昏,村后的铁路上过火车,拉着的货物像一连串的山头在移动。村人有的在唱秦腔,有的在门口咿咿呀呀拉胡琴,火车的鸣笛不是音乐,可一鸣笛把什么乐响都淹没了。火车过后,总有三五一伙端着老碗一边吃一边看村前的高速路,过来的车都是白光,过去的车都是红光,两条光就那么相对地奔流。他们遗憾的是高速路不能横穿,而谁家狗好奇,钻过铁丝网进去,竟迷糊得只顺着路跑,很快就被轧死了,一摊肉泥粘在路上。我第一回走高速路回棣花,没有打盹,头还扭来转去看车窗外的景色,车突然停了,司机说:到了。我说:到了?有些不相信,但我弟就站在老家门口,他正给我笑哩。我看看表,竟然仅一个半小时。从此,我更喜欢从西安回棣花了,经常是我给我弟打电话说我回去,我弟问:吃啥呀?我说:面条吧。我弟放下电话开始擀面,擀好面,烧开锅,一碗捞面端上桌了,我正好车停在门口。

在好长时间里,我老认为西安越来越大,像一张大嘴,吞吸着方圆几百里的财富和人才,而乡下,像我的老家棣花,却越来越小。但随着312公路改造后,铁路和高速路的相继修成,城与乡在拉近了,它吞吸去了棣花的好多东西,又呼吐了好多东西给棣花,曾经瘦了的棣花慢慢鼓起了肚子。棣花已经成了旅游点,农家乐小饭馆到处都有,小洋楼一幢一幢盖了,有汽车的人家也多了,甚至荒废了十几年的那条老街重新翻建,一间房价由原来的十几元猛增到上万元。以前西安的人来,皮鞋印子留在门口,舍不得扫,如今西安打一个喷嚏,棣花人就问:咱是不是要感冒啦?他们啥事都知道,啥想法也都有。而我,更勤地从西安到棣花,从棣花到西安。我不再以出生在山里而自卑,车每每经过秦岭,看山峦苍茫,白云弥漫,就要念那首诗:啊,给我个杠杆吧,我会撬动地球。给我一棵树吧,我能把山川变成绿洲。只要你愿意嫁我,咱们就繁衍一个民族。

就在上一个月,又得到一个消息,还有一条铁路要从西安经过棣花,秋季里动工。

2009年5月7日写

怀 念 路 遥

时间真快,路遥已经去世十五年了。十五年里常常想起他。

想起在延川的一个山头上,他指着山下的县城说:当年我穿着件破棉袄,但我在这里翻江倒海过,你信不!我当然信的,听说过他还是少年的一些事。他把一块石头使劲向沟里扔去,沟畔里一群鸟便轰然而起。想起省作协换届时,票一投完,他在厕所里对我说:好得很,咱要的就是咱俩的票比他们多!想起他拉我去他家吃烩面片,他削土豆皮很狠,说:我弄长篇呀,你给咱多弄些中篇,不信打不出潼关!想起他从陕北写作回来,人瘦了一圈儿,我问写作咋样,他说:这回吃了大苦咧,稿子一写完,你要抽好烟哩!想起《平凡的世界》出版后一段时间受到冷落,他对我说:一个个都不懂文学!想起获奖回来,我向他祝贺,他说:你猜我在台上想啥的?我说:想啥哩?他说:我把他们都踩在脚下了!想起他几次要把我调到省作协去,而我一直没去,当又到换届的时候,正是我在单位不顺心,在街上碰着他去购置呢绒大衣,我说了想去作协的想法,他却说:西安那地盘你要给咱守住啊!想想他受整时,我去看他,他说:要整倒我的人还没有生下哩!我生病住了院,他带着烟来看我,说:该歇一歇了,你写那么多,还让别人活不活?!想起他的虎背熊腰。想起他坐在省作协大院里那个破藤椅打盹的样子。想起他病了我去看他,他说:这个病房好吧?省委常委会开了会让我住进来的。想起他快不行了,我又去医院看他,他说:等我出院了,你和我到陕北去,寻个山圪崂住下,咱一边放羊一边养身子。

他是一个优秀的作家,他是一个气势磅礴的人。但他是夸父,倒在干渴的路上。

他虽然去世了,他的作品仍然被读者捧读,他的故事依旧被传颂。

陕西的作家每每聚在一起,免不了发感慨:如果路遥还活着,不知现在是什么样子?这谁也说不准。但肯定是他会写出更多更好的作品,他会干出许多令人佩服又咋舌的事来。

他是一个强人。强人的身上有比一般人的优秀处,也有被一般人不可理解处。他大气,也霸道,他痛快豪爽,也使劲用狠,他让你尊敬也让你畏惧,他关心别人,却隐瞒自己的病情,他刚强自负不能容忍居于人后,但儿女情长感情脆弱内心寂寞。

陕西画界有人以为自己是石鲁,我听到石鲁的一个学生说:他算什么呀!不要说石鲁的长处,他连石鲁的短处都学不来!

路遥是一个有大抱负的人,文学或许还不是他人生的第一选择,但他干什么都会干成,他的文学就像火一样燃出炙人的灿烂的光焰。

现在,我们很少能看到有这样的人了。

有人说路遥是累死的,证据是他写过《早晨,从中午开始》的书。但路遥不是累死的,他昼伏夜出,是职业的习惯,也是一头猛兽的秉性。有人说路遥是穷死的,因为他死时还欠人万元,但那个年代都穷呀,而路遥在陕西作家里一直抽高档烟,喝咖啡,为给女儿吃西餐曾满城跑遍。

扼杀他的是遗传基因。在他死后,他的四个弟弟都患上了与他同样的肝硬化腹水病,而且又在几乎相同的年龄段,已去世了两个,另两个现正病得厉害。这是一个悲苦的家族!一个瓷杯和一个木杯在一做出来就决定了它的寿命长短,但也就在这种基因的命运下,路遥暂短的人生是光彩的,他是以人格和文格的奇特魅力而长寿的。

在陕西,有两个人会长久,那就是石鲁和路遥。

四月三十日游青城后山

那里峰峦错综,沟壑复杂,一早进去,愈进愈深,到了下午不知了出路。迷糊着转过竹坡,忽然看见了一座古寺,山面逼仄,一和尚在那里读书,旁边的木牌子写有"天亮开门,天黑关门",顿时心生喜欢。

在寺里烧过香了,沿寺前的小路往右走,涉过小溪,前面就是一个深坳。坳里尽是高大的楠木,也有樟和漆,树干光洁,没有苔藓和藤蔓纠缠,像无数的柱子栽在那里。走进去,人全然都绿了,脚底没有声响,仰头看树,树都直端端往上长,看不到顶,高高的空中枝叶联合,如盖了青云,阳光就从青云间下来,一道一道的白。

林子的中间,有人在卖菜,一间草房,一张竹桌。或许是大半天没有游客到来,买菜人立在房前,数着落在竹桌上的七只鸟,又来了一只,是八只鸟。

我说:满山就这里的树木大呀!他说:这坳子深么。我说:哪棵最高呢?他说:都争着太阳长的,差不多吧。

去搂了一棵树,羡慕着树安静地长在这里,太阳是树的宗教,才长得这么粗这么高。

在一棵树下,让一片光罩着,有细雨就下起来,雨并未湿衣,却身上脚下一层褐色的颗粒,捡起来,竟然是米粒大的花蕾。卖菜人说:那是漆树落花。我就站住不动,让花雨淋着。

2008年5月3日追记

钟 国 康

纪渻子为王养斗鸡,历久乃成,其鸡望之若木鸡,盖德已全,它鸡无敢应者。

这个故事,我最先不是从《庄子》上读的,是钟国康告诉的,他送我一枚印:木鸡养到。

钟国康是我十余年来见到的很奇怪的人。他凹目翘鼻,胡子稀疏,头发长卷而油腻。老是穿黑衣。似乎背有点驼,前襟显长,后襟短促。一条线绳从领口拉挂在腰间,他说有这条线绳就生动了,其实拴着一个手机。行走飘忽,有鬼气。

他是位书家,用笔在宣纸上写字,用刀在印石上刻字。形状这般的孱弱,他应该低眉顺眼,应该寡言少语。但不,他始终不能安静,走来走去,好激动,表情丰富。不停地要说笑,边说边笑,边笑边说。我见过他在宣纸上写字,墨调得很稀,长锋笔戳过去,几乎是端着水墨,淅淅沥沥地就到了纸上,然后使很大的力和很大的动作,如武术一般。出奇的是,墨是墨水是水,有海风山骨的味道。那场面,能想象李白酒后作诗,李白可能很清高,很潇洒,他却几幅字写成,满身墨渍,尤其用卫生纸按拓,一团一团脏纸在地上丢下一层。在印石上刻字那就更疯了,眼镜往额上一推,好像让头上再多两只眼,然后拿块印石,看,看,看得印石都羞了,猛地从怀里掏出刀来。别人的刀都是一拃长的,他的刀一指粗半尺长,简直就是钢凿子!咔,咔,咔,他讲究节奏。他刻印的时候大家都围上来,不敢出声,他却好为人师,讲为什么这个字这样结构,这一刀处理有什么含义,怎么会出现这种的效果啊,他哇哇大叫,为自己得意。

  他从来都是自负的,眼里无一人无一物能碍,却同时又都以他囊括。仰观象于玄表,俯察式于群形,他正正地告诉我,他要活九十以上,他要年年把一些东西加进他的艺术里。我不能准确地说出他有哪些突破有哪些局限,但我在他的书法里读出了金石味,在他的印刻里又读出了毛毫、水墨甚至宣纸的感觉,其宣纸上印石的作品雄沉豪放,感情充沛,生命蓬勃。

  关于他,社会上有许多传言,说他相貌奇异,举止常出人意料。说他饭量极少,精神张狂。说他自制墨和印泥,弄得屋里臭气不散。说他出外开会,车厢里就放一筐印石,三五天回来那印石全刻了,然后一筐一筐的作品就存封在那一间专用的房里。说他好色。说来求印的,一枚印二万,若讨价,就二万五,再讨价,就三万,还要讨,便起身送客了。说现在有许多人在社会上收集他的旧印,有收集到一百枚的,有收集到二百枚的,还在收集。说有大老板正筹划给他建艺术馆。

  我看着他,总想:这是个什么人呀,可能前世是钟馗,今世才一身鬼气,又邪而正,正而大吗?或许是关公门下吧,玩的是小刀,使的却是大刀的气势?

  我也送他了一幅书法:木鸡养到。

2009 年 5 月 28 日

说　铜　仁

　　城在山窝子里的多,但江从城中穿过的少,竟然三江穿过、城分为四、十三桥卧波的只有铜仁。凡到各地,差不多的都自撰有八景,最不牵强附会、其景雄沉阔大、能震魂摄魄、又全绕着城郭的,也只是铜仁。铜仁之所以为黔中独美,美在有梵净山的蕴蓄,美在有锦江水的茂润,活该是桃源的深处。

　　世上有美丽富饶一词,却往往是美丽者不富饶,富饶者不美丽,铜仁可以说占得四字。古人讲,纵是山城,不少读书之族,虽非泽国,犹为鱼米之乡。而今舟楫依旧,公路通达,集散繁忙,市容光鲜,人皆儒雅,一派太和。再是登东山,观文笔,云过瘦竹,肥泉鸣咽,探铜岩,读摩崖,天风吹下数声钟,水珠燃烧成紫烟。真是精神有所托,想象有空间,山水经典,一城神仙。

　　铜仁是一边城,正因偏僻闭塞,先世避秦于此,以暹避清于此。避秦有了中国人理想中的乐土,避清的茶园山庄还在,青史上就长存了不同流合污的典范。当今社会转型,各地纷纷改变,虽然经济指标上涨,不免规划相近,风俗无异,资源耗失,环境污染。铜仁要发展,谋发展,但矿藏不如北方,商贸难及东南,若急功近利,那将是古人所言:金性虽质,处剑即凶,水德虽平,经风即险。充天长地久量,养先忧后生心,用己之长对他人之短,不开发而为大开发,极力保护自己山水，看似持之非强，实则来之无穷。那么，自然的生态的人文的铜仁卓然于世，游人怎不闻名将至，财富怎不趁势而入呢？

2010 年 8 月 10 日

六　棵　树

　　回了一趟老家,发现村子里又少了几种树。我们村在商丹川道是有名的树园子,大约有四十多种树。自从炸药轰开了这个小盆地西边的牛背梁和东边的烽火台,一条一级公路穿过,再接着一条铁路穿过,又接着修起了一条高速公路,我们村子的地盘就不断地被占用。拆了的老院子还可以重盖,而毁去的树,尤其是那些唯一树种的,便再也没有。这如同当年我离开村子时的那些上辈人和那些农具,三十多年里就都消绝了。在巷道口我碰到了一群孩子,我不知道这都是谁家的子孙,问:知道你爷的名字吗?一半回答是知道的,一半回答不知道。再问:知道你老爷的名字吗?几乎都回答不上来。咳,乡下人最讲究的是传承香火,可孩子们却连爷或老爷的名字都不知道了。他们已不晓得村子里的四十多种树只剩下了二十多种,再也见不上枸树、槲树、棠棣、栎、桧、柞和银杏木、白皮松了,更没见过纺线车、鞋耙子、捞兜、牛笼嘴、曳绳、楗枷、檐簸子。记得小时候我问过父亲,老虎是什么,熊是什么,黄羊和狐狸是什么,父亲就说不上来,一脸的尴尬和茫然。我害怕以后的孩子会不会只知道了村里的动物只是老鼠苍蝇和蚊子,村里的树木只是杨树柳树和榆树?所以,就有了想记录那些在三十年间消绝的花草树木、飞禽走兽、农耕用具的欲望。

现在,我先要记的是六棵树。

皂角树。我们的村子分涧上涧下,这棵皂角树就长在涧沿上。树不是很大,似乎老长不大,斜着往涧外,那细碎的叶子时常就落在涧根的泉里。这眼泉用石板箍成三个池子,最高处的池子是饮水,稍低的池子淘米洗菜,下边的池子洗衣服。我小时候喜欢在泉水边玩,娘在那里洗衣服,倒上些草木灰,揉搓一阵子了,抡着棒槌啪啪地捶打。我先是趴在饮水池边看池底的小虾游来游去,然后仰头看皂角树上的皂角。秋天的皂角还是绿的,若摘下来最容易捣烂了去衣服上的垢甲,我就恨我的胳膊短,拿了石子往上掷,企图能打中一个下来。但打不中,皂角树下卧着的狗就一阵咬,秃子便端个碗蹴在门口了。

皂角树属于秃子家的,秃子把皂角树看得很紧。那年月,村人很少有用肥皂的,皂角可以卖钱,五分钱一斤。秃子先是在树根堆了一捆野枣棘,不让人爬上去,但野枣棘很快被谁放火烧了。秃子又在树身上抹屎,臭味在泉边都能闻见,村人一片骂声,秃子才把屎擦了。他在夹皂角的时候,好多人远远站着看,盼望他立脚不稳,从涧上摔下去。他家的狗就是从涧上摔下去过,摔成了跛子,而且从此成了亮蹶。亮蹶非常难看,后腿间吊着那个东西。大家都说秃子也是个亮蹶,所以他已经三十四五了,就是没人给他提亲。

秃子四十一岁上,去深山换包谷。我们那儿产米,二三月就拿了米去深山换包谷,一斤米能换三斤包谷。秃子就认识了那里一个寡妇。寡妇有一个娃,寡妇带着娃就来到了他家。那寡妇后来给人说:他哄了我,说顿顿吃米饭哩,一年到头却喝米角儿粥!

但秃子从此头上一年四季都戴个帽子,村里传出,那寡妇晚上睡觉都不允他卸下帽子。邻居还听到了,寡妇在高潮时就喊:卫东,卫东!村人问过寡妇的儿子:卫东是谁?儿子说是他爹,他爹打猎时火枪炸了,把他爹炸死了。大家就嘲笑秃子,夜夜替卫东干活哩。秃子说:替谁干都行,只要我在干着。

村人先是都不承认寡妇是秃子的媳妇,可那女人大方,摘皂角时看见谁就给谁几个皂角。常常有人在泉里洗衣服,她不言语,站在涧上就扔下两个皂角。秃子为此和女人吵,但女人有了威信,大家叫她的时候,开始说:喂,秃子的媳妇!

秃子的媳妇却害病死了,害的什么病谁也不知道,而秃子常常要到坟上去哭。有一年夏天我回去,晚上一伙人拿了席在麦场上睡,已经是半夜了,听见村后的坡根有哭声,我说:谁哭呢?大家说:秃子又想媳妇了。

又过了两年,我再一次回去,发觉皂角树没了,问村人,村人说:砍了。二婶告诉我,秃子死了媳妇后,和媳妇的那个儿子合不来,儿子出外再没有音讯,秃子一下子衰老了,五十多岁的人看上去有七十岁。他不戴帽子了,头上的疤红得像烧过的柿子,一天夜里就吊死在皂角树上,皂角落得泉边到处都是。这皂角树在涧上,村人来打水或洗衣服就容易想起秃子吊死的样子,便把皂角树砍了。

药树。药树在法性寺的土崖上,寺殿的大梁上写着清康熙初年重建,药树最少在这里长了三百年。我记事起,法性寺里就没有和尚,是小学校,铃声是敲那口铁铸的钟,每每钟声悠长,我就感觉是从药树上发出来的。药树特别粗,从土崖上斜着往空中长,树皮一片一片像鳞甲,村人称作龙树。那时候我们那儿还没有发现煤,柴火紧张,大一点的孩子常常爬上树去扳干枯了的枝条,我爬不上去,但夜里一起风,第二天早晨我就往树下跑,希望树上的那个鸟巢能掉下来,鸟巢是可以做几顿饭的。

药树几乎是我们村的象征,人要问:你是哪儿的?我们说:棣花的。问:棣花哪个村?我们说:药树底下的。

我在寺里读了六年书,每天早晨上操完校长训话,我抬头就看到药树。记得一次校长训话突然提到了药树,说早年陕南游击队在这一带活动,有个共产党员受伤后在寺里养伤住了三年,解放后当了三年专员,因为寺里风水好,有这棵龙树。校长鼓励我们好好学习,将来也成龙变凤。母亲对我希望很大,大年初一早上总是让我去药树下烧香磕头,她说:你要给我考大学!

但是,我连初中还没读完,"文化革命"就开始了,辍学务农,那时我十四岁。

我回到村里,法性寺小学也没了师生,驻扎了当地很大的一个造反派的指挥部。有了这个指挥部,我们从此没有安宁过,经常是县城过来的另一个造反派的人来攻打,双方就在盆地东边的烽火台上打了几仗。好像是这个造反派的人赢了,结果势力越来越大。忽然有一天,一声爆炸,以为又武斗了,母亲赶紧关了院门,不让我们出去,巷道里有人喊:不是武斗,是炸药树了!等村人赶到寺后的土崖上,药树果然根部被炸药炸开,树干倒下去压塌了学校的后

魚

庚寅年

對空敷塵

院墙。原来造反派每日有上百人在那里起灶做饭,没有了柴火,就炸了药树。

村里人都傻了眼,但村里人没办法。到了晚上,传出消息,说造反派砍了药树的枝条,而药树身太粗砍不动也锯不开,正在树上掏洞再用炸药炸。队长就和几位老者在寺里和指挥部的人交涉,希望不要炸树身,结果每家出一百斤柴火把树身保全下来。

树身太大,无法运出寺,就用土掩埋在土崖下,但树的断茬口不停地往出流水,流暗红色的水,把掩埋的土都浸湿了,二爷说那是血水。

村人背地里都在起毒咒:炸药树要报应的!果不其然,三个月后,烽火台又武斗了一场,这个造反派的人死了三个,两个就是在药树下点炸药包的人。而"文革"结束后,清理阶级队伍,两个造反派的武斗总指挥都被枪毙了。

我离开村子的那年,村人把药树挖出来,解成了板,这些板做了桥板就架设在村前的丹江上。

楸树。高达二十米,叶子呈三角形,叶边有锯齿,花冠白色。楸树的木质并不坚实,有点像杨树。这棵树在刘新来家的屋后,但树却属于李书富家。刘新来家和李书富家是隔壁,但李书富家地势高,刘新来家地势低,屋后的阳沟里老是湿津津的,很少有人去过。楸树占的地方窄狭,就顺着涧根往高里长,枝叶高过了涧畔。刘家人丁不旺,几辈单传,到了刘新来手里,他在外地工作,老婆和儿子在家,儿子就患了心脏病,一年四季嘴唇发青。阴阳先生说楸树吸了刘家精气,刘新来要求李书富能把楸树伐了,李书富不同意,刘新来说给你二百元钱把树伐了,李书富还是不同意。

刘新来的老婆带了儿子去了刘新来的单位,一去三年没有回来。那时候我和弟弟提了笼子拾柴火,就钻进刘家屋后砍涧壁上的荆棘,也砍过楸树根。楸树根像蛇一样爬在涧壁上,砍一截下来,根就冒白水,很快颜色发黑,稠得像胶。我们趴在院门缝往里看,院子里蒿草没了台阶,堂屋的门框上结个大蜘蛛网,如同挂了个筛子。

李书富在秋后打核桃的时候从树上掉下来,把脊梁跌断了,卧床了三年,临死前给老伴说:用楸树解板给我做棺材。他儿子在西安打工,探病回来就伐倒了楸树。伐楸树费劲,是一截一截锯断用绳吊着抬出来,解成了板。李书富一死,儿子却没有用楸树板给他爹做棺材,只是将家里一个老式板柜锯了腿,将爹装进去埋了。埋了爹,儿子又进城打工了。李书富的老伴还留在家里,对人说:儿子在城里找了个对象,这些木板留着做结婚家具呀。我也要进城呀,但我必须给他爹过了百天,百天里这些木板也就干了。

百天过后,李书富的儿子果然回来接走了老娘,也拉走了楸木板。而一天,刘新来家的堂屋倒坍了。

香椿。村里原来有许多椿树,我家茅坑边就有一棵,但都是臭椿,香椿只有一棵。这一棵长在莲叶池边的独院里,院里住着泥水匠,泥水匠常年在外揽活,他老婆年龄小得多,嫩面俊俏。每年春天,大家从墙外经过,就拿眼盯着香椿的叶子发生。

男人们都说香椿好,前院的三婶就骂:不是香椿好,是人家的老婆好!于是她大肆攻击那老婆,说人家走路水上漂是因为泥水匠挣了钱给买了一双白胶底鞋,说人家奶大是衣服里塞了棉花,而且不会生男娃,不会生男娃算什么好女人?

三婶有一个嗜好,爱吃芫荽。她在院子里种了案板大片芫荽,每一顿饭,她掐几片芫荽叶子切碎了搅在饭碗里。我们总闻不惯芫荽的怪气味,还是说香椿好,香椿炒鸡蛋是世上最好的吃食。

社教的时候,村里重新划阶级成分。泥水匠原来的成分是中农,但村人说泥水匠的爹在解放前卖掉了十亩地,他是逮住要解放的风声才卖的地,他应该是漏划的地主,结果泥水匠家就定为地主成分。是地主成分就得抄家,抄家的那天村人几乎都去搬东西,五根子板柜抬到村饲养室给牛装了饲料,八仙桌成了生产队办公室的会议桌。那些盆盆罐罐都被砸了,院子里的花草被踏了。三婶用镰割断了那爬满院墙的紫藤萝,又去割那棵香椿,割不动,拿斧头砍,就把香椿树砍倒了。

从此村里只有臭椿。臭椿老生一种椿虫,逮住了,手上留一股臭味,像狐臭一样难闻。

苦楝树。苦楝树能长得非常高大,但枝叶稀疏,秋天里就结一种果,指头蛋儿大,果把儿很老,一兜一兜地在风里摇曳,一直到腊月天还不脱落。

先前村里有过三棵苦楝树。一棵在村口的戏楼旁,戏楼倒坍的时候这树莫名其妙也死了。另一棵在涧上的一块场地上,村长的儿子要盖新院子,村长通融了乡政府,这场地就批给了村长的儿子做庄宅地。而且场地要盖新院子,就得伐了苦楝树,这棵苦楝树产权属于集体,又以最便宜的价处理给了村长的儿子。这事村人意见很大,但也只能背后说说而已,人家用这棵苦楝树做了担子,新房上梁的时候大家又都去帮忙,拿了礼,燃放鞭炮。

最后的一棵苦楝树在村西头,树下是大青石碾盘。碾盘和石磨称作青龙白虎,村西头地势高,对着南头山岭的一个沟口,碾盘安在那儿是老祖先按风水设计的。碾盘旁边是雷家的院子,住着一个孤寡老人。我写完《怀念狼》那本书后回去过一次,见到那老汉,他给我讲了他爷爷的事。他小时候和他娘睡在上屋,上屋的窗外就是苦楝树和碾盘,夏天里他爷爷就睡在碾盘上。那时狼多,常到村里来吃鸡叼猪,有一夜他听见爷爷在碾盘上说话,掀窗看时,一只狼就卧在碾盘下。狼尾巴很大,直身坐着,用前爪不断地逗弄他爷爷,他爷爷说:你走,你走,我一身干骨头。狼后来起身就走了。我觉得这个细节很好,遗憾《怀念狼》没用上。

这棵苦楝树是最大的一棵苦楝树,因为在碾盘旁可以遮风挡雨,谁也没想过砍伐它。小时候我们在碾盘上玩抓石子,苦楝蛋儿就时不时掉下来,嘣,一颗掉下来,在碾盘上跳几跳,嘣,又掉下来一颗。述君和我们玩时一输,他力气大,就用脚踹苦楝树,苦楝蛋儿便下冰雹一样落下来。

苦楝蛋儿很苦,是一味药,邻村的郎中每年要来捡几次。后来苦楝树被人用斧头砍了一次,留下个疤,谁也不知道是谁砍的。不久姓王那家的小女儿突然死了,村里传言那小女儿还不到结婚年龄却怀了孕,她听别人说喝苦楝蛋儿熬出的水可以堕胎,结果把命丢了。于是大家就怀疑是姓王的来砍了树。

一级公路经过我们村北边,高速公路经过的是村前的水田,但高速公路要修一条连接一级公路的辅道,正好经过村西头,孤寡老人的院子就拆了,碾盘早废弃了多年,当然苦楝树也就伐了。老院子给补贴了二万元,碾盘一分钱也没赔,苦楝树赔了三千元,村人家家有份,每户分到一百元。

这次回去,我见到了那个郎中,他已经是老郎中了,再来捡苦楝蛋时没有了苦楝树,他给我扬扬手,苦笑着,却一句话都没有说。

痒痒树。这棵痒痒树是我们村独有的一棵痒痒树,也可以说是我们那儿方圆十里内独有的树。树在永娃家的院子里,是他爷爷年轻时去山阳县,从那儿带回来移栽的。树几十年长得有茶缸粗,树梢平过屋檐。树身上也是脱皮,像药树一样,但颜色始终灰白。因为这棵树和别的树不一样,村人凡是到永娃家来,都要用手搔一搔树根,看树梢颤颤巍巍地晃动。

树和人在一起时间长了,不是树影响了人,就是人影响了树。五魁家的院墙塌了一面,他没钱买砖补修,就栽了一排铁匠蛋树。这种树浑身长刺,但一般长刺都是软刺,他性情暴戾,铁匠蛋树长的刺就非常硬,人不能钻进去,猫儿狗儿也钻不进去。痒痒树长在永娃家的院子里,永娃的脾气也变了,竟然见人害羞,而且胆小。当一级公路改造时,原来老路从村后坡根经过,改造后却要向南移,占几十亩耕地,村人就去施工地闹事,永娃也参加了。但那次闹事被公安局来人强行压服,事后又要追究闹事人责任,别人还都没什么,永娃就吓得生病了,病后从此身上生了牛皮癣。他再没穿过短裤短袖,据说每天晚上让老婆用筷子给他刮身子,刮下屑皮就一大把。村人都说这病是痒痒树栽在院子里的缘故,他也成了痒痒树。他的儿子要砍痒痒树,他不同意,说,既然我是人肉痒痒树,你把树一砍,我不也就死了。他儿子也就不敢砍了。

前三年的春上,西安城里来了人,在村里寻着买树,听说了永娃家院子里有痒痒树,就来看了要买。永娃还是不舍得,那伙人就买了村里十二棵柴槐树,三棵桂花树。永娃的儿子后来打听了这是西安一个买树公司,他们专门在乡下买树,然后再卖给城里的房地产开发商,移栽到一些豪华别墅里,从中牟利。永娃的儿子就寻着那伙人,同意卖痒痒树,说好价钱是一千元,几经讨价还价,最后以五百元成交,但条件是必须由永娃的儿子来挖,方圆带一米的土挖出。永娃的儿子那天将永娃哄说去了他舅家,然后挖树卖了,等永娃回来,院子里一个大深坑,没树了,永娃气得昏了过去。

永娃是那年腊八节去世的。

去年,永娃的儿媳妇患了胆结石来西安做手术,那儿子来看我,我问那棵痒痒树卖给了哪家公司,他说是神绿公司,树又卖给一个尚德别墅区,他爹去世前非要叫他去看看那棵树,他去看了,但树没栽活。

2007 年 6 月 23 日

天　气

有一日,陈传席先生从北京来,正是西安下过一场雨,两人就说到天气,突然地醒悟了:天气就是天意。我们常说天地,天是什么呀,天不就是天气吗？地是什么呀,地不就是土壤吗？想想,人类的产生,种族的形成,以及文化、政治、经济、军事的区别,没有不是天气和土壤决定了的。又想想,天不再成就明朝,就大旱三年,遍地赤土,民不聊生,李自成就造反了。天还要成就孔明,东风刮来,草船借箭,火烧连环,曹军就灰飞烟灭了。

过去年代里有过一些神人,之所以神,就是知道什么时候下雨什么时候有雾,那仅仅了解了些天气。现在神人几乎没有了,因为有了气象部门。中央电视台最好的栏目已经是天气预报,天气预报成了人们每天最大的关注。

天气可以预报了,但也只是预报,不能掌控。掌控这个世界的永远是天气,天气就是上帝,是神,我们在天气下或生或死,或富或穷,或幸福或苦难,过程着我们的命运。

这么说来,天之骄子怎么是皇帝呢,应该是探测和预告天气的人,可能也包括了我和陈传席吧,知道了天气是天意。

跪下来给天气祷告啊,我们顺从着天气,让天气赐给我们好的命运!

松　云　寺

商州杨斜有一个寺,很小,就二百平方米的一个院子,也只住着一个和尚。和尚在每年的三月底或四月初,清早起来,要拿扫帚扫院里的花絮,花絮颜色深黄,像撒了一地金子。

这是松花。

松是孤松,在院子西边,一搂多粗的腰,皮裂着如同鳞甲,能一片一片揭下来。树高到一丈多,骨干就平着长,先是向东北方向发展,已经快挨着院墙了,又回转往西南方向伸张,并且不断曲折,生出枝节,每一枝节处都呈 Z 字状,整个院子的上空就被罩严了。

松树真的像条龙。

应该起名松龙寺吧,却叫松云寺。叫松云寺着好,因为松已是龙,则需云从,云起龙升,取的是腾达之意哈。

但寺院实在太小,松的腰枝往复盘旋,似藤萝架一般,塞满了院子,倒感叹这松不是因寺而栽,是寺因松而建,寺的三面围墙竟将龙的腾达限制了。

二○○一年九月五日,我从商州城去寺里,去时倾盆大雨,到了却雨住天晴,见松枝苍翠,从院墙头扑搭了许多,而门楼高背翘角,使其受阻。我建议既然寺紧邻大路,院墙不可能推倒,不妨砸掉门楼背角,让松能平行着伸长出来。所幸和尚和乡政府干部都同意,并保证半月内完成,我才慰然离开。离开时,雨又开始下,一直下到天黑。

当晚还住在商州,半夜做了一梦,梦见飞龙在天,醒来睁眼的一瞬间,竟然恍惚看到周围有一通碑子,有扫松花的扫帚,有和尚吃茶的石桌。很是惊奇,难道梦境在人睡着的时候是具现的?疑疑惑惑就直坐到天明。

2010 年 9 月 7 日记

药 王 堂

柞水有个药王堂,仅仅是一间庙,就修在山根的一个台子上。台子可能是开出来的,也可能是水冲刷出来的,远远看去,就像一块大的石头。

据说孙思邈当年路过这里,坐下来要歇脚,当地山民都跑来求他治病,他就再没走成,从唐朝一直坐到了现在,坐成了一个小庙。

小庙不知翻修了几百次,庙始终是一间房,和山区寻常人家的房子没有区别。但来人不绝,似乎那就是孙思邈的家,有病了来看看,没病了也来看看。

孙思邈也似乎已习惯这山区的日子了,小小的台面不足三十平方米,出门到台沿一丈多宽,不砌院墙,立马就能看到台子下的乾佑河,河水总是呜呜咽咽。河对岸的山岗上,满是柴林,雨后的太阳照着,柴林的叶子像涂了蜡,闪闪发亮,像无数的眼睛瞅过来。而房的左边呢,崖壁上湿漉漉的,插了个竹片就流出水来,水细得如同挂面,下边的潭仅是笼筐大,这也就够用了。房的右边还种了菜,是三行葱,二十来棵豆角苗,竟然靠崖角还长着一窝西红柿呀,柿子青里泛了红,正是好的颜色。

庙里住着神,又觉得是白胡子老者,能听到咳嗽吧,是不是正研了药往葫芦里装呢?

山民又来了许多,都说:去摸摸那个葫芦么,要些药,灵验得很哩!

2010 年 7 月 12 日从药王堂回来写就

写 给 母 亲

人活着的时候,只是事情多,不计较白天和黑夜。人一旦死了日子就堆起来:算一算,再有二十天,我妈就三周年了。

三年里,我一直有个奇怪的想法,就是觉得我妈没有死,而且还觉得我妈自己也不以为她就死了。常说人死如睡,可睡的人是知道要睡去,睡在了床上,却并不知道在什么时候睡着的呀。我妈跟我在西安生活了十四年,大病后医生认定她的各个器官已在衰竭,我才送她回棣花老家维持治疗。每日在老家挂上液体了,她也清楚每一瓶液体完了,儿女们会换上另一瓶液体的,所以便放心地闭了眼躺着。到了第三天的晚上,她是闭着的眼再没有睁开,但她肯定还是认为她在挂液体了,没有意识到从此再不醒来,因为她躺下时还让我妹把给她擦脸的毛巾洗一洗,梳子放在了枕边,系在裤带上的钥匙没有解,也没有交代任何后事啊。

三年以前我每打喷嚏,总要说一句:这是谁想我呀?我妈爱说笑,就接茬说:谁想哩,妈想哩! 这三年里,我的喷嚏尤其多,往往错过吃饭时间,熬夜太久,就要打喷嚏,喷嚏一打,便想到我妈了,认定是我妈还在牵挂我哩。

我妈在牵挂着我,她并不以为她已经死了,我更是觉得我妈还在,尤其我一个人静静地待在家里,这种感觉就十分强烈。我常在写作时,突然能听到我妈在叫我,叫得很真切,一听到叫声我便习惯地朝右边扭过头去。从前我妈坐在右边那个房间的床头上,我一伏案写作,她就不再走动,也不出声,却要一眼一眼看着我,看得时间久了,她要叫我一声,然后说:世上的字你能写完吗,出去转转么。现在,每听到我妈叫我,我就放下笔走进那个房间,心想我妈从棣花来西安了?当然是房间里什么也没有,却要立上半天,自言自语我妈是来了又出门去街上给我买我爱吃的青辣子和萝卜了。或许,她在逗我,故意藏到挂在墙上的她那张照片里,我便给照片前的香炉里上香,要说上一句:我不累。

整整三年了,我给别人写过了十多篇文章,却始终没给我妈写过一个字,因为所有的母亲,儿女们都认为是伟大又善良,我不愿意重复这些词语。我妈是一位普通的妇女,缠过脚,没有文化,户籍还在乡下,但我妈对于我是那样的重要。已经很长时间了,虽然再不为她的病而提心吊胆了,可我出远门,再没有人啰啰唆唆地叮咛着这样叮咛着那样,我有了好吃的好喝的,也不知道该送给谁去。

在西安的家里,我妈住过的那个房间,我没有动一件家具,一切摆设还原模原样,而我再没有看见过我妈的身影。我一次又一次难受着又给自己说,我妈没有死,她是住回乡下老家了。今年的夏天太湿太热,每晚被湿热醒来,恍惚里还想着该给我妈的房间换个新空调了。待清醒过来,又宽慰着我妈在乡下的新住处里,应该是清凉的吧。

三周年的日子一天天临近,乡下的风俗是要办一场仪式的,我准备着香烛花果,回一趟棣花了。但一回棣花,就要去坟上,现实告诉着我妈是死了,我在地上,她在地下,阴阳两隔,母子再也难以相见,顿时热泪肆流,长声哭泣啊。

2010 年 8 月 16 日

走了一趟崂山太清宫

即便没有太清宫,崂山也是道山。因为崂山只有两种颜色:乱起的白石和石缝里的绿木;白而虚,绿而静,正是"虚白道可集,静专神自归"的意思。

先有了道山,再有了太清宫;来太清宫修行的就非常多,有人,也有树,树比人多。

树在宫院里似乎都随便站着,仔细看看,又都有方位。那些特粗特高的,每个院落里都有:或单独挺立,挺立成一个建筑;或两个并排,树身隆着从上而下的条棱,如绷紧的肌肉;或五个六个集中了,一起往上长,却枝叶互不交错。这些树极其威严,碰着了只能仰视。而更多的树,是年轻的,也努力地向上长,他们的皮纹细致,如瓷的冰裂,还泛一种暗红色。可能是数量多的缘故吧,前边院子里有,后边院子里又有,感觉他们一直在走动,于你的注意中某一个就蓦然地站住了。有的树已经很大了,却周围一圈小树,以为是新栽的,其实是自生的,大树枝叶扑拉下来,遮得看不到天空。而小树的叶子涂过蜡一般,闪着光亮,如是一堆眼睛,那是长者给幼者交代事情吗?这样的树只能远远看着,不好意思近去。当然也有或仄或卧的树了,他们多在墙角和塄沿,太阳照着,悄无声息地打盹。也有老树,树干开裂,如敞了怀,那黝黑的粗桩上新生了一层叶子,几乎没有风来,叶子也在反复,像是会心地无声地笑。每个院落的窗前就是那些小树了,枝叶鲜亮,态度温柔。而院墙之外,小路拐弯处,那些树就不严肃了,枝条拉扯,藤蔓纠结,蝉也在其中嘶鸣,只待着宫里的钟声一响,才安静下来。

六月十五日的上午,我走了一趟太清宫,走着走着,恍惚里我也走成了一棵树,是一棵小叶银杏。当时一只鸟就在我头顶上空叫,我怔了一下,并不知鸟在叫什么。

2010 年 7 月 15 日写

一 块 土 地

这是××给我说的,他说,那块地并不大,总共十八亩二分五,他们习惯于说是十八亩地。

十八亩地很平整,但北头窄,南头稍宽些,西边有一条水渠,水渠一拐,朝别的地方去了,拐弯处长了棵梧桐树。十八亩地里冬天种麦,夏天种包谷,庄稼长得好不好,他那时太小,只有两岁吧,并不理会,他只关心着那棵梧桐树上会不会来凤凰。梧桐树是沙百村里最粗的树,树冠特别大,也特别圆,风一吹,就软和了,咕涌咕涌地动。大人们都说,梧桐树上招凤凰,但他从来没见过凤凰,来的全是黑羽毛鸟,一落进去就不见了。

那时候,他的太爷还在,太爷鼻子以下都是胡子,没有嘴。他记得有一阵太爷总是去十八亩地,从地北头走到地南头,再从地南头走到地北头,来回地走。太爷在地里走着就背了手,腿好像没了膝盖,直戳戳地往前迈一步,再迈一步,像是不会走路似的。从渠沿上走过的人说:啊爷,你咋天天都量地哩?

太爷说:我有么!

那人说:那原本就是你的么。

太爷瞪了一眼。

太爷为什么要瞪人家,他不知道原因,后来是爷告诉了他。爷的爷初来乍到沙百村,这里还是一片狼牙刺滩,一家人起早贪黑硬是挖掉了狼牙刺,搬走了石头,才修出来了十八亩地。但在太爷三十岁的那一年,房子着了大火,把什么都烧成了灰,十八亩大地就卖给了村里的马家,太爷还从此给人家吆马车。

太爷在用步子丈量着十八亩地,村子里正叮叮咣咣地敲锣鼓。锣鼓差不多都敲过十天半月了,还是敲,那是一套新置的响器,敲起来他总以为要敲烂了,可就是敲不烂。

锣鼓敲到谁家,谁家就拿一条红被面来挂彩,快到他家时,太婆舍不得把红被面拿出来。记得太爷站在上房台阶上吃水烟,太爷每天丈量一遍十八亩地回来都要吃水烟,说:你呀你呀,新社会了么!

他那时不晓得什么是社会,社会又怎么是新的了。

太爷说:土地改革了呀!

太爷在十八亩地里种了麦子,麦子长势很好,风一起,麦地里就旋了涡,风好像有双大脚,一直在那里跳舞。可是,麦子刚刚泛黄,眼看着都要搭镰了,太爷却死了。

太爷他没福。

沙百村的坟地都是在村东那个堆料礓石的高岗子上的,只有太爷的坟埋在梧桐树下。太爷临死前给太婆交代,这十八亩地是极力要求分回来的,宁愿一个人孤孤单单,一定要埋在十八亩地里。太婆和太爷一辈子意见不合,平日一个说要这样,另一个偏要那样,太婆说:啊这一回听你的。就把太爷埋在了梧桐树下。

村里有人说,太婆真不该把太爷埋在十八亩地的,可能太爷知道太婆不顺听他的话,故意反说的,太爷哪里会舍得让坟占用十八亩地呢?他们就提起太爷的往事,说马家不仅在沙百村的土地多,在西安城里仍还有一个骡马店,太爷就每日从渭河码头上到城里的钟楼下,又从城里的钟楼下到渭河码头上吆马车拉客。冬季的夜里吆完最后一趟马车,钟楼下就有个老妓女等太爷,太爷便给她买两碗热馄饨,她可以整夜能把太爷的一双脚抱在怀里暖热。这老妓女后来就是他的太婆。但这话爷不让后辈人说,他爹不说,他也不说。

其实,太爷的事情他记得并不多。记得深刻的还是他爷。爷对十八亩地更是上心,种麦、种包谷,也种豌豆和芝麻,地堰砌得又细又直,地里的土疙瘩都磕得碎碎的,更不能有一棵杂草。沙百村人在很长的时间里流传着一个笑话,说爷有一次进城,沙百村离城有十里路,爷感觉要大便呀,就往回赶,须要把粪屙在十八亩地里,但终究没憋住,半路上屙了,却还屙在荷叶上提回来倒在地里。这笑话或许是编的,但他亲眼看过爷在吃土。那是一个秋后,十八亩地犁过种麦,麦苗还没出来,爷领着他在地里走。爷一直鼻孔张大地吸,他说爷你吸啥哩?爷说你没闻到土气香吗?他闻不出来,爷就从地上捏一把土,捏着捏着,竟把一小撮塞在嘴里嚼起来了,吓了他一跳。

他说:爷,爷,你吃土哩?

爷说:吃哩。

他说:爷是蚯蚓。

爷呵呵呵地笑了,说:蚯蚓?啊,蚯蚓,爷是蚯蚓。

后来,爷就当了村长。当了村长,爷就走方字步,而且每次出门,都要披一件衣服,冬天里披的是棉袄,夏天里披的是褂子,在村道里走,人人见了都问候。爷怎样经管着村子,他不甚清楚,但在爷当村长的几年里,沙百村一下子成了远近闻名的先进村。

在一年夏天,有个风水先生来到村里,看了沙百村地形,认为沙百村并没什么出奇处呀,就见到爷,怀疑是不是村长的祖坟穴位好,爷带着就去了十八亩地。才走到水湾拐弯那儿,爷却让风水先生等一等。风水先生问为啥?爷说:一群孩子在地南头偷吃豌豆哩,咱突然去了会吓着他们。风水先生哦了一声,不再去看穴位,说:我明白了,全明白了。

是过了两年吧,村里又是敲锣打鼓,叮叮咣,叮叮咣,他还是操心着锣鼓要敲烂了,可锣鼓就是敲不烂。爷当然也是参加了锣鼓队,但敲完锣鼓回来,婆在问爷:咋又敲锣鼓哩?

爷说:社会又变呀。

婆经过土改,以为又要分地,说:村里不是地都分完了吗?

爷说:要收地呀。

这就是成立了人民公社,沙百村各家各户的土地都收了,十八亩地也收了,所有的土地都归于集体。

村子里架起了高音喇叭,喇叭是个大嘴,整天在说着人民公社好。但是爷不久就病了,爷的病先是眼睛黄,后来浑身黄,黄得像土,再就是肚子胀,汤米不进。沙百村成了人民公社的一个生产队,生产队选队长,选的还是爷,爷已经领不了社员们去拔界石、扒地堰,平整大面积耕地了。睡倒了一个月,到了初秋,爷突然精神好些,要家里人搀着去十八亩地。家里人搀着他到梧桐树下,爷说:噢芝麻开花了。头一歪,在爹的怀里咽了气。

爷死后没有埋在十八亩地里,因为十八亩地已经不属于他家,爷埋在了村东堆料礓石的高岗子上。太爷的坟堆也平了,清明节去祭奠,只在梧桐树下烧纸。

十八亩地再不可能还种豌豆和芝麻了,它是村里最好的三块地之一,秋季全种了包谷。包谷秆上结了棒子,像牛的犄角,他总感觉十八亩地里是摆了牛阵,牛随时就会呼啸着跑了出来。

那些年里,吃粮吃菜连同烧锅的柴火都由生产队按工分的多少来分的,人开始肚子吃不饱饭,猪也瘦得长一身的红毛。沙百村的人几乎都成了贼,想着法儿偷地里的庄稼,他也就钻到十八亩地里捋套种在包谷里的黄豆叶子。捋黄豆叶子时连黄豆荚一块捋,拿回家猪吃叶子,人煮了豆荚吃。他是先后去捋过三次,第四次让队长发现了,队长夺了笼筐,当场就用脚踏扁了。

他说:这十八亩地原本是我家……

队长说:你说啥?你再说?!

队长扇了他一个耳光,他就没敢再说。

他回到家要把挨打的事说给爹的,爹却正把那套锣鼓往他家的土楼上放,他以为又要敲锣鼓了。爹告诉他这套锣鼓一直在常三爷家,常三爷年纪大了,常三爷的儿子老谋着要把锣当烂铜烂铁卖了去买黑市粮呀,常三爷就让爹存到他家的。

这锣鼓从此就放在他家的土楼上,再也没有敲过。有一年村里有个叫朱能的人来他家借小米,他家没有秤,也没升子,朱能说你家不是放着锣吗,给我量上一锣。他爹从土楼上取锣,锣里竟然有一窝新生的老鼠。用锣量了一锣小米,朱能却是把那一锣小米做了干饭,一顿吃了。

朱能坏了村子的名誉,周围生产队的人都在嘲笑,说沙百村的人是饿死鬼托生的。

在他七岁的那年,娘得了一种病,就是腰越来越弯,好像她背上老压着个大沙袋似的,眼睛再也看不到了天。爹把他寄养在了城里的姑家,就在那里上学。村里的事自那以后他便知道得少了,只晓得爹在后来像太爷年轻时一样,吆起了马车。但爹吆马车不是去拉客,爹是到城里拉粪车。每个星期六了,爹都要来姑家的那个大杂院收粪水,辕杆上就吊一个麻袋,里边装着红薯,或者是白菜和葱,放到姑家了,便在厕所里淘粪,然后一桶一桶提出去倒在马车上的木罐里。那匹老马很乖,站着一动不动,无论头是朝东还是朝西,尾巴老是朝下。淘完了粪,爹是不在姑家吃饭的,带着他回沙百村过星期天,他便坐在辕杆上。

他是每个星期六都坐粪车的,一直坐到了中学毕业。这期间发生了多少事啊,比如,他娘死了,他爹摔断过腿,头发一根一根全白了,他又上了大学,大学毕业再在一家报社上班。

就在他再一次回到沙百村,要把辞退工作准备经商的想法说给爹,他记得清清楚楚,那一天他家的院子里拥了好多人。这些人在从土楼上往下取锣鼓,鼓是皮松了,重张拉紧钉好,而锣也锈了几处,敲起来还是震耳欲聋。他那时真笨,以为他们要闹社火,还纳闷着沙百村从来就没有闹过社火呀。

院子人说:征地啦,征地啦!

他说:土地又改革呀?

院子人说:你还是城里人哩,你不知道征地?!

他当然知道征地,好多城中村都征地盖楼房了,可他哪里能想到,沙百村距城这么远的,怎么就征到了这里的地!

沙百村的锣鼓叮叮咣咣敲动着,沙百村果真是被征了地,不仅是征了耕地,连村子都征了。因为沙百村西边的三个村子原是唐代的皇家公园旧址,现在要恢复重建,周围十几个村子都得搬迁。

那个晚上,沙百村人都在高兴,这地一征,社会又变了么,他们终于不再是农民了,以后子子孙孙永远不是农民了,而且每家还领到了一大笔补贴费,就筹划着该怎么使用这些钱了:去大商场租个柜台吧,从广州上海进货,做服装生意,却又担心如果货卖不出去怎么办?最可靠的还是在街上去摆地摊吧,或者推个三轮车去卖早点。他爹却在屋里喝闷酒,喝了半瓶子,喝得一脸的汗都是油。

爹说:你爹真的也不是农民了?

他说:没地了,当然不是农民么。

爹却说咱到十八亩地去。

他能理解爹的心情,以前分了地,又收了地,地还在沙百村,天天都能看到,现在却要离开沙百村,十八亩地说不定做什么用场,就再也没有了呀。他陪爹去了十八亩地。那一夜月亮很高,爹又像太爷一样,反背了手,腿也没了膝盖,直直地一步一步从地北头走到地南头,从地南头走到地北头。走了七八个来回,爹的腿一软就跪在地上磕头。他不知道爹是给十八亩地磕头哩,还是给埋在十八亩地里的太爷磕头。

爹离开了沙百村,搬住到了城西南角新建的小区,把家里的什么都带去了,包括那一套锣鼓。但爹过不惯住高层楼的生活,说老觉得楼在摇,晚上睡不踏实。他不能陪爹呀,先还是十天半月去看望一次,后来三四个月也难得来,因为他的公司经营外贸生意,生意又非常好,而且在积累了一定资金后,他也开始进入房地产市场。

城市发展确实很快,像湖水一样向四边漫延着扩张,那个唐代的皇家公园在三年内就恢复重建了,果然成了西安最现代也最美丽的地方,原先二十万一亩征去的土地,地价开始成了四百万一亩,纷纷建造了别墅,别墅已卖到二万元一平方米。还未开发的那些地方,政府都用围墙圈着,过一段时间,拍卖一块,再过一段时间,再拍卖一块。

当然,每次拍卖会他都去参加的,每次参加了都铩羽而归,因为价钱实在是太高了。但当又一次召开拍卖会,拍卖的是沙百村那一片面积,他竭力竞争,他的实力不可能拿下整个沙百村,却终于得到了那十八亩地的开发权。他把这消息告诉了爹,爹雇了一辆三轮车把那一套锣鼓拉到了十八亩地里,和他公司的员工整整敲了三天三夜,叮叮咣,叮叮咣,这一回鼓敲得散了架,锣真的就烂了。

他说,这十八亩地他要得到,就是倾公司的所有力量,一定要得到,得不到他就得疯了。他确实有些孤注一掷,甚至是变态了。他在给他的员工讲道理,他说十八亩地,是他看到的也是经过的,收了,分了,又收了,又分了,这就是社会在变化。社会的每一次变化就是土地的每一次改革,这土地永远还是十八亩呀,它改革着,却演绎了几代人的命运啊!

××说完了他的故事,我让他带我去十八亩地看看,十八亩地果然还被围墙围着,地很平,没有庄稼,长着密密麻麻一人多高的蒿草。水渠已经没有了,那棵梧桐树还在。那真是少见的一棵树呀,树干粗得两个人才能抱住,树冠又大又圆。突然,地的南头嘎喇喇一声,飞起了一只鸟,这鸟的尾巴很长,也很好看,我们立即认出那是野鸡,就撵了过去。野鸡还在草上闪了几下,后来再寻就不见了。

怎么会有野鸡?野鸡是能飞的,但它飞不高也飞不远,围墙之外部是楼房,它是从哪儿来的?我们都疑惑了。

我说:是不是沙百村原来就有野鸡?

他说:这不可能,我从来没在村里见过野鸡。

我想,那就是这十八亩被围起来后,地上自生了蒿草也自生了野鸡。因为若一个水塘,水塘里从没放过鱼苗,过那么几年水塘里不就有鱼在游动吗?

××却突然地说:这是不是我太爷的魂?!

他这话是把我吓了一跳,但我绝不会认为他的话是对的,我只是担心这十八亩地很快就要铲草掘土,建起高楼了,那野鸡还能生存多少日子呢?

又是一年过去了,我再没见到××,也没有听到关于他的消息。有一天路过了那十八亩地,十八亩地的围院换了,换成了又高又厚的砖墙,全涂着红色,围墙里并不是建筑工地,梧桐树还在,蒿草还一人多高。而围墙西头紧锁着的两扇铁门,门口挂着了一个牌子,写着:一块土地。

2010 年 5 月 23 日

走了几个城镇

中国的行政区域,据说,还沿用了明清时的划分,那就是不规则,或竖着或横着,相互交错,尤其省会城市必须都与邻省的距离最近,以防地方造反动乱。至于县与镇,就无所顾忌了,基于方便管理吧,百十里一县,二十里一镇。但在民间的习惯上,可能老百姓最营心的还是县,一般把省会城市不叫省城,叫省,镇当然还叫镇,而说到城,那就是指县城了。这如同所有的大路都叫官道,即便长江黄河从县城边流过,也都一律叫作县河。

今年,在断断续续的几个月里,我沿着汉江走了十几个城镇,虽不是去做调研和采风,却也是有意要去增点见识。那里最大的河流是汉江,江北秦岭,江南巴山,无论秦岭巴山,在这一地段里都极其陡峭,汉江就没有了滩,水一直流在山根。那里有一句咒语:你上山滚江去!也真是在山上一失足,就滚到汉江里去了。沿江两岸南北去数百里,凡是沟岔,莫不是河流,所有的河流也都是汉江的秉性,没堤没岸,苦得城镇全在水边的坡崖上建筑,或开崖劈出平台,或依坡随形而上。我和司机每次都是悄然出发,不事声张,拒绝应酬,除了反复叮咛限制车速外,一任随心所欲,走哪算哪,饥了逢饭馆就进,黑了有旅社便宿,一路下来,倒看到了平日看不到的一些事,听到了平日听不到的一些话,回来做一次长舌男,给朋友唠叨。

达　州

傍晚到达,城里人多如蚂蚁,正好手机上有了朋友发来的短信:想我的,赏个拥抱,不理我的,出门让……蚂蚁绊倒。我就笑了,在达州,真会被蚂蚁绊倒呢。

不仅人多,人都还忙着吃,每个饭馆里都有人站着等候凳子,小吃摊更是被人围着。随处可见有女孩,女孩都是三四个并排走的,一边走一边端着个小纸盒子,把什么东西往嘴里塞。

这让我想起九十年代去过关中的一些县城,满地都是嚼过的甘蔗皮和渣子,所有的电影院里,上千人全都嗑瓜子,嚓嚓嚓的声音像潮水一般,你不也买一包来嗑就无法坐下来。

但达州街上很干净。

好比看见青年男女相拥相爱觉得可爱,而撞着年纪大的人偷情便恶心一样,达州城里女孩子的吃相倒优雅,是个风景。

只是街道窄。街道窄一是人太多,二是两边的楼房太高也太密。楼大多没外装饰,就显得是水泥的灰气。楼高就楼高了,其实也不是摩天大厦,而几乎一座挨着一座,同样格式,一般地高,齐刷刷地盖过去,我就感觉每条街上便是两座楼,左边是一座,右边是一座。

寻着一个宾馆住下,从最上边的窗子能俯视全城。城原来是建在一个山窝子里,楼把山窝子挤得严严实实,楼顶与四边的山岗几乎齐平,风在上边跑,风的脚可以从东跑到西,从北跑到南,风跑不到街上去。

一个县城,怎么会有这么多人呢?达州离大城市远,方圆数百里的大山里,这座城就是繁华地了吧。国家实施发展城镇化,人越来越多,楼就建得密密匝匝,要把小山窝子撑炸了。人是一张肉皮包裹了五脏六腑,人都到这里来讨好生活,水泥的楼房就把人打了包垒起来。

第二天离开达州,半路上遇着一辆运鸡的卡车,车上架着一层一层铁丝笼,每个铁丝格里都伸出个鸡头。擦车而过的瞬间,我看到那些鸡的冠都紫黑,张着嘴,眼睛惊恐不已。

镇　安

没通高速公路前,从镇安到西安的班车要走七八个小时,通了高速公路,只需两个小时;双休日,西安人就多驾车去那里玩了。

隔着一条县河,北边的山坐下来,南边的山也坐下来,坐下来的北边山的右膝盖对着南边山的右膝盖,城就在山的脚弯子里,建成了个葫芦状。北山的膝盖上有个公园,也有个酒店,我在酒店里住过三天。

差不多的早晨都有一段雨。那雨并不是雨点子落在地上,而是从崖头上、树林子里斜着飞,飞在半空里就燃烧了,变成白色的烟。在这种烟雨中,一溜带串的人要从城里爬上山来,在公园里锻炼。他们多是带一个口袋或者藤篮,锻炼完了路过菜市买菜,然后再去上班。而到了黄昏,云很怪异,云是风,从山梁后迅疾刮过来,在城的上空盘旋生发,一片一片往下掉,掉下来却什么也没有。这时候,机关单位的人该下班了,回家的全是女的,相约着饭后去跳舞,而男的却多是留下来,他们要洗脚,办公室里各人有各人的盆子,打了热水洗了,才晃悠悠地离开。

八点钟,广场上准时就响喇叭了,广场在城里最中心处,小得没有足球场大吧,数百个女人在那里跳舞。世上上瘾的东西真多,吸烟上瘾,喝酒上瘾,打牌上瘾,当然吃饭是最大的瘾,除了吃饭,女人们就是跳舞,反复着那几个动作,却跳得脖脸通红,刘海全汗湿在额上。

这舞一直要跳过十二点,周围人没有意见,因为有了跳舞,铺面里的生意才兴旺。

镇安离西安太近,乡下的农民去西安打工的就特别多,城里流动人口少,那些老户就把自家的房子都做了铺面,从西安进了各种各样的货,再批发给乡镇来的小贩。而机关单位的人,最能行的已调往西安去了,留下来的,因为有份工作,也就心安理得留在县城。县城的生活节奏缓慢,日子不富不穷,倒安排得十分悠然。

我在夜市的一个摊位上坐下来,想吃碗馄饨,看着斜对面的那家铺面,光头老板已经和一个小贩讨价还价了半天,末了,小贩开始装雨鞋,整整装了两麻袋。一个穿着西服的人提了一瓶酒、三根黄瓜往过走,光头在招呼了:

啊,去接嫂子呀?

穿西服的人说:让她跳去,我买瓶酒,睡前不喝两盅睡不着么。

光头说:好日子么,啥好酒?

穿西服的说:包谷酒。

光头说:咋喝包谷酒了?

穿西服的说:没你发财呀!

光头说:发什么财,要是能端公家饭碗,我也不这么晚了还忙乎!

穿西服的说:这倒是,你比我钱多,我比你自在么。

夜市的南头,单独吊着一个灯泡,灯泡下放着一盆水,飞虫在盆子里落了一指厚。但仍有蚊子咬人。卖馄饨的给了我一把蒲扇,那扇子后来不是扇,是在打,又打不住蚊子,一下一下都在打我。

小 河

从镇安到旬阳去,走的是二级公路。车到一个半山弯,路边有一排商店,商店里不知还有什么货,商店门口都摆了许多摊位,出售廉价的鞋帽衣物。没有顾客,摊位后是一妇女给婴儿喂奶,还有一只狗。

商店的左前是一个急转而下的路口。

我从路口往下看,路是四十度的斜坡,一边紧贴着崖,崖石龇牙咧嘴,一边还是商店,开间小,入深更小,像是粘在塄沿上。有人就拉着架子车爬上来,身子向前扑得特别厉害,眼睛一直盯着地面,似乎他不敢抬头,一抬头,劲一松,车子就倒溜下去了。

也真是，我在商店里买了一包烟，烟是假烟，吸着的时候店主再拿一瓶饮料让我买，又拿一包糕点让我买，我一直吸烟，店主有些生气，说：要不要，你说个话呀！我说：我能说话吗，我一说话烟就灭了。

我顺着坡道一直往下走，这就到了镇上，两边门面房的台阶又窄又高，门开着，里边黑洞洞的，看不清是卖货的还是卖饭的，门口都有一块光溜溜的石头，差不多四五个石头上站着鸭子，鸭子总是痒，拿长嘴啄身子。转过弯，又往下走，人家和商店更多些。再转个弯，就是河，河上有一座桥。桥头上有一个饭店，摆有三张木桌，饭店旁坐着个钉鞋的，他一直盯着我的脚。

桥应该是石拱桥，或者木桥，但它是水泥桥，已经破坏了护栏。站在桥上可以看到这个镇子一分两半，一半在东边的山坡，一半在西边的山坡。一个小镇分为两半，中间是一条不大的河，所以镇名叫小河吧。

河对面是另一条街，其实是从桥头一家杂货店门口像梯子一样陡的下坡路，一直下到河滩。这条街上多卖副食，山果也在这里卖。一黑瘦女人一见我来就拿一根竹枝扇肉案上的一个猪头，说：肉耶，没喂饲料的肉！路尽头的河滩上，篱笆里长着萝卜，叶子很青，萝卜很白。

从桥那边返回来，许多人也是路过了停车下来到镇上的，站在桥上讨论着要买鸡蛋，说这里的鸡蛋一定是土鸡蛋，还说买一头猪吧，五六十斤的，拉回去喂三个月苹果，那肯定好吃哩。讨论完了，就趴在护栏往下看，两边那屋场下的石阶上，有女人在河里淘米，

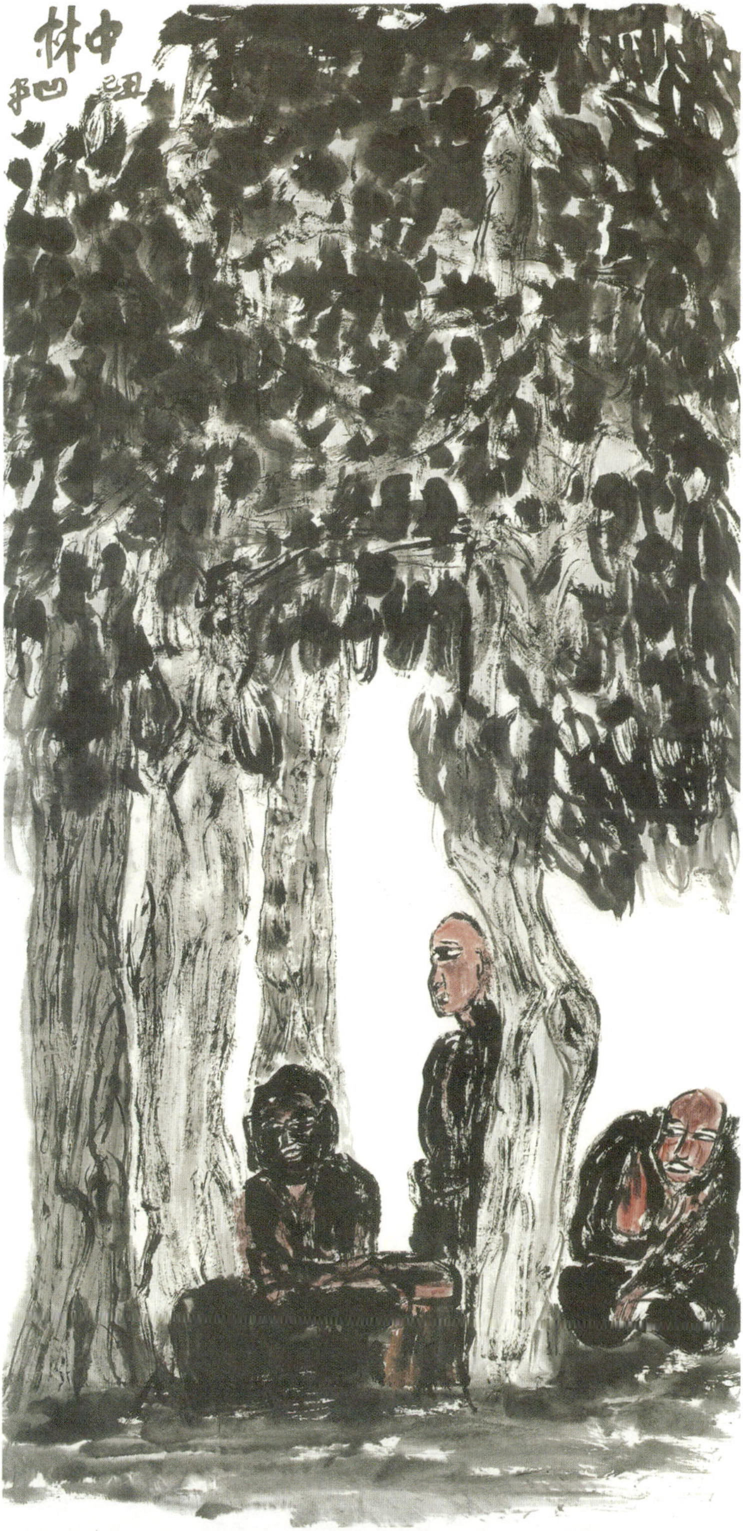
中林
己丑

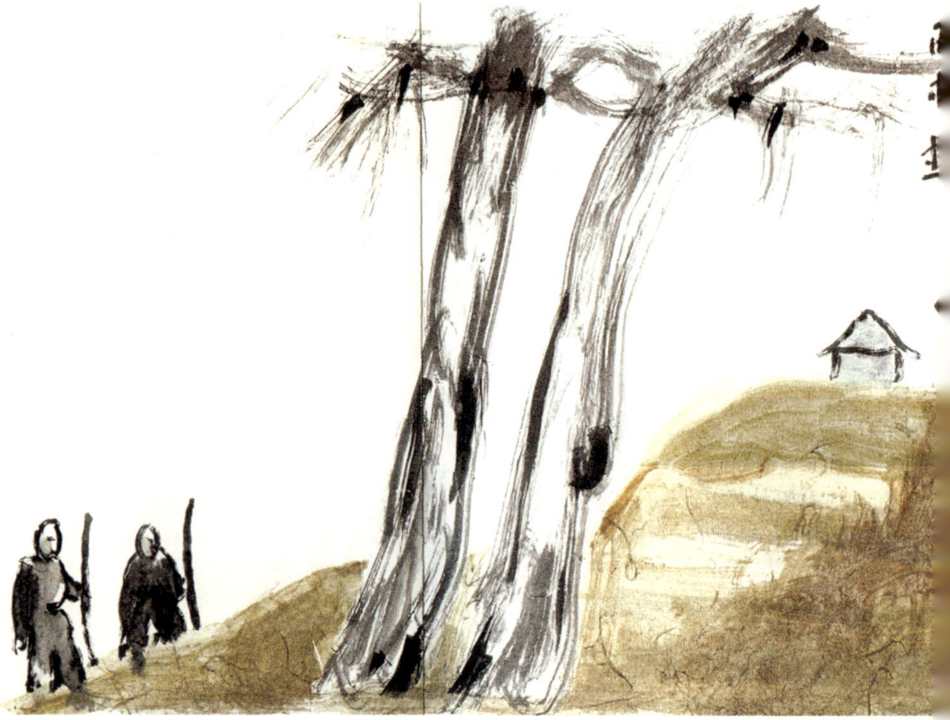

他们不知是在看淘米的人,还是在看水里自己的影子。

在镇街转弯处,一家门口有一堆树根,见一个酒盅粗的柴棍似龙的形状,拿了要走时,忽有三个孩子跑来说那要钱哩,不给十元钱不能拿。我很生气,说一个柴棍都要钱呀?抬头看见六七个男人全端了饭碗蹴在不远的台阶上吃,我说:是你们教唆的吧?我朋友十年前路过这儿看见一个汉代石狮子,值三百元钱你们十元钱就卖了,现在一个柴棍儿值不了一毛钱倒要十元钱?六七个男人不说话,全在笑。我就把柴棍儿扔回树根堆了。

又回到入镇的那个慢坡路上,有人赶着一头毛驴迎面走来,人走一步,驴走一步,人总想去拉驴尾,但就差一步,一步撵不上一步,驴尾到底没拉住。

半山弯的鞋帽衣物摊边,妇女不见了,婴儿坐在那里,嘴里叼着一个塑料奶嘴。狗也嚼根骨头,骨头上没肉,狗图的是骨头上的肉味,在不停地嚼。

白　河

白河县城最早可能是一条街,河街。从湖北上来的,从安康下来的,船都停在城外渡口了,然后在河街上吃饭住店,掏钱寻乐。但现在是城沿着那座山从下往上盖,盖到了山顶,街巷就横着竖着,斜横着和斜竖着,拥拥挤挤,密密匝匝。所有的房子都是前后或左右墙不一样高,总有一边是从坡上凿坑栽桩再砌起来,县河上的鸟喜欢在树枝上和电线上站立,白河人也有着在峭岩塄头上筑屋的本事。

地方实在是太厌狭了,城还在扩张,因为这里是陕西和湖北的交界,真正的边城,它需要繁华,却如一棵桃树,尽力去开花,但也终究是一棵开了鲜艳花的桃树。

城里人口音驳杂,似乎各说各的话,就显得一切都乱哄哄的。尤其在夜里,山顶的那条街上,更多的是摩托,后座上总是坐着年轻的女人,长腿裸露,像两根白萝卜。街上的灯很亮,但烤肉摊上炸豆腐摊上还有灯,有卖烧鸡的脖子上拴个带子,把端盘吊在身前,盘子里也有一盏灯。一片高跟鞋叩着水泥地面响,像敲梆子,三四个女孩跑过来,合伙买了半块鸡,旁边的小吃摊上就有人发怪声,喂喂地叫,女孩并不害怕,撕着肉往舌根送,不影响着口红的颜色。

第二天的上午,我到了那条河街上。因为来前有人就提说过河街,说有木板门面房,有吊脚楼,有云墙,有拱檐,能看到背架和麻鞋,能听到姐儿歌和叫卖山货声,能吃到油炸的蚕蛹和腊肉。但我站在街上的时候我失望了,街还是老街,又老不到什么地方去,估摸也就是八十年代吧,两边的房子非常窄狭,而且七扭八歪的,还有着一些石板路,已经坑坑洼洼,还聚着雨水。没有商店,没有饭馆,高高台阶上的人家,木板门要么开着,要么闭着,门口总是坐着一些妇女,有择菜的,菜都腐败了,一根一根地择,有的却还分类着破烂,把空塑料瓶装在一个麻袋里,把各种纸箱又压平打成捆。我终于看到了三间房子有着拱檐,大呼小叫地就去拍照,台阶上的妇女立即变脸失色地跑下来,要我不要声高,说是孩子在屋里复习哩。这让我非常奇怪,问这是怎么回事,一妇女拉我到了一边,叽叽咕咕给我说了一通。

她虽然也说不清,但我大致知道了这里原本是白河老户最多的街,当县城不停地拆不停地盖,移到了山顶后,老户的人大多就离开了,现在只剩下一些老年人和空房子,而四乡八村来县城上学的孩子又把空房子租下来,那些妇女就是来陪读的。

边城是繁华着,其实边城里的人每每都在想着有一日离开这个地方,他们这一辈已经没力量出外,希望就寄托在下一代上。已经有许多人家,日子还可以的,就寻亲拜友,想方设法,把孩子送到安康或者西安去读小学中学,以便将来更容易考上大学,而乡下的人家,又将孩子从乡镇的学校送到县城来读书。

面对着这个妇女,我不知道该对她说什么好。当头的太阳开始西斜,靠南的房子把阴影铺到了街道上,一半白一半黑。就在那黑白线上,一个老头佝偻着腰从街的那头走过来,他用手巾提着一块豆腐,一只鸡一直跟着他,时不时在豆腐上啄一口。

山阳和汉阴

县城几乎都是靠河建,建在河北岸,因为天下衙门要朝南开的。山阳就在河之北,汉阴其实也在河之北,应该叫汉阳。

县城临河,当然不是一般小河,可能以前的水都是很大水,但现在到处都缺水了,河滩的石头窝里便长着草,破砖烂坯,塑料袋随风乱飞。改革年代,大城市的变化是修路盖房,小县城也效仿着,首先是翻新和扩建,干涸的或仅能支起列石的县河当然有碍观瞻,所以当一个县城用橡皮坝拦起水后,几乎所有的县城都起坝拦水。

除拦河聚水外,凡是县城都要修一个广场,地方大的修大的,地方小的修小的。广场上就栽一个雕塑,称作龙城的雕个龙,称作凤城的雕个凤,如果这个县城什么都不是,柿子出名,雕一个大柿子。还有,就在四面山头的树林子里装灯,每到夜晚,山就隐去,如星空下落。再是在河滨路上建碑林或放置巨石,碑与石上多是当地领导的题词,字都写得不好。店铺确实是多,门面虽小,招牌却大,北京有什么字号,省城就有什么字号,县城肯定也就有了。我看见过一处路边的公共厕所,一个门洞上画着一个烟斗,一个门洞上画着一个高跟鞋。

到山阳县城的那个晚上,雨下得很大,街上自然人不多,进一个小饭店去吃饭。老板正拿个拍子打苍蝇,拍子一举,苍蝇飞了,才放下拍子,苍蝇又在桌上爬。我问有没有包间,还有一个包间,关了门就没苍蝇了。但不停地有人推门,门一推,苍蝇又进来,似乎它一直就等在门口。

苍蝇烦人,这还罢了,隔壁包间里喝酒的声音很大,好像有十几个人吧,一直在议论着县上干部调整的事,说这次能空出八个职位来,××乡的书记这次是铁板上钉钉没问题了,也早该轮到他了,××镇长也内定了,听说在省上市上都寻了人,××副主任这几天跑疯了,跑有什么用呢,听说有人在告他,×××是最后一次机会,再不把副的变成正的,今辈子就毕势了。后来又有人进了店,立即几个在恭喜,并嚷嚷:今日这饭菜钱你得出了!来人说:出呀,出!接着有人大声咳嗽着,似乎到店门外吐痰,看见了街上什么人,也喊着你来请客呀,并没喊得那人进来,他又回到包间说:狗日的××在街上哩,也不打伞,淋着雨。一人说:这次他到××部去呀?另一人说:听说是。那人说:我让他请喝酒,狗日的竟然说:低调,要低调。哈哈声就起,有人说:咳,啥时候咱也进步呀?!

进步就是升迁。越是经济不发达,县城的餐饮业就红火,县城的工作难有起色,干部们越在谋算着升迁。每过一个时期,干部调整,就是县城最敏感最不安静的日子,饭店也便热闹起来。

我在包间里吃了两碗扁食,隔壁包间的人都醉了,有碗碟破碎声,有呕吐声,有争吵声,又有了哭声。我喊老板结账,老板进来,看着墙,说:怎么还有苍蝇?用手去拍,却哎哟叫起来,原来墙上的黑点不是苍蝇,是颗钉子。

我走出饭店,默默地从街上走,雨淋得衣服贴在了身上。在我前边有两个人,一个人低声说:这次你怎么样呀?另一个人竟高声起来,骂了一句:钱没少花,事没办成。

三天后去汉阴,汉阴正举办一个什么活动,广场上悬着许多气球,摆着各种颜色的宣传牌,可能是有省市的领导来了,警车开道,呜哇呜哇叫,一溜儿小车就在街巷里转过。

汉阴的饭是最有特点的,我打问着哪儿有"农家乐",就去了城关的一个村子。村子被山围着,山下就是条小河,人家住得分散,但房子都是新修的,或者几个房子一簇卧在山脚,或者在河对面,一片树林子里露出瓷片砌出的白墙,或者就在河上栽桩架屋。来吃饭的人特别多,小路上来回的汽车掉不了头,堵塞在那里,乘客下车一边往里走,一边说:乡下真美么!

我错开吃饭时间,独自往沟里走,房子也越来越旧了,在一户周围长满了竹子的屋舍前,见一个女孩在门前坐在小凳子上趴在大凳子上做作业。这户人家三间上房,两间厢房,厢房对面是猪圈和厕所。我走近去,朝开着门的上房里张望,想看看里边的摆设,女孩却说:你不要进去。房里是有一个炕,炕上和衣侧睡着一个妇女。我说:你妈在睡觉?女孩说:不是我妈,是我大的情人。女孩的话让我吃了一惊,再问她话时,她一句也不愿意给我说了。

我终于在一家"农家乐"里吃上了饭,问起老板那女孩家的事,才知道女孩的妈三年前去西安打工,再没有回来,也没有任何音讯。吃毕了饭出来,却看见远远的河边,那个女孩在洗衣裳,棒槌打下去已经起来了,才发出啪啪响声,她不停地捶打,动作和声音总不和谐。

岚　皋

几年前来过,是腊月底了吧,我们驱车从山顶草甸回县城,天已经黑了,每过一个沟岔,沟岔里都三户四户人家,车灯照去,路边时不时就有女子行走,极时髦漂亮,当时吃惊不少,以为遇见了鬼。回到县城说起这事,宾馆的经理就笑了,说那不是鬼,是在上海打工的女子回来过年了,如果是白天,你到处都能看见呢。岚皋山里的女子都长得好,最早有人去上海打工,后来一个带一个,打工的就全在了上海,在上海待过半年,气质变化,比城里人还要像城里人。经理说:唉,好女子都给上海养了!

这一次来岚皋,再也没见到时髦漂亮的女子,但桃花正开。满山遍野里都能看到桃花,黛紫色的树枝上,还没长出叶子,花朵一开一疙瘩,特别地粉,像是人工做上去的。

县河里常有桃花瓣流过。

岚皋人好酒,在这季节喜欢用桃花苞蕾泡酒,酒有一种清香。

街道上常有大卡车开过,车上装着树,都是大树,一车只能装一棵。还有的车上装着石头,石头比一间房还要大。这些车都是从西安来的。

西安要打造园林城市,街道两旁都要栽大树的,而且住宅小区,又兴了在小区门口要堆一块巨石,西安的树贩子和石贩子就来到岚皋。树的价钱不低,石头却不用花钱,发现了一块,乡下人可以帮忙去抬到河岸,可以挣很多工钱。如果需要修路,修路有修路钱,修了路,路是拿不走的,就留下了。

乡下人到城里去打工,乡下的树和石头也要到城里去,去城里当然好啊,但城里的汽车尾气多,而且太嘈吵,不知道能不能适应。

离开岚皋时,在县城外的山弯处,有一户人家在推石磨,那么多的包谷在磨盘顶上,很快从磨眼里溜下去没了,再把一堆包谷倒到磨盘顶上,又很快没了,我突然就笑了:石磨是最能吃。

峦 庄

去峦庄是看见路边有去峦庄的指示牌,又觉得这名字怪怪的,就把车拐进去,在一个山沟深入。

路是乡级路,年前秋里又遭水灾,好多路段还没修好,车吭吭喀喀走了一小时,天就黑了。只估摸峦庄是个镇吧,长得什么样,又有多么远,却一概不知。翻过一座大山,又翻过一座大山,后来就在沟岔里绕来绕去。夜真是瞎子一样的黑,看不见天,也看不见了山,车灯前只是白花花路,像布带子,在拉着我和车,心里就恐怖起来。走着走着,发现了半空中有了红点,先还是一点两点,再就是三点四点,末了又是一点两点。以为是星星,星星没有这红颜色呀,在一个山脚处才看到一户屋舍门上挂着灯笼,才明白那红点都是灯笼,一个灯笼一户人家,人家都分散在或高或低的山上。

又是一段路被冲垮了,车要屁股撅着下到河滩,又从河滩里憋着劲冲到路基上,就在路基边有两双鞋。停了车,下来在车灯光照下看那鞋,鞋是花鞋,一双旧的,一双新的。将那新鞋拿到车上了,突然想,这一定是水灾时哪个女孩被水冲走了,今日可能是女孩生日,父母特做了一双新鞋又把一双旧鞋放在这里悼念的。立即又将那鞋放回原处,驱车急走,心就慌慌的,跳动不已。

半夜到了镇上,镇很小,只是个丁字街。街上没有路灯,人也少见,但一半的人家灯还亮着,灯光就从门里跌出来,从街口望过去,好像是铺着地毯,白地毯。镇上人你不招呼他了,他不理你,你一招呼他了,他就热情。在一户人家问能不能做顿饭吃,那个毛胡子汉子立即叫他老婆,他老婆已经睡了,起来就做饭。厨房里挂了六七吊腊肉,瓷罐里是豆豉,问吃不吃木耳,木耳当然要吃的,汉子就推门到后院,后院里架满了木棒,三个一支,五个一簇,木棒上全是木耳。但他并没有摘木棒上的木耳,却在篱笆桩上摘了一掬给我炒了吃。汉子说,峦庄是穷地方,只产木耳,他们就靠卖木耳过活的。这阵儿有鞭炮声,木耳先听见,它们听见了都不吱声,后来我听见了,说半夜里怎么放鞭炮,汉子说:给神还愿哩吧。

在镇的东头,有一个庙,不知道庙里供的什么神,鞭炮声就是从那儿传来的。而就在这户人家的斜对面,有一个窝进去的崖洞,洞里塑着三尊泥像,看过去,那里也有人在烧纸磕头。汉子说,那是三娘娘洞,镇上人家谁要求子,谁要禳病,谁的孩子要考学,木耳能不能卖出去,都在那里许愿,三娘娘灵得很,有求必应,所以白日夜里人不断的。

正吃着饭,街上却有人在哭,汉子的老婆就出去了,过了好久回来,说是西头的王老五在打老婆了。汉子说:该打!我问怎么是该打?汉子说王老五的老婆信基督,常把两岁的孩子放在地窖里就去给基督唱歌了,今日下午王老五才从县城打工回来,是不是又去唱歌不做饭不管娃了?那老婆说,是为钱。王老五在包谷柜里藏了五十元钱,回来再寻寻不着,问他老婆,他老婆说捐给教会了,王老五就把他老婆在街上撵着打。

峦庄镇上有两个旅社,一处住满了人,一处还有两间房子,但床铺太肮脏,我就决定返回。车又钻进了黑夜里,黑夜还是瞎子一样的黑,但一路上还是有这儿那儿、高高低低的光点,使我分不清那是山里人家门口的灯笼还是天上的星星。

2010 年 6 月 29 日写

定 西 笔 记

哎哗啦啦,祥——云起呃,呼雷儿——电——闪。一——霎时呃,我——过——了呃——万水——千山。

这是我在唱秦腔。陕西人把"起"念作"且",把"响雷"叫"呼雷"儿,把"万水"又发音成"万费",同车的小吴也跟着我唱。秦腔是陕西人的戏,却广泛流行于甘肃、宁夏、青海、新疆,小吴是甘肃定西的,他竟然唱得比我还蛮实。

亏了有这个小吴当向导,我们已经在定西地区的县镇上行走十多天了。看见过山中一座小寺门口有个牌子,写着"天亮开门,天黑关门",我们这次行走也是这般老实和自在,白天了,就驾车出发,哪儿有路,便跟着路走,风去哪儿,便去哪儿,晚上了就回城镇歇下,一切都没有目的,一切都随心所欲。当我们在车上尽情热闹的时候,车子也极度兴奋,它在西安城里跟随我了六年,一直哑巴着,我担心着它已经不会说话了,谁知这一路喇叭不断,像是疯了似的喊叫。

在我的认识里,中国是有三块地方很值得行走的,一块是山西的运城和临汾一带,二是陕西的韩城、合阳、朝邑一带,再就是甘肃陇右了。这三块地方历史悠久,文化淳厚,都是国家的大德之域,其德刚健而文明,却同样的命运是它们都长期以来被国人忽略甚至遗忘,现代的经济发展遮蔽了它们曾经的光荣。当人们无限向往着东南沿海地区的繁华,追逐那些新兴的旅游胜地的奇异,很少有人再肯光顾这三块地方,去了解别一样的地理环境和别一样人的生存状态。

我是从农村走出来的,生命里或许有着贫贱的基因吧,我喜欢着这几块地方,陕西韩城、合阳、朝邑一带曾无数次去过,运城、临汾走过了三次,陇右也是去过的,遗憾的只是在天水附近,而天水再往北,仅仅为别的事专程到过一县。已经是很久很久了,我再没有离开西安,每天都似乎忙忙碌碌,忙碌完了却觉得毫无意义。杂事如同手机,烦死了它,又离不得它,被它控制,日子就这么在无聊和不满无聊的苦闷中一天天过去。二〇一〇年十月的一天,我去一个朋友家做客,那是个大家庭,四世同堂,她们都在说着笑着观看电视里的娱乐节目,我瞧见朋友的奶奶一个人却坐在玻璃窗下晒太阳。老奶奶鹤首鸡皮,嘴里并没有吃东西,但一直嚅嚅动着。她可能看不懂了电视里的内容,孩子们也没有话要和她说,她看着窗台上的猫打盹了,她也开始打盹,一个上午就都在打盹。老太太在打盹里等待着开饭吗,或许在打盹里等待着死亡慢慢到来?那一刻中,我突然便萌生了这次行走的计划。

我对朋友说:咱驾车去陇右吧!

朋友说:你不是去过吗?

我说:咱从天水往北走,到定西去!

朋友说:定西?那是苦焦的地方,你说去定西?!

我说:去不去?

朋友说:那就陪你吧。

说走就走,当天晚上我们便收拾行囊。一切都收拾停当了,我为"行走"二字笑了。过去有"上书房行走"之说,那不是个官衔,是一种资格和权利,可也仅仅能到皇帝的书房走动罢了,而我真好,竟可以愿意到哪儿就是哪儿了。

但是,我并不知道这次到定西地区大面积地行走要干什么。以前去了天水和定西的某个县,任务很明确,也曾经豪情满怀,给人夸耀:一座秦岭,西起定西岷县,东至陕西商州,我是沿山走的,走过了横分中国南北的最大的龙脊;一条渭河,源头在定西渭源,入黄河处是陕西潼关,我是溯河走的,走的是最能代表中国文明的血脉啊!可这次,却和以前不一样了,它是偶然就决定的,决定得连我也有些惊讶:秦先人是从这里东进到陕建立了大秦帝国,我是要来寻根,领略先人的那一份荣耀吗?好像不是。是收集素材,为下一部长篇做准备吗?好像也不是。我在一本古书上读过这样的一句话,"纯粹而不杂,静一而不变,淡然无为,动而以天行,谓之养神",那么,我是该养养神了,以行走来养神,换句话说,或者是来换换脑子,或者是来接接地气啊。

后半夜里进的定西城,定西城里差不多熄了灯火,空空的街道上有人喝醉了酒,拿脚在踢路灯杆。他是一个路灯杆接着一个路灯杆地踢,最后可能是踢疼了脚,坐在地上,任凭我们的车怎样按喇叭他也不起。打问哪儿有旅馆?他哇里哇啦,舌头在嘴里乱搅着,拿手指天。天上是一弯细月,细得像古时妇女头上的银簪。

天明出城,原来城是从山窝子里长出来的么,当然也同任何地方的城一样,是水泥城,但定西城的颜色和周围的环境反差并不大,只显得有些突然。

哎呀,到处都是山呀,已经开车走了几个小时了还在山上。这里的山怎么是这般的模样呢,像是全俯着身子趴下去,没有了山头。每一道梁,大梁和小梁,都是黄褐色,又都是由上而下开裂着沟渠壑缝,开裂得又那么有秩序,高塬地皮原来有着一张褶皱的脸啊,这脸还一直在笑着。

看不到树,也没有石头,坡坎上时不时开着了一种花,是野棉花,白得这儿一簇,那儿几点,感觉是从天上稀里哗啦掉下来了云疙瘩。

其实天上的云很少。

再走,再走,梁下多起来了带状的塬地,塬地却往往残缺,偶尔在那残缺处终于看到一片子树了,猥琐的槐树或榆树的,那就是村庄。村庄里有狗咬,一条狗咬了,全村庄所有的狗都在咬,轰轰隆隆,如雷滚过。村庄后是一台一台梯田,一直铺延到梁畔来,田里已经秋收,掰掉了包谷穗子,只剩下一片包谷秆子,早晨的霜太厚,秆子上的叶都蔫着,风吹着也不发出响来。

后来,太阳出来了,定西的太阳和别的地方的太阳不一样,特别有光,光得远处的山、沟、峁和村庄,短时间里都处在了一片恍惚之中。下车拍一张照片吧,立在太阳没照到的地方,冷得那空气里满是刀子,要割下鼻子和耳朵,但只要一站在太阳底下,立即又暖和了。对面圪梁梁上好像站着了一个人,光在身后晕出一片红,身子似乎都要透明了。喊一声过去,声在沟的上空就散了节奏,没了节奏话便成了风。他也喊一声过来,过来的也是风。相互摇摇手,小吴说他要唱呀,小吴学会了我教的那几句秦腔,他却唱开了花儿:

叫——你把我——想倒了哈,骨头哈——想成——干草了哈,走呢——走——呢,越远了,不来哈——是由不得——我了哈。

车不能停,猛地一停,车后边追我们的尘土就扑到车前,立即生出一堆蘑菇云。蘑菇云好容易散了,路边突然有着三间瓦房。前不着村后不靠店的,怎么就有了三间瓦房,一垒六个旧轮胎放在那里,提示着这是为过往车辆补胎充气的。但没有人。屋门敞开,敞开的屋门是一洼黑的洞。一只白狗见了我们不理睬,往门洞里走,走进去也成了黑狗,黑得不见了。瓦房顶上好像扔着些绳子,那不是绳咯,是干枯了的葫芦蔓,檐角上还吊着一个葫芦。瓦房的左边有着一堆土,土堆上插了个木牌,上面写着一个字:男。路对面的土崖下,土块子垒起一截墙,二尺高的,上面放着一页瓦,瓦上也写了一个字:女。想了想,这是给补胎充气人提供的厕所么。

从山梁上往沟道去,左一拐,右一拐,路就考司机了,车倒没事,人却摇得要散架。好的是路边有了柳。从没见过这么粗的柳呀,路东边三棵,路西边四棵,都是瓮壮的桩,桩上聚一簇细股条子。小吴说,这是左公柳,当年左宗棠征西,沿途就栽这样柳。可惜见过这七棵,再也没眼福了。但路边却有了一个村子,村口站着一个老者。

老者的相貌高古,让我们疑惑,是不是古人?在定西常能见到这种高古的人,但他们多不愿和生人说话,只是一笑,而且无声,立即就走掉了。这老者也是,明明看见我们要来村子,他就进了巷道,再也没有踪影了。

巷道很窄,还坑坑洼洼不平整。巷道怎么能是这样呢,不要说架子车拉不过去,黑来走路也得把人绊倒。两边的房子也都是土坯墙,是缺少木料的缘故吧,盖得又低又小。想进一些人家里去,看看是不是一进屋门就是大炕,可差不多的院门都挂了锁,即便没锁的,又全关着,怎么拍门环也不见开。

忽地一群麻雀落下来,在巷道里碎声乱吵,忽地再飞起了,像一大片的麻布在空中飘。

当拐进另一条巷道,终于发现了一户院门掩着,门口左右着两块石头,这石头算作是守门狮吗?推门进去,院子里却好大呀,坐着一个老婆子给一个小女娃梳头,捏住了一个什么东西,正骂着让小女娃看,见我们突然进来,忙说:啊达的?我说:定西城里的。她说:噢,怪冷的,晒哈。忙把手里的东西扔了,起来进屋给我们搬凳子。我的朋友问小女娃:你婆在你头捏了个啥,我还以为是虱哩!司机作怪,偏在地上瞅,瞅着了,说:咦,我还以为不是虱哩!小女娃一直噘着嘴,蛮俊的,颧骨上有两团红。

我们并没有坐在那里晒太阳,院里屋里都转着看了,没话找话地和老婆子说。老婆子的脸非常小,慢慢话就多起来,说她家的房子三十年了,打前年就想修,但椽瓦钱不够,儿子儿媳便到西安打工去了,家里剩下她和死老汉带着孙女。说孙女啥都好,让她疼爱得就像从地里刨出了颗胖土豆,只是病多,三天两头不是咳嗽就是肚子疼,所以死老汉一早去西沟岔行门户,没带这碎仔仔,碎仔仔和她治气哈。她说着的时候,小女娃还是噘着嘴,她就在怀里掏,掏了半天掏出了一颗糖,往小女娃嘴里一塞,说:笑一哈。小女娃没有笑,我们倒笑了,问这村里怎么没人呀?她:是人少了,年轻的都到城里讨生活了,还有老人娃娃们呀!我说:院门都锁着或关着,叫着也没人开。她说:没事么?我说:没事,去看看。她说:那有啥看的?我说:照照相么。老婆子立马让给她和孙女照,然后领着我们在村里敲那些关着院门的人家,嚷嚷开门,开门哈菊娃!院门拉开了一个缝,里边的说:啊婆,啥事?老婆子说:你囚呀,城里人给你照相呀不开门?门却哐地又关严了,里边说:呀呀,让我先洗洗脸哈!

我们先后进了七户人家,家家的院子都大,院墙上全架着包谷棒子,太阳一照,黄灿灿的。我们说一句:日子好么。主人家的男人在的,男人都会说:好么,好么。他们言语短,手脚无措,总是过去再摸摸包谷棒子,还抠下一颗在嘴里嚼,然后憨厚地笑。院子里有猪圈,白猪黑猪的,不是哼哼着讨吃,就是吃饱了躺着不动。有鸡,鸡不是散养的,都在鸡舍,鸡舍却是铁丝编的笼,前边只开一个口儿装了食槽,十几个鸡头就伸出来,它们永远在吃,一俯一仰,俯俯仰仰,像是弹着的钢琴上的键,又像是不停点地叩拜。狗和猫是自由的,因为它们能在固定的地方拉屎尿尿,但狗并不忠于职守,我们去后,刚叫一下,主人说:嗨!就不吭声了,蹲在那里专注起猫,猫在厨房顶上来回地走,悠闲而威严。就在男人领着我们到堂屋和厨房去转着看的时候,女人总是在那里不停地收拾,其实院子已经很干净了,而屋里的柜盖呀,桌面呀,窗台呀,擦得起了光亮,尤其是厨房,剩下的一棵葱,切成段儿放在盘子里,油瓶在木橱子上挂着,洗了的碗一个一个反扣着在案板上,还苫了白布。到了柴棚门口,女人说:候一会儿,乱得很!我们说:柴棚里就是乱的地方么!进去后,竟然墙上挂的,地上放的,是各种各样的农具,锄呀,锨呀,镢呀,镢是板镢和牙子镢,犁是犁杖,套绳和铧,还有耱子,耙子,梿枷,筛子,笼头,暗眼,草帘子,磨杠子,木墩子,切草料的镲子,打胡基的础子,用布条缠了沿的背篓、笸篮、簸箕、圆笼。女人用筐子装了些料要往柴棚后的那个草庵去,草庵竟然就毛驴呀,毛驴总想和我们说话,可说了半天,也就是昂哇昂哇一句话。

我们和老婆子走出了第七户院子,老婆子家的狗就在院门口候着,老婆子喜欢地说:接我啦?抱起了狗,狗的尾巴就摇欢得像风中的旗。

出了村子,我的情绪依然很高,对朋友说:

"这才是农村的味啊!"

朋友觉得莫名其妙,说:咹?

我说:什么东西就应该是什么味呀,就像羊肉没了膻味那还算羊肉吗?

朋友说:你这人就怪了,刚进村嫌巷道太窄,嫌房盖得太矮,转了一圈又说这好那好,农村就该是这个味,这不自相矛盾吗?

朋友的话一下子把我噎住了。

我是上个世纪七十年代从农村到西安的,几十年里,每当看到那些粗笨的农具,那些怪脾气的牲口,那些呛人的炕灶烟味,甚至见到巷道里的瓦砾、柴草和撒落的牛粪狗屎,就产生出一种兴奋来,也以此来认同我的故乡,希望着农村永远就是这样子。但是,我去过江浙的农村,那里已经没一点农村的影子了,即便在陕西,经过十村九庄再也看不到一头牛了,而在这里,农具还这么多,牲畜还这么多,农事保持得如此的完整和有秩序!但我也明白我所认同的这种状态代表了落后和贫穷,只能改变它,甚至消亡它,才是中国农村走向富强的出路啊。

我半天再没有说话,天上那一大片麻布又出现了,突然间成百只的麻雀就落在村口到车的那段路面上,它们仍是碎声乱吵,吵得人头痛。

还是黄土梁,还是黄土梁上的路,但今天的路比昨天的窄,窄得一有会车一方就得先停下来。好的是已经半天了,只有我们这辆车,嚷嚷:这是咱们的专道么!可刚转过一道弯,前边就走着了一个牛车。

不会吧,怎么会有牛车? 就是牛车。

车是四个轮子上一面大的木板,没帮没栏,前边横着一根长杠,两头牛,牛都老了,头大身子短。牛车上坐着一个人,光着头,耳朵上却戴了个毛烘烘的耳套,猜想是招风耳。

吆车人当然知道一辆小汽车在后边,便把牛车往路边赶。牛似乎不配合,扯一回缰绳挪一步,再扯一回缰绳再挪一步,旁边村庄有拾粪的过来了,吆车人骂了一句:妈的×!一个轮子终于碾到路边的水渠沟,牛车便四十度的倾斜了。

我不让司机按喇叭,也不让超,小心牛车翻了,小吴说:没事,二牛抬杠翻不了。

车超过去了,听到牛响响地打了个喷嚏,还听到拾粪的说:汽车能屙粪就好了。

公路经过一个镇子,镇子上正逢集,公路也就是了街道,两旁摆满了五颜六色的日常百货,还有包谷土豆,瓜果蔬菜,还有牲畜和农具,也还有了油条摊子,醪糟锅子。人就在中间拥成了疙瘩。这场面在任何农村都见过,却这时我想着了:常常有蚂蚁莫名其妙地锈了堆,那一定是蚂蚁集。集上的人大都是平脸黑棉袄,也有耸鼻深目高颧骨的,戴着白帽。黑与白的颜色里偶尔又有了红,是那些年轻女子的羽绒服,她们爱并排横着走,不停地有东西吃,嘎嘎地笑。

我们的车在人窝里挪不动,喇叭响着,有人让路,有人就是不让。小吴头从车窗伸出来,喊:耳朵聋啦?县长的车!我看见有人撅着屁股在那里挑笊篱,回过头了看,又在挑笊篱,还把一把鼻涕顺手抹在了车上,忙按住了小吴,把车窗摇起,说那么多人走着,咱坐在车上,已经特殊了,不敢提自己是领导或警察,这人稠广众中领导和警察是另一类的弱势群体。于是,我们都下了车也去逛集,让司机慢慢把车开到镇东头,然后在那里会合。

我们去问人家的包谷价小麦价,价钱比陕西的要高,陕西的蒜和生姜都涨价了,这里的倒便宜。感兴趣的是那些荞面,竟然都是苦荞面,一袋一袋摆了那么多,问为什么叫苦荞面,是因为荞麦产量小,收获起来辛苦,就如要在农民二字前边加个苦字的意思吗?他们七嘴八舌地就讲苦荞面不同于荞面,苦荞面味苦,保健作用却强,吃了能防癌,能降血糖,能软化血管,但血脂高的人不能久吃,吃多了血就成清水了。他们说着就动手称了一袋,而且开始算账,我们忙说:不要称不要称,只是问问。他们就生气了:不买你让我们说这么多?!脸色难看,似乎还骂了一句。骂的是土话,幸亏我们听不懂,就权当他们没骂,赶紧走开,去给那个吃羊杂汤的人照相了。吃羊杂汤的是个老汉,就蹴在卖羊杂汤的锅旁边,他吃得响声很大,帽子都摘了,头上冒热气,对于我们拍照不在意,还摆了个姿势。可把镜头对准了另一个人,那人说:不要拍!我们就不拍了。那人是提了个饭盒买羊杂汤的,饭盒提走了,摊主说:那是镇政府的。

去卖牲口的那儿给牲口拍照吧,牲口有牛有驴有羊和猪,牲口的表情各种各样,有高兴的,有不高兴的,高兴的可能是早已不满意了主人,巴不得另择新家,不高兴的是知道主人要卖掉它呀,尤其是那些猪,额颅上皱出一盘绳的纹,气得在那里又屙又尿。买卖牲口,当然和陕西关中的风俗一样,买者和卖者挎起衣襟,两只手在下面捏码子。这些没啥稀罕的,就去了萝卜和白菜的摊位上,那个卖红萝卜的,手指头也冻得像红萝卜,见了我们,小眼睛一眨一眨,殷勤起来,说:买了土鸡蛋了吗?我们说:没买。他说:不要买,要买到村里去买,前边那几笼鸡蛋说是土鸡蛋,其实不是土鸡蛋。想要买土鸡吗,买土布吗?我们说:你咋老说土东西?他说:你们这穿着一看就是城里人么,城里人怪呀,找老婆要洋气的,穿衣服要洋气的,啥都要洋气哩,吃东西却要土的!我们哈哈大笑,旁边卖豆腐的小伙一直看我们,后来就蹭了过来,小声说:收彩陶吗,我有马家窑的,绝对保真!我说:好好卖你的豆腐!就去了一个卖鞋垫的地摊上挑拣鞋垫。鞋垫都是手工纳的,上边纳着有人的头像和各类花的图案,小吴建议我买那有人头像的,说:这是小人,把小人踩在脚下,就没人害扰你!我选了双有牡丹花的,因为花中还纳有字,一个写着:爱你终生,一个写着:伴你一世。

集市靠北的一个巷口,人围了一堆在唱歌,以为是县剧团的下乡演出,或是谁家过红白事请了龟兹班,近去看了,原来是唱花儿,一个能唱花儿的歌手被人怂恿着:亮一段吧,亮一段吧。歌手也是唱花儿有瘾,也是歌手生来是人来疯,人多一起哄,就唱起来了。一个人一唱,人窝里又有人喉咙痒,三个五个就跳出来一伙唱了。这集上的人说话我听得懂,一唱花儿就不知道唱的什么词了。让小吴翻译,小吴说:唱的是《太平年》:一个鸟儿一个头,两只眼睛明炯炯,两只麻黄爪儿,就墙头站哦太平年,一撮撮尾巴,落后头哦就年太平。

两个小时后,我们和司机在镇东头的柳树下会合,柳树后的土塄坎上,一头牛在那里啃吃着野酸枣刺。我的朋友奇怪牛吃那刺不嫌扎呀？我说你城里人不懂，我故乡有顺口溜，就是：人吃辣子图辣哩，牛吃刺子图扎哩。这时候，手机来了信息，竟是：对联，爱你终生，伴你一世。我说：啊，这和我买的鞋垫上的话一样么！司机却在远处说：往下看！我再把信息往下看，竟是：横批，发错人了。

据说鸠摩罗什去中原时在天水和定西住过一段时间，所以这里的寺庙就多。去漳县的路上，看到一座孤零零的又高又陡的土崖，土崖上有一个古庙，感到不解的是：黄土高原上水土容易流失，这土崖怎么几百年不曾坍塌？那么险峻的，路细得像甩上去的绳，咋能就在上边造了庙？

朋友说他去过陕北佳县的白云观，也是造在山顶上，当地人讲造建的时候砖瓦人运不上去，让羊运，把各村的羊都吆来，一只羊身上捆两块砖或四页瓦，羊就轻而易举地把砖瓦驮上山了。这土崖上的古庙也是羊驮上去的砖瓦吗？不晓得，可这土崖立楞楞的，是羊也站不住啊！

土崖不远处有个几十户的小村，村里却有一个戏楼。戏楼上有四个大字，从左到右念是：响过行云。从右到左念是：云行过响。从左从右念过三遍，到底没弄明白怎么念着正确。后来反应过来，是"响遏行云"吧，把"遏"写成了"过"。

进村去吃午饭，村民很好客，竟有三四个人都让到他们家去，后来一个人就对一个老汉说：我家是兰州的，他家是北京的，你家是西安，西安来的客人就到你家吧。我们觉得奇怪，怎么是兰州的北京的西安的？到了老汉家,老汉才说了缘故,原来这村里大学生多,有在兰州上大学的,有在北京上大学的,他家的儿子在西安上过大学。我们就感叹这么偏僻的小村里竟然还出了这么多大学生,老汉说:娃娃都刻苦,庙里神也灵。我问:是前边土崖上庙里神吗？他说:每年高考,去庙里的人多得很,神知道我们这儿苦焦,给娃娃剥农民皮哩。我夸他比喻得好,老汉便哧哧地笑,他少了一颗门牙,笑着就漏气。可是,当我问起他儿子毕业后分配在西安的什么单位,他的脸苦愁了,说在西安上学的先后有五个娃,有一个考上了公务员,四个还没单位,在晃荡哩,他儿子就是其中一个。县上已经答应这些娃娃一回来就安排工作,但娃娃就是不回来。供养了二十年,只说要享娃娃的福了,至今没用过娃娃一分钱,也不指望了花娃娃的钱,可年龄一天天大了,这么晃荡着咋能娶上媳妇呢？老汉的话,使我们都哑巴了,不知道该给他说什么好,就尴尬地立在那里。还是老汉说了话:不说了不说了,或许咱们说话这阵,我娃寻下工作了,吃饭,吃饭!

这一顿饭吃得没滋味。

离开老汉家的时候,巷道里有五个孩子背着书包跑了过来,这是去上学的,学校离这个村可能还远。小吴说:这五个学生里说不定也出几个大学生哩！而我却想到另一件事:越是贫困的农村越是拼死拼活地供养着孩子们上大学,终于有了大学生,它耗尽了一个家,也耗尽了一个地方,而大学生百分之九十再不回到当地,一年一年,一批一批,农村的人才、财物就这样被掏空着,再掏空着……

又经过了戏楼,戏楼下的一排碌碡上坐着几个人在晒太阳,一杆旱烟锅,你吃完一锅子了,装了烟末轮到我吃,我吃完一锅子了装了烟末再轮给他吃,烟锅嘴子水淋淋的。听见他们在说马,说马是世上最倒霉最没出息的动物,它和驴交配,生下孩子了却不像它,也不叫它的姓氏。

朋友悄声问我:那马和驴的孩子是啥?

我说:是骡子!

第五天的那个中午,本来可以在一个有桥的镇子上吃饭,司机说到下一个村子吃饭吧,但再没遇到村子,大家就饥肠辘辘,看太阳像一摊蛋饼贴在天上,蛋饼掉下来多好,而蛋饼似乎一直在对面那条梁的上空,即使能掉下来,也掉不到我们这边来。车继续往前开,转过一个斜弯子,一个人便在那一片掰了包谷棒的秆子里,突然发现那个人是两脑袋。车是一闪而过的,朋友和小吴坐在后座并没在意,我在副驾驶座上却听见了风里的说话:把舌头给我!舌头给我!司机说:咦,人吃人哩!扭头要看,我说:看你的路!司机便了,却说他肚子寡了,想吃羊。

司机得知要来定西,他就说过,这下可以放开肚皮吃羊肉了。在他的意识里,黄土高原上是走到哪儿都会有羊肉吃的,可十多天里,我们没有吃到羊肉,甚至所到之处也没见到放羊的,难道这里就压根没羊?

同车的还有一个当地抱着娃娃的妇女,她是半路上搭的我们顺车,她说:黄土梁上不爱惦羊咯。

羊谁不爱惜呀,人爱惜着,豹子和狼也爱惜着,怎么是黄土山梁就不爱惜呢?

妇女说:羊是山梁上的虱咯。

我一时没醒开她的话,问是政府禁止放羊了?她说是不让放了,都圈养的。我终于明白了,羊在山梁上吃草总是掘根,容易破坏植被,水土流失,人身上如果有一两个虱子,人就变形,浑身的不舒服,山梁上有了吃草的羊,羊也就是山梁上的虱子了。这妇女比喻得这么好,我就感叹起来,但我不能夸她,便夸她怀里的孩子精灵!妇女说:是精灵,别的娃娃出生七天才睁眼,这娃娃一落下草就睄灯!

在安定、陇西、通渭甚或渭源,经过了多少村庄,村庄里走进过多少人家,说得最多的就是太阳和水。太阳高挂在天上,水在地上流动,这里的人想着办法要把它们捉到家来,这就是太阳灶和水窖。

地处高原,冬天里那个冷真是冷得酷,酷冷,尤其一有风,半空里就像飞着无数的刀子。竟然石头也能咬手,你只要摸一下石头,手能脱一层皮。人就盼着太阳出来,太阳一出来,老的少的,甚或猫呀狗呀都不在屋里待,全要晒暖暖。青藏高原的上空云是美丽的,赠你一朵云吧,藏人就制作出了哈达,而定西的冬天里太阳是最好的东西,怎样能把太阳留在自家呢,太阳灶就在家家的院子里安装了。太阳灶其实很简单,只是一个像筲篮大的铁盘,里面嵌满了玻璃镜片,它就热烘烘起来,如果想要热水,只须在盘上伸出一个铁棍,棍头上绕出一个圈儿,放上一壶水,不大一会水就咕咕嘟嘟滚开了。夏日里,定西高原上多种有向日葵,向日葵一整天都是仰脸扭脖跟着太阳转,冬季里的太阳灶边,差不多都坐着人,男人们或是喝茶说话,女人们或是做针线,常常是大人都去干别的活了,孩子们仍在那里的小木桌上做作业,脚下就是卧着的眼睛成了一条线的小猫小狗。

而水窖呢?

这里是极度缺水的,年降水量仅在四十毫米,而且集中在六月至九月,也就是下两三次雨。地方志讲,历史上的定西仍是富饶的,当年的伯夷叔齐不愿做皇,又耻食周粟,就是沿着渭河岸边的泽水密林到首阳山隐居的。天气的变化,使定西逐渐缺水而改变了地理环境。我曾写过一篇天气的文章,认为天气就是天意,天意要兴盛一个国家就风调雨顺五谷丰登,天意要灭亡一个王朝就连年干旱或洪水滔天,而天意要成就中国的黄土高原,定西便只有缺雨。黄土高原漫延到陕西的北部,那里也是严重缺雨。我曾在铜川的一些村子待过,眼见着村里人洗脸,却是一瓢水在瓦盆里,瓦盆必须侧靠着墙根才能把水掬起来抹到脸上,一家大小排着洗,洗着洗着水就没了,最后的人只能用湿毛巾擦擦眼。如果瓦盆里还有水,那就积攒到大瓦盆里,积攒三四天了,用来洗衣服,洗完了衣服沉淀了,清的喂鸡喂猪,浊的浇地里的蒜和葱。而三里五里,甚或十里的某一个沟底有了一眼泉,泉边都修个龙王庙,水细得像小孩在尿,来接水的桶、盆、缸、壶每天排十几米长的队。铜川缺水,铜川还沟底里偶尔有泉,定西的沟里绝对没有泉,在三月到九月的日子里,天上突然有了乌云,乌云从山梁那边过来,所有的人都举头向天上望,那真正是渴望,望见乌云变成各种形状,是山川模样,是动物模样,飘浮到头顶上了,却常常能掉下来几颗雨点就又什么都没有了。他们说:掉了一颗雨星子。这话没夸张,确实是一颗雨星子,这颗雨星子最好能砸着自己的脑袋,或者,能让自己眼瞧着砸在地上,哧地冒出一股土烟。

于是,定西人就创造了水窖。

在地头上,我们随时都能看到水窖,那是在下雨天将沟沟岔岔流下来的水引导储入的,这些水可以用来灌溉。定西的土地其实很老实,也乖,只要给灌溉一点水,包谷棒子也就长得像牛犄角。而每户人家的吃呀喝呀洗呀涮呀的生活用水,则是在房前屋后建有水窖。水窖的大小和多少,是家庭富裕日子滋润的象征,这如城里人的住房和汽车一样。我打开过一户人家的水窖帮着汲水,那像打开了一个金银库,阳光从水房的窗子射进来,正好射在水面上,水呈放着光亮,光亮又反照在水房墙上,竟有了七彩的晕辉。我用瓢舀了一下,惊讶着水是那样清洁。主人说下雨时收了水到窖后,水是灰的浊的,要沉淀了,捞去水面上的树叶草末,鸡屎羊粪,这水就可以长年饮用了。我说:窖里的水是固定的死水,杂质即使沉淀后不是仍会生成一种臭味吗?他们说:黄土窖没味道。我说:黄土窖没味道?这就怪了!他们说:哈,就这么怪!

上天造物,它就要给物生存的理由和条件,在水边的吃水里的东西,在山上的吃山里的东西,如果定西缺水,做了水窖水又容易腐败,哪里还会有人去居住呢?

现在我已经完全地知道怎样建水窖了。那是选好了平台,选平台当然要讲究风水,要选黄道吉日,要祭奠神灵,然后垂直往下挖,挖出一米宽五米深了,洞口便向外延伸,形成窖脖。再向下挖,挖八米,就是窖身。窖底一定得是凸形。挖成的窖整个形状口小底大,就像是热水瓶的瓶胆。下来,技术含量就高了,得在窖身的四壁上钻孔,一排一排均匀地钻,钻出五十厘米深,这工作叫布麻眼。一个窖差不多要布三千个麻眼。接着,用和好的胶泥做成泥角或者泥饼,泥角钉进麻眼,泥饼贴在麻眼外露出的泥角端,泥饼一个挨着一个地镶嵌,就像是铠甲一样把窖身包裹起来。对了,胶泥特讲究,先把泥泡好,窝好,用锨搅好,用脚反复踩好,用镲刀背用力摔打好,直到将胶泥和调得如揉出的面团一样有了筋丝,能拉开又拉不断,才能使用。糊好了窖身,还得木锤子捶打,一寸不留空地捶打,连续捶打上一个月,最后最后了,再用斧头脑儿又捶打一遍,这才是一个窖完工了。完工了的水窖都要在窖上盖个小水房,安置龙王神龛。窖有窖盖,盖上有锁,水房门也上锁,那是任何外人都不能随便去的地方。

别的地方的农民一生得完成三件大事,一是给儿女结婚,二是盖一院房子,三是为老人送终。定西的农民除了这三件大事,还多了一件,就是打水窖。

从山梁下来到了河川道,河川道也就是渭河川道,立马就有了树。如夏天的白雨不过犁沟一样,一道渭河,北岸黄土塬梁上光秃秃的,南岸就有树了,就这么决然。树当然还只是榆树、槐树、桐树、小叶子杨树,但只要有树,河南的人就瞧不起了河北的人,河北的女子能嫁到河南,那就是寻到好家了。

　　一个叫半阴的村子,是在从塬上刚刚下来就遇到的村子,可以说,这算我见到树最多的村子了。树都不大,出地就分杈,枝干好像有着亲情或是恋情与偷情,相互纠缠着往上长。从树中间钻不过去的,就蹾下来,看到的是黄宾虹的画,纷乱的模糊的一片黑色线条哈。再往远处看,更多的树,树中忽隐忽现着屋舍,全是些石灰搪抹过的墙,长的,方的,三角的,又是吴冠中的画了,白和黑的色块。村口有一条水渠,渠可能久年未修,瘦成小溪,里边竟然还有鱼。柳叶子细的鱼,如浮在空中,是柳宗元《小石潭记》中描写的那种。被水渠领着走过去,又一丛杂树中有一间木屋,还是个水磨坊呀。多少年里都没见到过这种水磨坊了,水磨坊里的一切陈设使我回忆起了我少年时在故乡当磨倌的情景。啊这吊起的石磨,上扇不动,下扇动,如有些人咬嚼和说话的模样。啊这筐篮,啊这落满灰尘变粗的电线,啊这原木做成的窗子,窗上的蜘蛛网,啊这低低的随时可能碰着头的支梁。出了磨坊去看水轮,水轮静静地竖在那里,两边石壁上绿苔重重,而旁边则又是一片乱树,有一棵横卧过来,开满了白花,以为是野棉花,可野棉花怎么会长成树呢,近去看了,原来是毛柳,毛柳的絮竟有这么大这么白呀。

　　从水磨坊出来,走了几家,家家依然是养了驴、猪、狗、猫、鸡,这些动物都在门前土场上,见了我们就微笑,表情亲近,只有狗多话,汪汪了两句,见没人回应,也卧下来不动了。

首阳山,就是伯夷、叔齐待过的那座山,山的名字多好,首先见到阳光的山呀。我们去看伯夷、叔齐,伯夷、叔齐就睡在两个墓堆里。这两个墓堆相距不远,墓堆上都有树,据说树上的鸟半夜里常说话。而从对面的山上往这边看,看到的是人形的首阳山怀抱了两个婴儿。

两个墓堆前有一个庙。庙右是一片黑松林子,太阳还红着,它那儿就黑乎乎的。庙左的林子树杂,十月里树已落叶,一尽的苍灰线条里不时地有白道,白道往出跳,那是桦木。庙不大,塑着二位先贤的泥像,皆瘦骨嶙峋。还有一个更瘦的,是个看庙人,蓬头垢面,衣衫破旧,就住在庙右前的一间小屋里。小屋三年前着了火,屋顶坍了,现在上面苫了柴草还继续住,进去看看,黑得是夜,划了火柴才看清四壁被大火烧熏得如涂了漆,一床破被,一口铁锅,再无别的。问他这怎么生活呀,他好像不爱听,竟然领我又到庙里,我才发现庙后墙角还有一个小柜,他打开了,取出六包商店里常见的那种挂面,还有半口袋核桃,他说:这生活不好吗?!

从庙里出来,顺着庙前的斜坡走下。斜坡是修了路,还铺着砖,但生满苔,苔虽发黑,仍湿滑得难以开步。

首阳山是当地政府做了旅游景点的,可能是来的人太少,我们一去,不远处的村人也就来看稀罕。问起那个看庙人怎么是那般形状,他们说那是个流浪汉,私自来这里要看庙的。并且说,村里人都在说这看庙人原是有家有舍的,为了什么冤枉事上访了几十年,家破人亡了还解决不了,就脑子出了毛病,也从此不上访了才来这里的。上访的事全国各地都有,已经有一种职业叫上访专业户,也还有了一种机构叫上访办,上访是现在基层政府最头痛的事啊。因此,大家就说起产生上访和上访难、难解决的各种原因,说着说着激愤了,就都在激愤,激愤世风日下。

我突然想,我们现在说起孔子的时代,认为孔子的时代不错吧,百花齐放、百家争鸣的,可孔子在当时也哀叹世风日下,要复周礼;而且,伯夷、叔齐就是商末周初人,伯夷、叔齐竟然也在说:今天下暗,周德衰。那么,最理想的世风是什么呢,人类是不是都不满意自己所处的社会呢?

以前真不知道定西地区还是中国西部中药材集中产地,更没有想到它还产盐,井盐的历史竟然比四川的自贡还要早。

在各县行走,但凡进到农户人家,差不多的屋子里、院子里,都能看到在晒着药材。先是并没在意,后来到了岷县,城街上随处可见中药材货栈,问起是怎么回事,一位长着白胡子的老者说:你请我喝酒,我告诉你。我们那个下午就在酒馆里喝酒,老者就说起了岷县的历史。岷县之所以在这里设县城,是这里为中药材的集散地,岷县城历来都叫作药城。乘着酒兴,老者竟领着我们去了商贸中心的那条街,那里有更多的宾馆和酒店,全住着从陕西、四川、河南、湖北来的药商,来拉货的车辆排着长队在那里等候。从商贸中心街出来,又到别的街上访问那些私人药铺和一些一两间门面挂着牌子的中医大夫,他们几乎都是在一边行医,一边收购,加工各种水蜜丸散。

我以前对中药材知之甚少,岷县使我们产生了浓厚的兴趣,就多住了一天,了解到岷县的中药材有二百五十多种,主要的是当归。当归人称"十方九归",是中药里最常用的药材,也称为"妇科中的人参",它属于伞形科多年生草本植物,药用部分为根,根头称归首,分枝称归身,须根称归尾,加工出为原来归、常行归、通底归、箱归、胡首归。这里的土地里没有什么矿藏,长庄稼不行,长果蔬不行,农民的日常花销,比如油盐酱醋,比如针头线脑,比如买种子买农药、盖房、给儿子娶媳妇、送终老人,比如供孩子上学呀,一家大小生病进医院呀,除了出外打工赚钱外,如果在家里,那就得种当归。

从岷县回到定西城,我还在琢磨当归这个词,这么好的词怎么就用在一种药材上呢?查《药学辞典》,上边说:当归因能调气养血,使气血各有所归。《本草纲目》中说:为女人要药,有思夫之意,故有当归之名。《三国志·姜维传》里也有这样的故事,说姜维从诸葛亮后,与母分离,其母思儿心切,去信就写了两字:当归。如今,当归仍是苦东西,却让定西农民得到了甜头,当归,当归,真成了农家宽裕的归处。

说到盐的事,是我们在漳县才知道的。

那一天的太阳非常好,路过一个镇子,汽车出了毛病,司机停了车修理,我突然看见路边有一座庙,结构简陋,但庙台阶很高,一个老汉就坐在台阶上吃烟,见我走近,烟锅嘴儿在胳肢窝戳着擦了擦,递着说:吃呀不?我吃不了旱烟,倒递给他一根纸烟,他说:你那烟没劲咯。却接了,别在耳朵上。我问:这是娘娘庙还是龙王庙?他说:盐神庙。还有盐神庙呀,盐神是个什么样子?就进庙去

木鷄養到

独有宦游人偏惊物候新 淑气催黄鸟晴光转绿蘋 忽闻歌古调归思欲沾巾

戊子年四书唐人句

看,庙里却并没有神像,竟当殿一个古盐井,旁边墙上画着熬盐的画,还有一篇祭文。

祭文是这样写的:漳有盐井,郡邑赖之。宝井汲玉,便民裕国。脉长卤浓,涌溢千年。今当疏浚,保其成功。盐井生民,感念神灵。

看来,这庙不应是盐神庙,是盐井庙,而且是先有盐井,后在盐井上盖的庙。我趴下看盐井,井壁上卤化如石,敲之像是敲磬,里边什么也看不清,只是幽幽地泛着光亮。

不看到这盐井,似乎就没想起过盐,因为每顿吃饭都放盐,盐是生活必需品,反倒疏忽它的重要性了,这如不停地呼吸,却并不觉得呼吸一样啊。我们便决定在镇子多待些日子,听听这里关于盐的故事。

这个镇子叫盐井镇,镇上人说:除了古老的两口盐井,即使是别的井,井水打出来做饭,也是从不再调盐的,如果把萝卜埋入水中一个月取出,切丝儿便是咸菜。这里的女人牙白,不用牙膏刷牙牙也白,而老年人没有老年斑。有一种盐是盐锅底裂缝时渗出的盐汁滴在火上成盐晶,盐晶一层层叠摞成人形的,叫盐娃娃。盐娃娃对腹胀胃病有神奇疗效,所以镇上患胃癌的人极少。

我在面馆里见到一个老人,有八十岁吧,他正吃一碗捞面,面前放着一碟盐,夹一筷子面就在盐碟上蘸一下。我目瞪口呆,说这样多吃盐不好。他说他一辈子都这样呀,血压正常,身板刚强。记得有一年在青藏高原,碰着一个藏族老太太,身体非常健康,她说她九十岁了,从没吃过蔬菜,就是吃牛羊肉,吃青稞面,喝奶喝茶喝酒。真是一方水土养一方人啊!我们老家人爱吃辣子,特能吃者人称辣子虫,这老者是不是盐虫呢,可盐里从来不生虫呀。

　　翻阅镇上的志书,盐井镇在远古时是陶罐瓦缶水制盐,先秦一直到一九八〇年是以铁锅熬盐,一九八〇年到一九九〇年之间是平板锅熬盐,从一九九〇年起,才是真空蒸发罐制盐。旧法烧熬的盐,上品为火盐,火盐是将煮出的盐倒入模具以火焙干,状如砖块,用于远销。中品为结盐,不经火焙,水分较多,状若银锭,销于近处。下品为水盐,是熬出后直接盛在盆里罐里,供当地人吃。志书里有一篇描写当年盐井镇繁华的文字,说镇里六条街道从半山通向漳河边,五大专业市场又从河滩伸进街坊:柴草市吞吐大量燃料,人市流动各类能工巧匠,旅店迎送商贾贩卒,商市进出日杂食品,盐市批发各作坊盐品。豫西的货担,晋北的驼队,陕南的马帮,带来了兰州的水烟,靖远的瓷器,关中的土布,湖北的砖茶。晚上,井台上水车隆隆,灯火灼灼;作坊里炉火熊熊,烟气腾腾。街巷驼铃声、马蹄声、叫卖声、弹唱声,不绝于耳。围绕盐业,五行八作相继兴起,三教九流充显身手,行医、教武,说书、卖唱,求神问卦,开设赌场……

　　哦,镇上人还给我说了盐坊里的绞手、抬手、烧手和装烟客的事。绞手是在井房里的汲水工,抬手是把盐水抬到各个灶上的送水工,烧手是盐锅的烧火工。而装烟客呢,是以给人点烟为业,手执四尺长的烟锅子整天在各作坊转悠,盐匠们操作在水汽浓重的锅边,双手不得半会儿闲,想过烟瘾了,使一个眼色,装烟客就把烟嘴儿伸进盐匠的唇间,那头随即引燃烟锅。事毕,盐匠顺手抄一搅板水盐抛进装烟客的提篮,装烟客立马便跑到街上卖了零钱了。

说这话的是一个年轻人,说得眉飞色舞,还正说着,远处有人喊:老三老三,事办得咋样吗?年轻人就跑过去说话。旁边的几个妇女说:他能说吧?我说:能说。她们说:他爷当年就是装烟客哈。我问那年轻人现在是干啥的,她们说:啃街道的。什么叫啃街道的呢?她们才告诉我,当地把围绕街市小打小闹讨生活的人称为"啃街道"的,这老三继承了他爷的秉性,但现在没有装烟客这活了,他就给人要账为生。

盐井镇的盐数百年都有一个名字叫"漳贵宝",肯定是庄户人家起的,起得像个人名。如今的真空盐厂是现代化企业,年产量胜过了过去百年,产品叫"堆银",这好像是哪个文化人给起的名,但"堆银"没"漳贵宝"有意思。

定西的房子,讲究"两檐水"。两檐水用的是五檩四椽,有的还出檐,在堂屋外形成一条走廊。屋顶一律坐脊覆瓦,但很少雕饰。胯墙与背墙多用土坯砌起,而前墙和隔墙则以木板装成。堂屋正门一般是四扇的"股子门",也有两扇"一片玉"的。窗户有"大方窗"、"虎张口"、"三挂镜"、"子母窗"等,贴窗花的少见,五月端午围插的艾却不动,一直要到来年的五月端午。不管新庄子还是老庄子,人家的院子都非常大,院墙都非常高,院墙里长出一些树来,或栽着蔷薇和牡丹,高大成架,透露着院子里的消息。

定西的房子谈不上豪华和阔气,但也绝不简陋,受条件所限,用料都难贵重,做工一定细致,光瞧瞧屋后墙砖缝里抹的灰浆的严实和山墙根炕洞口砖棱的工整,以及挡口板的合茬,就能体会到他们造屋的认真和用心。

农民的一生，最要紧的工作就是盖房子。如果某一家已经有一院房子，它就给子孙留下了一份光荣，作为子孙在长大成人后仍要再盖一院房子，显示自己活着的意义，再传给他们的后代。土木结构的房子，当然只能使用四十年，而也提供了一辈一辈人锲而不舍盖房子的必要性和重要性，这个过程也就是光前裕后。

一家一户的兴旺发达，靠的是子孙繁衍，也靠的是不断地翻修建造房子。在福建的一个山村，我见过一棵榕树发展成了一片子小树林的景观，而在漳县，常有着一个村庄只有一个姓氏的情况，使我由此有了一个姑娘可能就创造了一个民族的想象。在离定西不远的一个镇子上，有一户人家，兄弟四人，其子女九个，孙子辈又十六个，其三辈人中有十二人参军，分别有空军海军陆军，兄弟四人的父亲还活着，已经四世同堂，大重孙也结了婚，很快五世同堂，村里人便称这老者是"兵种"。老"兵种"人丁旺盛，而且他家的老房子也异常地结实，也是我在定西见到的最好的房子，五间式结构，一砖到顶，屋脊虽多残破，仍可看到许多精美的水纹、花纹和人物走兽的雕饰。他家还养着一只猫，按说，猫的寿命也就是十二年，他家的猫竟到他家已经二十年，现在仍能追鼠。

但我也听到这样一个故事。一个人，姓李，结婚后小两口盖了一厅两室的三间式房子，房子盖后一年，老婆就病死了，他没有再娶，而抱养了一个孩子。在他五十四岁的时候，中了风，虽生活能自理，但从此干不了农活。儿子对他不孝，他逢人就说他养了个狼在家了，他将来要死，绝不会将这房子留给逆子。儿子在屋里待不住,就出外打工了,逢年过节也不回来。有一年一个老中医在村里行医,见他日子难过,留给他了个治烧伤的偏方,他就在家自制膏药,还在门口挂了个专治烧伤的牌子。第三年腊月的一个晚上,他家起了火,等村人赶去救火,房子已经烧坍了,灰堆刨出他,人也焦了,焦成了一疙瘩。事后,村人都在议论,有说是电褥子出了毛病引起火灾的,有说是他吃烟引起火灾的,有说他是不想活了把房子点着烧死自己的。当然这事没有证据也没人追究,就草草把他埋了,只是遗憾那房子还好,说没就没了,也绝了那治烧伤的偏方。

在乡下看屋舍,我现在最害怕看到两种情况,一是老传统的房子拆了,盖那种水泥预制板的四方块,似乎在时兴了,要和城里人一样了,但冬不保暖,夏不防晒,更是因建墙没有钢筋,地震时一摇,四壁散开,整个屋顶的水泥板就平平整整压下来,连老鼠都砸死了。二是主要公路沿途的村子,地方政府要形象要政绩,要求朝着公路的墙一律搪上白灰,甚是鲜亮,可侧墙或村子里边的房墙仍是破败灰黑。

所幸的是在定西,这样的景象,还没有看到。

西安的古董市场上,这些年兴石刻,最抢手的石刻是那些拴马桩、牛槽、磨扇和碾盘。在几乎所有的花园小区里,开发商要有文化,都喜欢用这些东西去点缀环境。我每每去这些小区观赏,观赏完了,却又感叹,农耕文明在我们这一代人手中逐渐要消亡了,感情就非常复杂。定西虽然也在以破坏旧有的生活方式在变化着,但变化的程度还不至于那么猛烈,农家仍是养牛、养驴,磨子碾子更是村村都有。他们依然讲究着村子的风水,当得知那些城里来的文物贩子谋算着村口的大石狮,就组织人手,日夜巡查,严加提防。村里的那些大树,也绝不允砍伐,也通知各家各户,即便是门前屋后甚或自家院子里的老树,也一律禁止出售给城里来的树贩子,给多少钱也不准卖。

在一个黄昏,我们的车经过一个小村,停下来到一户人家去讨水喝。巷道里传来一阵喤喤喤的响声,这响声我在小时候的老家听过,便见两头毛驴走了过来,脖子上挂着铃铛,我立即大呼小叫,喊着我的朋友和司机:快来看呀,快来看呀!但朋友和司机跑近来,两头毛驴却走过巷道不见了。而在巷道那个拐弯处,有一个磨台,一个老汉正坐在磨台上"专"磨扇。司机是从小在西安城里长大的,他说:这做啥的?我说:专磨子哩。他说:啥是专磨子?我说你咋啥都不懂,磨子磨得槽纹浅了,需要重新凿凿,这种活就叫"专"。于是,我近去和那老汉套近乎。

啊叔,专磨子哩?

啊哈。

村里还有几个磨子?

七个磨子一个碾子哈。

这个磨子这么大呀?

村口的才大。

村口的磨子才大?

风水哈。

啥个风水?

村东口的碾子是青龙,村西口的磨子是白虎哈。

磨台下放着他的工具筐,里边是八磅锤、楔子、钢钎、手锤、錾头。他说,"专"磨子是小活,他主要是做平轮水磨、立轮水磨、人力磨、碌碡、碾磙子碾盘、做豆腐的拐磨、立房用的柱顶石、打胡基用的圆杵子、打墙用的尖杵子,还有门墩、捣辣子的石窝、安大门的碱基石。

最后,我问他这村里有几个像他这样的石匠?他说方圆这六个村子里,就只有他和他儿子了,儿子年初也不干了,去天水一家公司给人家当保安了。

小吴见我爱在村镇里乱钻,碰着什么都觉得稀罕,他说:我带你去看草房子!草房子有什么看的?他说:是一个村子都是草房子!在陕西,我到过一个叫陈炉的镇子,镇子里的屋墙呀,院子呀,街道呀,都是废陶钵和陶瓷垒的砌的,太阳一照,到处发亮,呐喊一声,整个镇子都嗡嗡作响。也到过洛南县一个山寨看那里的石板,石板薄得只有一指厚,却大到如柜盖如桌面,所有的房子以石板做瓦,晴天里,屋里处处透光,下雨天却一滴不漏。现在,定西还有一个村子的草房子,那又是什么景象呢?我说:是吗,那去看看。

因为要去的村子远,当晚没有回县城,就住在镇上。镇长说:城里人讲卫生,给你安排到工作干部家住吧。我住的是个县法院审判员的家,审判员是一礼拜才从县城回来一次。去了后果然人也体面,屋也整洁,他媳妇拿了床新被子在公公的土炕上铺了个被筒,自己就进了她的小屋把门关了。土炕上,我的被筒是新的,那老头的被子却是土布,或许还干净,颜色却像土布袋一样。老头话不多,我们总说不投机,我就打哈欠,他说:你困了,早点睡哈。我睡下了,他拉灭了电线绳,我只说他也睡下了,他却靠在炕的背墙上吃烟。可能是为了省电,也可能是省火柴,他点着了小煤油灯,一锅烟吃完了,又装上一锅凑在灯芯上吸,灯芯如豆,他一吸,光影就在墙上晃动。我翻了个身,他说:我影响你啦?我说:没事,你吃你的。他说:就好这一口,瞎毛病哈,吃完这锅就睡。我终不知道我是在什么时候睡着的,等到再醒过来,天麻麻亮,老头竟又在炕那头,靠在背墙上吃烟,还不仅仅是吃烟,小煤油灯边放了个小电丝炉,小电丝炉上坐了个小瓷缸在煮什么。我翻身坐起来,他说:又影响你啦?我说:你煮的啥?他说:熬口茶。他真的是在熬茶,茶叶是发黑的花茶,泡得涨出了小瓷缸,但还在咕嘟嘟响。我说:要熬干啦?!他端起小瓷缸往一个盅子里倒,说:还没吊线。把盅子里的茶水又倒进小瓷缸,继续熬。熬得最后仅仅只倒出了一盅,他说:你喝吧。我不想喝,也不敢喝,这哪里还是茶水呀,是黑乎乎的汤么。他告诉我,他们这儿上了年纪的人都喝这茶,喝上瘾了,睁开眼坐在炕上就得熬。他端起盅子喝的时候,并不是品,而是一下子倒进口,眼闭上了,脸缩得很小,满是皱纹,像个发蔫的茄子。他说:不喝这一下,头疼哈。

吃过早饭,我们往草房子村去。在沟道里开了半天车后开始翻一座山,山路就像拧螺丝,一圈一圈往上盘,到山顶了又松螺丝一样下山,而且路越来越窄,里边高,外边低,我一直叮咛小心石头,如果碰上路面石头,车一跳,滚下去连尸首都寻不到了。终于到了沟底,转了三个弯,就出现一个村子,村子果然都是草房。车还在山顶的时候,天是阴了的,沟底里显得更暗,一出车,那个冷呀,身子就如同了馕包,被无数的针扎着,咻咻地往外漏气。可能是别的树都冻得长不了,这里只长紫杉,紫杉竟然是合群的,要长就整整齐齐长在山根,然后一排一排沿着坡坎再长上去,绝没有单个的,树干也不歪七扭八。村子并不紧凑,房屋建筑无序,没有巷道,门窗有朝东开的,有朝南开的,其间的空地上都有篱笆。篱笆好像已弃用,好像还在用着,杂乱的木桩木棍歪在那里。地很湿,也很滑,到处乱石和杂草中间,尽是牛粪,我们跳跃着走过去,还是每人的鞋上都踩上了。草房都不大,有三间的,有两间的,有的甚至是方形。所有的墙没有墙皮,还是木板夹起的石渣土杵的,屋顶用树枝编了,涂上泥巴,上边苫着厚厚的茅草,茅草已经发黑,但还平整。瞧着一户人家走近去,才说:有人吗?门前的木桩上拴着一只狗,狗就回答了:汪汪汪汪。狗也适应着冷天气,毛非常长。于是望见旁边坡上散落着的那些牦牛,想:牦牛以前肯定也是牛,为了御寒而长了毛,就成了牦牛了。进了屋,屋里和屋外一样冷,分外间和里间,外间放着一个大柜,柜边堆着十几个麻袋,用草帘盖着,用手去戳戳,似乎是包谷、青稞和土豆什么的。里间是一面大炕,炕边一个火炉,炉上一个锅正做饭。我赶紧在火炉上烤手,顺便揭开锅盖,里边蒸着一锅土豆,还没有熟。两个小女孩长得非常俊,高鼻梁,大眼睛,衣着单薄,看样子不觉得冷,我们一进屋她们就鸟一样飞出去,过一会儿又悄无声地扒在门框朝里看我们,我们再一招手,又忽地跑开了,似乎这个家是我们的家。老太太一头白发,白得很干净,和我们说话,说她姓白,七十五岁了,儿子儿媳到新疆收棉花去了,她在家里经管两个孙女,孙女不听话。说着就冲着门外喊:给炕里添些火去,唉,添火去哈!便见两个孩子提了一笼干牛粪往屋的山墙那儿跑,山墙那儿是炕洞口。在蒙藏地区是烧干牛粪的,这儿也烧干牛粪,使我觉得好奇,跑近去看她们怎么烧。一个小女孩就附在另一个小女孩耳边说什么,两个人格格地就笑起来。我说:笑啥哩?她们说:笑你哩。我说笑我啥哩?她们说:笑你那么老了还是学生。我说:怎么就看我是学生?她们说:你口袋里插着笔。我说:认识这是笔?小一点的小孩说:我是学生。大一点的女孩说:我是学生,她不是学生。我问她:你上几年级?她说:一年级。我问:学校在哪儿?她说:从沟里往下走,走七里路就到了。我说:七里路?!谁陪你?小一点的女孩立即说:我陪哩。我摸着两个孩子的头,再没有说话,我的上衣口袋里插着的仅仅是支签字笔,拔下来就给了她们,她们却争夺起来,我赶紧喊我的朋友,让他把他的笔也拿过来。这期间,狗在不停地叫,但有气无力。

　　这可能是我们这次行走见到的最贫困的山民,住在这里,他们与外边隔绝了,虽然距县城也只是一百七八十里吧,世界发生了什么,中国发生了什么,甚至县城里发生了什么,他们都不理会,一切与他们似乎没关系。如果没有小吴带领,我们恐怕也不知道他们能在这里生活,就这样生活着。

　　原以为有个草房子村可以看到奇特的景象,没想来了以后使自己的心情极度败坏。我问小吴:这是什么村?小吴说:村名不知道,因为有草房子就都叫草房子村。再问:这山是什么山?小吴说:遮阳山。我说:山名不好。小吴见我脾气糟糕了,解释说这地方偏僻,你如果让政府接待,谁也不肯带你来的,以前北京来了几个画家,让我带了来,画家见了这草房很兴奋,见了这里的人很兴奋,拍了好多照片呢。我说:画家爱画破房子,给他个破房子他住不住?画家爱画丑人,给他个丑女人他娶不娶?!

这一夜,我们回到了县城宾馆,打开电视,多是城市红男绿女在做娱乐节目,我的思绪又到了草房子村,就把电视关了,早早睡觉,却怎么也睡不着。

过道里,突然有了咋呼声,是小吴在和什么人说话了:

啊王主任!

啊你怎么在这儿,几时来的?

来几天了,陪人下来的。

哪个领导来了?

是……

啊,他来了!县委县政府领导知道了吗?

他不让打招呼,悄悄来的,你可不要给人说呀!

今去哪儿了?

到遮阳山有草房子的那个村子,哎,你知道那村子叫什么名字?

你怎么领他去那儿?得让他看看咱们的好地方呀!

他不是记者。

到了渭源里,当然去看看渭河源头了。

顺着一条沟往里走,沟两边的山越来越高,满是蒿、艾、蕨、荆,全部枯萎,发着黑色,像石头上经年的苔。沟里的河水不大,河滩却宽,隔几里一个村子,粗高的杨树不少,其间是横七竖八的房子和麦草垛,也是黑色。有人吆着牛犁地,牛还是黑的,只有鼻脸洼白,翻出的土似乎也不是了黄土,是黑土。扶犁的人穿着臃臃肿肿的黑棉裤棉袄,脸上眉目不分,而站在地头的妇女头上裹着红头巾,尖锥锥地叫喊着她的儿子。

还在深入,沟就窄起来,路已被逼到了沟梁上。到处有了沙棘树,一树的尖刺里结着红果。还有一种蒿,仅仅生出个籽荚,籽荚也是箭头一样,走过去,乱箭就射满裤子。再是不断地看见很粗很糙的杨树,从根就开始长须枝,而且还被藤蔓纠缠,虽然都干枯了,隆起成架,树就不成了树,是一座一座的木塔。到了迎面是最高的那个峰了,沟分成三股,荒草荆棘更塞拥其间,时隐时现着水流的亮光。已经无法前行了,去问不远处的一个人,这人手里提着一把砍刀,好像是要砍些柴火,并没见砍下什么荆棘树枝,一直站着默默地看我们,以为是傻子,一问他话,他却立即活泛了。

问:渭河源头在哪儿?

答:这就是哈。

问:这就是? 渭河就生在这儿?!

答:是三眼泉,泉还得往里走,但走不进去。

是走不进去。没想那人却说:走不进去,就到龙王庙拜拜哈。我们这才发现半山腰有座庙,那人就领我们爬上去。庙前的场子上尽是荒草,荒草旋着涡倒伏着,像是风的大脚才踏过。庙里没有龙王像,但有香炉,也有个功德箱。那人给我们讲三眼泉,一个叫遗鞭泉,一个叫禹仰泉,一个叫吐云泉。因为冷,就尿多,我跑到庙后的避背处方便,回来他已讲了禹仰泉,便只听到了遗鞭泉和吐云泉的传说。

当年唐李世民率军西征,到了山沟最边的泉饮水时,不小心将马鞭遗落泉中,再捞马鞭已没了踪影。班师回朝到长安,发现马鞭在渭河里漂着,才知晓渭河除了明流,还有暗流。这个泉从此叫遗鞭泉。

吐云泉在三条沟中间的沟里,天一旱,山下的人都来泉里求雨。有一年求雨的人散去,一个叫花子来偷喝了供酒醉在泉边的草丛里,突然见泉里钻出一个白胡子老人,坐在石头上吃烟。吐一口烟,天上有一片云,再吐再有,一时浓云密布,大雨滂沱。

听完了故事,我们要走,那人却说:不给龙王烧烧香吗?问哪儿有香,他从功德箱后竟取出了一把香,说一把香十元。烧完了香,才明白那人是看庙的。

现在,我该说说定西的吃食了。

在别的人眼里,起码我同车的朋友、司机,都不觉得定西的饭好,他们抱怨走到各县各村,上顿是酸面,下顿是酸面,顿顿都有蒸土豆和咸白菜。但我爱吃定西的饭。每到一处,问吃什么饭,我都是:酸面吧,炝些葱花,辣子汪些,蒸盘土豆。吃的时候,狼吞虎咽,满头大汗。朋友就讥笑我:唉,凤凰之所以高贵,非醴泉不饮,非练实不食,你贱命啊!我是贱命,在陕南山村生活了十九年后进的西安城,小时候稀汤寡水的饭菜吃惯了,从此胃有记忆,蓄存了感情嘛。酸面其实和我老家的浆水糊涂面差不多,都有浆水菜,却煮土豆片或豆腐条,都不用味精和酱油,只不过酸面的面条多是苦荞面做的,而土豆比我老家的土豆更干更面。

第一顿的定西饭就是酸面和蒸土豆了,以我的经验,当然先吃酸面,吃过两碗了才去吃土豆的,没想到拳大的一个土豆掰开来,里边竟干面如沙,如吃栗子。我是一手拿着让嘴吃,一手就在下边接着掉下来的碎散渣,然后就噎得脖子伸直,必须要喝汤喝水。土豆是定西的主要食物,又如此好吃,这是有原因的:一是这里的日照时间长,缺水,自然环境决定了它的质量;二是这更是上天的安排。按说,定西压根就不宜于人类生存,而既然人生存在了这里,它必然要给人提供食物。在中国,有两样食物可以当作神物的,一是红薯,一是土豆。如果没有这两样食物,中国人在六十年代七十年代即可死去一半。在定西,大多的地只能种土豆。当收获的时候,一面坡一面坡的土豆刨出来堆在地头,它和土地一个颜色,人们挑担背篓地把它运回去,你感觉那是把土疙瘩运回去了。在我们走过的村庄里,家家都有地窖,储藏着几千斤甚或上万斤土豆,一年四季吃土豆,有的家庭竟然一天三顿纯吃土豆。家里有老人过世的,还未满三年,他们每顿饭都要给灵牌前献饭,献的就是土豆。而曾经去过一家,中堂的柜上献的竟是生土豆。问怎么献的是生土豆,他们说家里老人已过世三年了,已不给先人献饭,这是敬神哩。他们把土豆当作了神,给神上香跪头地供奉。

第一次见小吴,请他为我们做向导,他在挎包里装了牙刷牙膏,装了纸烟和打火机就跟着我们走了。走出了院门,已经上了车,他又跑回家。我们不知道他遗忘什么东西了,再返回车上,他的挎包里鼓鼓囊囊,翻开一看,竟然是六七个土豆。他说定西人出门,习惯要带些土豆的,万一走到什么地方,前不着村后不着店,就可以就地烧土豆吃了。虽然我们在外,并没有在野地里烧土豆,却亲眼见到有烧土豆的。那是在一个下午,车驶过一个梁凹,见几个孩子狼一样从路上往地里的一个埂上跑,到了埂前就刨一个土堆,竟然刨出了土豆,红口白牙地吃起来。我们觉得好奇,停了车跑近去。原来他们一个半小时前要到梁后的镇子去买东西,就先在这里把地埂的干圾子挖开,垒成空心圆堆,留个火门,用柴烧,烧到圾子都红了,把火门里的灰掏出来,再用一块圾子堵严火门,然后在顶端开口,把口袋里的土豆放进去,再把红圾子往里放几块,一层土豆一层烧红的圾子,又再把剩余的热圾子打细盖在上面,用湿土捂上,从镇上买了东西回来,挖开土堆,土豆也就熟了。这几个孩子都是圆头圆脸,小鼻小眼,长的就像个土豆,但争着吵着吃烧成的土豆,让我觉得是那么美好和可爱。

但是,我在渭源县一个村干部家,看到了墙上镜框中的一张照片,唏嘘了半天。那是摄于七十年代的照片,拍摄的是公社社员农业学大寨在梯田工地上吃午饭的场面:一条几十米长的塑料布铺在地上,上面摆的是蒸熟的土豆,两边或坐或蹲了百十多人都在吃土豆。这些人形容枯瘦,衣衫破旧,可能是摄影师当时在吆喝:都往这儿瞅,瞅镜头!所有的吃者都腮帮鼓凸,两眼圆睁。

当改革开放几十年后,中国绝大多地区从政治上、经济上、文化上都发生了变化,江南一带以商业的繁荣已看不出城乡差别,陕北也因油田煤矿而迅速富裕,定西,生存却依然主要靠土豆。过去是土豆、酸面、咸菜吃不饱,现在是这些东西能吃饱了,有剩余的了。但如何再发展?地下没有矿产,地上高寒缺水,恐怕还得在土豆上做文章。在渭源,我参观了土豆脱毒基地中心,那里进行着关于土豆的一系列科研,土豆在质量上、产量上大幅度提高。各届政府下大力气在生产、加工、销售上制定政策,实施举措,已经使定西土豆声名远播,全国各地的客商纷纷前来订货。我曾问过好多人:仅靠土豆能行吗?他们说:靠山吃山,靠水吃水么。一斤苹果能卖出几斤粮食的价钱,你知道今年一斤土豆能顶几斤苹果的价?我说:多少?他们揸起了四个指头,说:呀呀,四斤哈!

山梁下的河湾有一片楼房,楼层不高,也就两层或者三层,不知是什么企业的生产地还是新农村的示范点,而从山梁往河湾去的岔道口,竖了一堵新砌的墙,墙上有好多标语,其中一条是:昂首向天鱼亦龙。

车在一条川道的土路上往前跑,车后的土雾就像拖着个降落伞,车要猛一刹住,土雾又冲到了前边,前边的路就什么也看不清了。有趣的是,车在雾气狼烟地往前跑,天上的一堆云也往前跑,疑心这是云在嘲弄土气,果然中午饭时到了一个镇子,尘埃落定,云也散了。

这个镇子是我这次出行见到的最大镇子,五百户,两千多人口,巷道很深,而且有几条。从东边的那条巷进去,好多家院门口都有人端碗蹴着吃饭,有的是酸面,有的是面前放着一碟盐,蘸着吃土豆,见了我们,都笑笑的,欠起身,说:吃哈?那棵已枯了半边的柳树下,走来一个老汉和一个小伙,老汉掮着锨,小伙穿着西服,手里握了个手机,可能是父子,可能小伙从西安或兰州打工回来不久,两人说着什么话,老汉就躁了,骂道:你们老板一年赚二百万?你放屁呀,咋能赚二百万?!小伙还要犟嘴,抬头瞧见我们经过,没再言传。

寻着了村长,村长是个黑脸大汉,正朝一户院门里的人怒吼,指责猪屎在门口路上这么几堆,也不清扫,是长着眼睛出气哩看不见,还是手上脚上生了连疮了拾掇不了?!院门里立即跑出个拿了锨和笤帚的妇女。他好像还气着,拿眼往巷头看,巷头一只狗碎步往过跑,突然停住,掉头又跑回去了。小吴认识村长,把我们做了介绍,他把我们从头到脚注视了一番,很快脸上就活泛了,说:噢噢,先吃呀还是先转哈?我说:我们四个人的,你锅里饭够吃吗?他一挥手,说:那先转!扭头给清理猪屎的妇女说:去,给你嫂子说去,擀面,擀四个人的面!

这村长其实是个蛮热情的人,他领我们出这家进那家,说他们村很有名哩,来过好多记者,报纸上写过大半版的表扬文章。表扬也好,不表扬也好,日子是给自己过的,他这个村长把村子弄成个富裕村就行了。现在村子里有两项指标是全县最高的,一是学生多,几乎一半人家出过大学生,毕业了都在兰州、天水和县上工作;

二是搞翻砂的人多,东头三家,西头四家,北头两家,南头还有五六家,主要是造锅,造火盆,最大的锅能做二百人的饭。

村长说的属实情,顺便问过七八户人家,都有孩子大学毕业后在城里干事。一个老太太拍着罩在棉袄上的新衫子说:这是今年娃给买的衣服哈,我说买啥呀,农村里穿啥还不是一样哈,可娃偏要买,给我买了衫子,给老汉买了条裤子!院子里在火盆上生火的老汉果真穿了件西式裤,说:这裤子不好,只能单面子穿。而去了几个翻砂户,院子里却是大大小小的锅坯,大棚里都是销铜炉,有砸炭末的石臼窝子,有烧炉时六七人才能拉得动的大风箱。但神龛里所敬的神不一样,有敬的是雷火神,有敬的是土地神,有的棚墙上贴着毛主席像。好奇了那一摞一摞铸造好了的各类锅,问一个能卖多少钱,他们好像都忌讳什么,不回答,只拿指头叩着锅,说:你瞧哈,没一个沙眼!小吴拉我到旁边,低声说:他们各家都竞争哩,有的把价压得低,怕别的人家有意见,就口里没实话。

后来在村长家吃饭,当然除了酸面外仍是蒸土豆,吃得坐在那里一时都不得起来。村长家的院子更大,他既种药材又搞翻砂,台阶上堆了几大堆挖出的当归和黄芪,而翻砂的工人就雇了四五个,一个在清理销铜锅,两个在修整着锅坯,一个在那儿砸炭末,一个在把炭末水往晾干的锅坯上涂,无论我们吃饭或者说话,他们全不理会,安静地干自己的活。因为又吃好了,我的情绪很高,就夸说着村长你是不是村里最富的,村长哈哈大笑,说:打铁就得自己硬呀,当村长的都不富还怎样带动别人?!他高兴了,就喊叫着老婆从屋里取个铜火盆要送我,我说:啊谢谢,可我不烤火,要火盆没用。他说:这火盆不是烤火的,我们这儿兴家里摆个火盆就是好光景哈!这火盆特大,铜铸的,纹饰精美,灿灿发光,确实是件象征富贵的好东西,但我怎么能要呢,我没要。

我们站在院子里的太阳下照相,村长和我照了,还要他老婆也和我照,他老婆刚才还在院子里收拾碗筷,却半天不知人在哪儿了。村长又喊了几声,老婆从屋里出来了,她换了身新衣服,脸上还敷了些粉,她照了三次,第一次说她眼睛可能闭了,第二次说她没站好,第三次照完了,说:我不上相哈!

经过一地,看见两座山长得一模一样,隔着一条小沟,相向而坐,山头上又都隐隐约约有着红墙和琉璃瓦的翘檐。问路人这山上是什么庙,回答左边是观,住着一老道,右边是寺,住着一老尼。想上去看看,但上山的路却都在后边,就进沟往里走。

沟很窄,光线黝暗,怀疑两山是硬被推开的。山壁上,沟里的石头,连同石头与石头之间长出的树,都生了苔藓,苔藓是黑的,白的,也有铁锈色。有一种鸟,不知道站在哪里,清脆地叫:嘀哩嘀哩。小吴说那是嘀哩鸟,就会自己呼自己名字。脚底下湿汪汪的,司机趔趄一下,我说:小心滑倒!还未说完,我先滑倒了,才发现路上也全是苔藓,很小很小米粒一般的苔藓。

进去约一里,竟是一平阔地,两山连接为一体,形成环状,整个沟谷变为一个宫。宫里生长着各种草木,都不高,却千姿百态,能想象若是春天和夏天,这里将是何等的欣欣向荣,万象盎然。

原本进来是要去寺观的,仰头看两边的山头,寺观都修在峰尖崖沿,路如绳索直垂下来,一时倒没了攀登的欲望,我们就只在宫里待着。

直待了近两个小时吧,朋友说:都快成婴儿啦! 大家笑笑,才顺原路返回。

一棵两个人才能搂得住的柳树就在村口,这个村里在杀一头驴。

其实,杀驴杀的是驴的鞭。

那头公驴被拉出了棚,它并不知道它将要死,见院子里突然有了许多人,说说笑笑的热闹,还高兴地喊了一下。它的喊是在打招呼,竟把一个小丫头吓得后退了几步,它也就笑了,嘴唇掀开来,龇着大牙。

这时候,从隔壁院子里也拉来了一条母驴,母驴是个俊驴,细长腿,大肥臀,嘴里还一直嘟囔着什么,似乎不愿意,被拉着绕公驴转了一圈,又转了一圈,臀上的肉就哆儿哆儿地颤。

公驴在那时不掀嘴唇笑了,整个身子激灵地抖了一下,耳朵就耸起来,鼻孔里呼呼喷气。它要往母驴近前扑,但被人紧紧地拉着,扑不过去,肚子下的鞭忽地出来了,戳着如棍。

一个人从堂屋里出来,好像才喝了酒,脖子梗着,还能看到那暴起的血管,在嚷:都闪开,闪开! 一手在身前,一手在身后,在身后的手里握着一个杆子,杆子上安了月形的铲刀,太阳照在铲刀上,溅着一片子光。看热闹的人当然就闪开了,一些年轻的女子转身往院门口跑,偏被几个小伙拦住,说:嗨跑啥咯! 女子说:杀了你！握铲刀的人已经走到了公驴的身后,他全神贯注,十分地庄严,院子里就立即也安静了,只听到公驴还在喷气,喷出的气像一团一团的烟。公驴不停地动,握铲刀的人也在动,动着碎步,突然,一条腿在地上蹬住了,一条腿一个跨步,嗨的一声,铲刀冲出去又收回来,他就站住不动了。这一连串的动作太快,人们还没看清是怎么回事,地上已经有了一根肉棍,肉棍在蹦跶着。

公驴这时候才叫起来,叫声惨烈,拉公驴的是两个人,一个人丢了手就去捡肉棍,捡了两回,两回都从手里蹦脱了。

定西的许多村子不叫村,叫庄,也有叫堡的。叫堡的都是在村子不远处,或山上或半坡里,有个小小的城堡。这些城堡差不多修筑于清末民初,土夯墙,又高又厚,有堡门,堡子里还常有小庙。那时期,一旦军阀混战的散兵路过,或是有了土匪强盗,钟声一响,村子里的人就往堡子里搬,并选出堡头,组织自卫,时间有两天三天的,也有三月半年的。现在,这些堡子还在,但都废了,我们去看过几个,要么堡子里什么都没有了,只留着小庙,要么小庙也坍塌了,只有几棵松柏。

在看完五个堡子的那个下午,我有些感冒,住在一户人家的热炕上发汗,那炕非常热,坐一会儿就得侧侧身子,人越发四肢无力。原计划要去北边的裴家堡的,这家主人是个教师,说他家有本县上编的文史册子,上面有一篇写裴家堡故事的,看看就不用去了。我让把册子拿来看,没想到那篇纪实文章让我读得胆战心惊,感冒更加严重,竟在这户人家住了一夜。

这篇文章是汪玉平、裴小鹏写的,我在此有删减地抄录如下。

民国十九年农历五月初二,马廷贤部在冯玉祥部的追剿下西进。二百多人经过裴家庄时,怕遭到村民的伏击,还向堡子方向喊:不要开枪,我们是过路的。当时正值农忙,村民都在地里忙活,堡子里只是些老人和孩子,敌前锋部队顺利通过了裴家庄。不久,敌后续部队六七十人在一个姓杨的营长带领下到达裴家庄,却冲进堡子抢了一些枪、面粉和油就下了山,对堡子里的老人和孩子并未伤害。

在堡子附近山坡地里干活的村民,看到敌马队出了堡子,就大喊:土匪抢走东西了……堡头裴忆存和裴怀二,还有一些村民,赶快跑回堡子。此时敌人下山后正向西行进,裴忆存和裴怀二迅速地把西南的一门狗娃儿(土炮)装上弹药,朝着敌马队开了一炮。炮声一响,敌马队中一人从马上栽了下来,惊慌失措的敌人把落马者抬上马背,急忙向西驰去。

正西进的马廷贤在得知他的部下被打死,立即召集会,会上有人主张攻打堡子,有人主张继续西进,而死的就是杨营长,杨营长的女人又哭又闹要给丈夫报仇,部队就折过头来攻打堡子。

堡子里的人一见,把魁星楼前的大钟敲得震声响,在村子和地里干活的村民听见钟声相继都跑回堡子。在堡头的组织下,村民们赶快用口袋装上土,把堡门牢牢地堵住,堡墙上的五门狗娃儿炮和一些没被抢走的火枪,都备足了弹药,长矛、大刀和平时干活的工具,此时都成了护堡的战斗武器。

从堡子里看到敌人在做晚饭,估计晚饭后敌人就来进攻,堡头们也吩咐各家各户赶快做饭。由于村民进堡时走得忙,在村里住的人没把灶具带上来,一听说做饭,这才缺这少那,相互间借用,女人们一边带着孩子,一边生火做饭,不懂事的娃娃一下子聚在一起,在院子里嬉戏打闹。

夕阳下山后,敌人开始行动,一部分仍留在村里,大部分人马沿山坡向堡子行进。在堡墙上观察的人一下子紧张起来,喊:土匪上来了,土匪上来了!一些还没吃饭的村民,放下筷碗,拿起了武器,在堡子周围严阵以待。

敌人骑着马,身上背着枪,手里拿着马刀,后面还有十几个人抬着梯子,当他们来到堡门前停下,向堡子里喊话,向堡子里要面粉和油。几个堡头商议只要敌人能够退兵,这个条件可以接受。不一会儿,从各户收集来的几袋面粉和十多斤清油从堡墙上吊了下去。过了一会儿,敌人又对着堡子里人喊:我们团长说了,你们打死了我们营长,把凶手交出来,再放下两个女人给我们做饭,不然就踏平你们堡子。

堡头和堡里的男人们当然不能把自己的女人和同胞交给敌人,断然拒绝了要求,在一阵叫骂声中,双方开了火。一时间枪声不断,炮声轰鸣。在后堡前墙上还击的裴老五被敌人击中,从堡墙上摔了下去,当时就死了。正在双方激战的时候,刚才晴朗的天空,忽然电闪雷鸣,狂风席卷着尘土直冲向天空。霎时,瓢泼大雨将进攻的敌人打得晕头转向,一个个从山坡上滑了下去,撤回了村庄。

敌人撤退后,堡头把裴老五被打死的事暂时封锁,怕引起村民的慌乱,组织青壮年守在堡墙上注视着敌人的动静,妇女儿童和老年人拥挤在各自的草房里,惊恐不安地度过了一夜。第二天吃早饭时,裴老五的母亲叫老五吃饭,这才知道儿子已经死了,她没有掉一滴眼泪,亲自安排儿子的丧事。而裴俊华的爷爷向堡头提出,要带自己的一家人出堡去,堡头不同意。因为昨天下午大家在一起商量过不能分散。裴老汉再三要求,堡头们认为,既然屁股上有疮不能守堡,留下来也帮不上忙,就把他一家八口人从墙上用绳放了下去。

事后裴俊华给人讲,他爷爷当时一定要离开堡子是有原因的,在这之前,他家里来了个道士,吃了饭临走时给了他爷爷一张画的符,说不久裴家庄要发生灾难,到时就把符烧了,放在碗里吃了,然后要离开村子,就能避灾。所以,他爷爷的举动让堡头和村民们感到不愉快,却也保全了他们一家。

到了太阳一竿高的时候,敌人全都离开村子,并没有走昨天的路从裴家沟口进入,而是从左侧的红崖沟进入,绕到堡后的蜡山嘴,准备从背后向堡子攻击。蜡山嘴离堡子很近,站在上面居高临下,能俯视到整个堡子的情况。堡子里的村民及时调整各炮位的方向和守护人员的配备。不久,敌人的炮弹一发发落在堡里,密集的子弹不断把堡里守护的人打下堡墙。战斗持续到中午,守护人大部分或死或伤,裴忆存、裴怀二、裴恒川及裴宝华的三叔、四叔相继战死,裴善琴的父亲冒着敌人不断射来的子弹,跪在土炮前装弹药,被子弹打穿两颊。后来亲戚收尸时,他仍保持着装弹的姿势。

昨晚的那场雨,阻挡了敌人的进攻,也使存放在庙里的火药受了潮不能使用,枪炮逐渐失去了战斗作用。敌人从东西两侧,顺着梯子爬上堡墙,被堡里尚存的守护者用大刀、长矛、铁榔枷打下去。如此使十多个爬上来的敌人从堡墙上滚下山坡。此时,堡里所有能搬动的东西都用来打击敌人,连猪吃食的槽也当作武器扔了下去。敌人改变了进攻方式,爬在梯子最前边的一个,都拿着盒子手枪,接近墙头时用手枪朝堡内乱射,使堡里人不能接近堡墙。堡里已没有几个能够战斗的人了,敌人很快从堡墙爬了进来,打开堡门,见人就砍,能够爬起来的村民与敌人进行白刃战。裴麻子用马刀砍伤了好几个敌人,被大门拥进来的敌人围在当中乱刀砍死。堡头裴殿瑞的父亲被敌人绑在庙里柱子上,身上浇上油,被活活烧死。一个不到十岁的男孩,跑到堡墙上要往外跳,被追上来的敌人一马刀从屁股捅进去,摔下了墙。两个年轻人逃出堡子,一个还带着狗,藏在山洞,连人带狗被打死。另一个叫裴七十一,他一直跑到离堡子一里多远的红土柯寨地,被一个追上来的敌人开膛破肚。

堡子里已看不到活人,他们就放火烧房子。庙的正殿里有存放的火药,很快正殿起了火,殿里三大菩萨像和东殿的三个神像在大火中消失。几个敌兵冲进西殿,把九天圣母的头发拉散,上衣扯开到胸前,点了几次都没点着,就慌忙离开堡子。

敌人攻进堡子时,年轻力壮的村民都已战死,堡里占多一半的老人、妇女、儿童成了他们屠杀的对象。裴小鹏的二奶被一刀砍死,她倒下时,身子护住了儿子裴建璟,裴建璟活了下来。他的奶奶怀里抱着六岁的女儿菊娃,头上被砍了一刀,硬是护住了菊娃。裴随斗和他妈被敌人追杀,他妈为护裴随斗,胳膊被砍掉,裴随斗去救他妈,脸上挨了一刀。

  现年八十六岁的裴金对,当时八岁,她回忆说:初三,土匪从后山打枪打炮,男人们都到后堡去了,我妈怀里抱着我,背着我哥裴老二,还有我的两个嫂子,躲到淑英奶奶放柴的庵房里。圈里有一根杠子,我妈坐在杠子中间,两个嫂子坐在两边,怀里都抱着娃娃。忽然打来一炮,坐中间的我没事,两边的两个嫂子一声没吭倒在炕上死了。我二嫂伤在胸脯上,娃娃半个脸上的肉翻过来。我大嫂伤在小肚子上,一直叫肚子疼,当天就死了。我大和我哥都到后堡去守堡,我哥刚往墙上爬,被土匪一把抱住,扔在着了火的正殿。土匪走了他才从火里跑出来,腿被扭伤了。我大肩被打伤了,活到初十就死了。求浪的大叫裴昌生,当时只有七岁,土匪没拉住,他从堡墙上跳下去,滚到山坡下沟里活了下来。裴对泉从东堡墙上跳下去,土匪几枪没打上。后堡的人杀完了,房子大部分被火点着,土匪开始往外撤,有几个看到我们,向我妈要白元,我妈把头上的一支银簪子给了,有一个土匪站在堡墙上喊:女人和娃娃再不要杀了。土匪就走了。土匪走后,我们到后堡,满地都是死人,墙根下有两堆人,有的还在呻唤。死的人太多,没有棺材,大多数都被软填了。我家打开了一个柜子和门板把我的两个嫂子埋了。到初四下午死人基本上都入了土,没有被杀死的娃娃,都被别村的亲戚接走了。堡子里只有我妈领着我、我二哥的两岁儿子裴映冬。到了初十我大死了,我妈领我们离开堡子,临走时,我妈挖出了埋在院子里的一罐甜胚子,在地里埋了几天,挖出来还甜得很。

受裴家堡祸难的影响,几天里情绪缓不过来。司机说:瞧你这人,那是八十年前的事了,还有啥放不下的?!是八十年前事,如果还有什么史料,清代的、明代的、宋代的,甚至秦代,这里战事频繁、烽烟弥漫,不管谁赢谁输,老百姓苦难不知又是何等的惨烈,这些当然都岁月如烟如风地过去了,我想的是,定西为什么就叫定西呢?它是中国西北上,历来称作边关,是历代历朝都希望它安定吧,它安定了,中国也就安定了。现在,在整个中国的版图上,定西可以说是安定的,安定得似乎让人忘记了它,忘记了它曾经不安定。虽然,它也是国内没有充分开发的地区之一,这可以说还是好事,使它保持了它固有的东西,包括地理环境,包括人们的生活方式,风土人情,包括没有在过度开发中拉大的贫富差距,也包括它的落后。但是,毕竟贫穷使人凶狠,富裕使人温柔,当我们需要定西安静平稳而定西的富裕远远还滞后于全国水平的时候,整个中国还应该为定西做些什么呢?怎样才能使定西更富裕更公正更和谐美好呢?

在定西的各个县镇,凡是走到哪一户人家,你感到吃惊的都那么喜欢字画。只要一谈起字画,他们就睁大眼睛,也不再木讷,给你说起他家墙上的字画是什么人的,哪一年请回来的,村里谁家的字画最好,这个县上甚至定西城天水城兰州城书画家谁谁曾经来过,在谁家屋里吃过饭,还在谁家里写过字。说过了,还怕你不信,须要领着去别的人家里看字画。有日子过得滋润的,也有日子过得狼狈的,但不论是新盖的房还是已经破败的房,房里都挂着字画。我在通渭的一户人家里，看到上房的中堂上的一幅字写得并不如挂在厦子房里的字好，建议调换一下，主人说：厦子房的字好是好，可写字的那人品行差，而且还是个跛子哈。原来，他们还特讲究书画家的德行、职位和相貌的，德行高的有职位的身体端正健康的书画家作品挂在上房中堂，那要在大年初一的早晨给上香的。

这让我不禁大发感慨，目下国内字画的行情见涨，但十之八九是为升迁、为就业、为调动、为货款、为上学给大大小小的领导送，字画成了腐败的一方面，还有十分之一二为个人收藏，收藏着随时准备倒卖。而定西人爱字画，当然少不了有行贿和倒贩的，却绝大多数是人人都爱，是真爱，买了就挂在自己家里，觉得那就是文化，就是喜庆，就是贵气和体面，能教育家人知情达理，能启发孩子们好好念书。

除了中堂上必须挂有字画外，定西人还有一点，就是讲究在中堂的柜盖正中摆放或多或少的宝卷。

我在头几天里时常听说宝卷长宝卷短的，当时还不知是什么意思，也没在意。后来在一个叫清水的村里，去一户人家，老太太招呼我们坐了，忙把屋里剥包谷颗的笸篮挪开，把猫食碗拿到了屋外台阶上，就开始用鸡毛掸子拂柜盖，拂着拂着把柜盖正中的一沓旧书小心翼翼地拿起来，用嘴吹上边的灰尘，又小心翼翼地原样放好。我好奇地问：那是什么呀？老太太说：宝卷。便埋怨儿媳妇邋遢，屋子这么脏的，让客人咋待呀？！

又说宝卷，啊，宝卷原来是一些旧书！在我的经验里，"文革"期间人们要把毛主席的著作放在中堂的柜盖上的，莫非这里还依旧着那时的规矩？我说：宝卷？是毛主席的红宝书吗？老太太说：我不认得字。我近去看了，是有一本毛主席的书，但更多的是一些手抄本，有一些佛经，有《道德经》，有《治家格言》，有《论语》，有《弟子规》，还有《劝善歌》和《中医偏方集锦》。

我和老太太说了这样一段话：

就这些书呀？

不是书，是宝卷。

啊，是宝卷，你家咋这么多宝卷？

家家都有，我家的多哈。

谁念哩？

我老汉能念。

你老汉呢？

走了哈。

走哪儿了？

嘿嘿，走了就是走了哈。

去县城了？

死了！

噢。

你们城里人听不懂哈。

噢噢，那你还一直要在这儿放宝卷？

镇宅哈。

离开的时候，我要求能和老太太照个相，老太太在头上脚上收拾起来，院子里的太阳亮灿灿的，我便在院子里放好了一只凳子。

她出来了,却抱着她家的狗,狗是白狗,像一堆棉花,她说她老汉死的那年养的这狗,她总觉得这狗就是老汉变了个形儿来陪她的,尤其狗转身往后看的那个样子,和她老汉生前的神气,似模似样。我尊重着老太太抱着狗照相,可她看见我放的条凳,却一下子变了脸,说:快把凳子挪开!我说:你坐着,我站旁边。她挪开了凳子,说凳子放的地方不对,你没看见那里有块砖吗?!后来我才知道,放砖的地方是有土地神的,绝对不能在那上面坐或者站。照完了相,又走了几家,几乎家家院子中间都有一块地方放着砖或放着一盆花。问了土地神是如何安放在那下边的,他们告诉说:挖一个坑,坑里埋个罐子,罐子里有五色粮食,粮食里有个石刻的或木雕的土地神像,然后封好,地面上做个标志,这土地神就护了。

　　离开了这个村子,我们一路还在议论着宝卷镇宅、土地神护院的事,司机就嘲笑起定西人的旧规程,说:啥年代了,还愚昧这个呀!司机是从小在西安长大的,他不了解农村。我说这不应算是愚昧,中国农村几千年来,环境恶劣,物质贫乏,再加上战乱频繁,苦难那么多而能延续下来,社会靠什么维持,仅仅是行政管理吗,金钱吗,法律吗,它更要紧的还是人伦道德、宗教信仰啊!司机说:可宝卷摆在那里,土地神埋在那里,只是个仪式么。我说:是仪式,有仪式就好呀!为什么要每天在天安门前升国旗,为什么一开大会首先要唱国歌,为什么生了小孩要过满月,为什么老人去世要七天祭祀?再给你举个例子吧,现在每年全国开人大会政协会,花那么多钱费那么长时间去北京听几个报告,报告完全可以发到各地让人阅读么,为什么偏要去北京,它就体现了国家感、庄严感啊!

在漳县、岷县发现村民家中的宝卷后,我们对宝卷产生了兴趣。老太太家的宝卷,以及那个村子里别的人家中的宝卷,都是一些我们知道的儒、释、道方面的经典,而定西历史上是佛道兴盛过的地方,又出过许多大儒,又是有孙思邈呀、李白呀、李贺呀许多遗迹,那么,还有没有一些我们没见过的经典古籍呢?于是,我们每到一处,都要打听,就听到了一个关于宝卷的故事。

一九九二年七月五日,有人在遮阳山东溪寒峡的一个洞口石壁上发现了"石室"二字,不知何人何时所刻。进入洞后,在洞底又发现了一木棺,吓得没敢打开。消息传出,漳县文化馆干部赶来查看,认定"石室"二字为北宋大诗人、监察御史张舜民题刻,进洞后又证实那不是木棺,是一木箱,木箱里存放着一大批古代书籍,这些书籍经清理,为古代佛经宝卷手抄本,因受潮粘连严重,能辨认出的经名有八部:《佛说大乘道玄法华真经》、《法航普渡地华结果尊经》、《佛说赴命皈根还乡宝卷》、《正宗佛法身出细普贤经》、《正信除疑无修证自在宝卷》、《叹世无为宝卷》、《古佛天真考证龙华宝经》、《普静如来钥匙宝卷》。

后据当地人提供线索,几经曲折,找到这批藏经的原主,原来这些经卷一是他们家历代相传保留下来的,二是民国初年从岷县一地抄录来的。一九五八年宗教改革时,他拣其中破烂的一套上交了乡政府,而把抄写工整装帧讲究的一套在后半夜藏入东溪山顶上的鸦儿洞。事后又觉得有人好像发现藏经,不久又和女儿偷偷把这些经卷转移到了东溪寒峡的一个山洞里。当初,他并没注意到洞口岩壁上有"石室"二字,而这一疏忽,竟然正暗合了一句老话:石室藏经。

我们曾去漳县政协想见见这批宝卷,可惜那天是星期天,政协机关没人,未能见到。后又去拜见了一位文化馆的退休干部,从他口中得知,仅漳县在山洞里发现的宝卷就有四十余部,都是解放后,尤其是"文化大革命"中群众偷偷保藏的。有北京、天津来的专家鉴定过,确认其中九部系国内外从未见于著录及公私收藏的孤本。

再一次返回到定西城,小吴说:明日请你们吃饭吧。

但还是夜里的三点,小吴就把我们全叫醒了,催促着要去饭馆。我说:你神经病呀,这时候吃什么饭?他说:早饭。我说:什么早饭?他说:牛肉汤。我说:这就是你请客?!小吴说:牦牛骨头汤呀!

小吴为了表明他请我们喝牦牛汤是多么地真诚,而牦牛骨头汤又是多么美味和有营养,就讲了这是岷县最具特色的饭食,岷县与藏区接壤,其实也是汉、回、藏、羌民族杂居区,这种汤煮法特别讲究,要从下午四点开始煮,一直到第二天早上四点方能煮好哩。

受着诱惑,我们赶到了那家餐馆,真是没有想到,餐馆门口竟排上了长长的队。队列中有年轻人,更多的是老头老太太,似乎还都熟悉,互相招呼,说说笑笑。一打问,才知道这些老年人常年来喝,喝上了瘾。

但当牦牛骨头汤端上桌后,我们都喝不了,膻味太重。

供养人图

正月刚卯灵殳四方赤四炎四色是当帝令祝融以教䕫龙庶疫刚瘅莫当我廉当

戊子初冬书大咒诗平四

小吴能请我们吃饭,有一个原因,是他知道我们该返回西安了,虽然那顿早饭并没有吃好,他还是特意找了一家酸面馆再次请了我们。就在这次饭桌上,我们在商量着怎么个返回法,是北上兰州,从兰州返回呢,还是从漳县经武山、天水,然后返回。小吴说:第二条路线是正确的,顺路可以去看看贵清山。我说:贵清山是什么山?小吴说:你不知道贵清山?!那可是个好地方,不但是定西名山,甘肃名山,陕西恐怕也没有哈!司机说:有华山好?小吴说:好。司机说:有太白山好?小吴说:好。司机一挥手,说:不可能!气得小吴脸都变了。我忙打圆场,说了个故事,这故事是我单位的一个作家写了一篇文章发在《西安晚报》上,其中有一句:我妈是世界上擀面最好吃的人。没想当天就有读者给他打电话:你妈怎么能是世界上擀面最好吃的人呢,擀面最好吃的是我妈!

我们最后还是选择了第二条路线,从定西再去漳县,从漳县到武山县的半路上,拐上了去贵清山的一条黄土梁。

梁叫番桥梁,名字很好听,但路实在太窄,还曲折不已。沿途有许多村庄,一簇树,几十间瓦房,不是卧在洼地里就是趴在半坡上。偶尔见有人骑在毛驴上,驴很小,人却高大,两只脚几乎就撒拉在地上,但他表情庄重,见我们停了车给他拍照,竟不说一句话,也不笑。约摸一小时后,路两边有了小叶杨,一种叶子呈白色的杨,极其白,似乎有粉,一种叶子呈黄色,金子一样的黄。那天正好是立冬日,太阳还是明亮,白的叶子和黄的叶子落在地上,车一行过,飞翻跳跃着无数的碎金碎银。再过了几十里吧,路拐入另一条梁上,能隐约看到远远的有寺院,地势也是越来越高,而梁两边的坡上没有了树,也没石头,一片一片大小不等田地有的种了冬麦,是绿的,没有种冬麦的耕过了歇着,准备将来种土豆,便只是赭色,整个的坡塬状如巨大无比的百衲衣从贵清山方向的高地直铺了过来。

到了高地,突然间眼前出现一个大河谷,天地变化,霎时觉得是驾了巨鹏从天而降,按住了云头俯瞰着人间。谷地里林木黝黑,成片状,成带状,顺着高高低低的峰峦向后蜿蜒,有云卧在其间,云白得像一堆堆棉花垛子。黄土高原上看惯了沟壑崩台,猛然见这片峡谷山林,真有些不知所措,以为是幻觉,是异想,异想天开。车随着路往峡谷开,连续的绕弯和打折,一搂粗的、两搂粗的紫杉擦身而过,无数垂落下来的藤萝就覆盖了车前玻璃。我和我的朋友大呼小叫要车停下,小吴说:不停不停,绕着谷往后山开,直接到三峰。

不知怎么在谷底里拐来拐去,也不知怎么又在盘旋而上,一尽在恍惚里,车就到了黄土梁上。这里的黄土梁和所有的黄土梁一样,起起伏伏,能望到天边。一个大转弯后,车停在了偌大的土场上,小吴说:到山顶了!

这是山顶?我疑惑不已,山顶怎么和黄土梁连在一起,贵清山原来仅是梁塬的沟壑吗?但定西任何地方的沟壑都是土层,这里却是石质,从谷底往上看着全是奇峰林立,嵯峨险峻啊!这时候我才明白,世上有的东西是测高的,有的东西是探深,山可以在地面上往天空长,山也可以从谷下往地面长。贵清山它是一座地面下的山。

在土场上,四周即是紫杉,一棵紧密着一棵,高大得仰头望不到顶尖,倒怀疑这个土场硬是在紫杉林中开辟出来的。土场上太阳白花花的,紫杉林里仍是苍郁,好像那里永远是夜,而黑白分界刀割一样整齐,我站在分界线上,一半的身子暖和,一半的身子寒凉。

沿着一条漫下山路往前走,其实已经走在山峰上,靠着一棵树说:拍个照吧!一低头,树后便是万丈深渊,吓得老老实实从路中间走,害怕着有风,走过了百来米吧,路断了,是这个峰和另一个峰架着了一座木桥。从木桥上想极快地跑过去,因为担心桥会坍,却腿哆嗦着只能一步一步挪,小吴喊:不要往下看,不要往下看!是不敢看了,终于过了桥,死死抓住桥头的铁索,往下仅看了一眼,刀劈一般的直立,崖壁上直着斜着长着杉,有鸟在锐叫,有树叶无声地飘落,立时头晕,出了一身冷汗。好的是进了一道长廊,廊栏护着,这就到了中峰。到了中峰,却思想了一个问题:在黄土梁上,土那么厚,难得见树木,即使有,也仅是些小叶杨、槐和榆,却不成林,出地便为灌丛,而紫杉却在峭壁悬崖上生长,长成如此大木?!古书上讲,中国地势东南低而西北高,天下水聚东南,东南富庶,人多聪慧,易出俊贤,西北瘠贫高寒,人多蠢笨,但出圣人。那么,这里的紫杉就够得上是圣树了。

中峰阔大,就建有庙宇,到处是石碑,还有一些平房和菜地。有三个道姑正在吃饭,饭依然是蒸土豆,见了我们老远就说:吃呀不,锅里有哈。我没有客气,去拿了两个土豆,一边吃一边四处走动。在别的佛寺道观里,常见到一些奇奇怪怪的花木,这里没有花丛,树都长得凛然伟岸。到左边崖沿上去看,峡谷对面云腾雾罩,只有一排峰尖,如锯齿,似乎凭空浮着,感觉是海市蜃楼的景象,或者是画上去的。到右边崖沿去,那里的峡谷更深,云雾填满,丢一块石头下去,半天才听到咕咚声。走过来的道姑说:早上还打电哩,一打电,谷底里呼隆隆响,像过火车。再到前边的崖沿,能看到另一座峰,比中峰小,几乎是一个锥体,锥尖上竟然就一个庙,庙小得如一个人蹴在那里。

从来没见过这般奇怪的庙,要近去看,路又断了,连接的还是一桥,这桥完全是几根木头搭成的,亏得桥上有廊,不至于让你看到外边。

过了桥到庙上,庙墙就齐着峰沿,峰沿上长满了树,一直手抱着树绕着庙下的一个斜道到了庙后边,小吴说从这儿还可以直下到峡谷里,峡谷里有神笔峰,你想不想看?我当然想看,但小吴又说从这里下去要过转树硚,即一棵大树立在路上,必须抱着树转一圈方能下去,我立即不敢下了,说还是从原路回到谷底再进峡里看神笔峰吧。

折回中峰,听道姑说山上事,她爱说话,说了峡谷十里,说了紫杉林二百亩,说了山上曾经的和尚和道士,说了她们三个是哪一年出家的,每日的法事如何做,怎样的吃喝。让我印象最深的,从此再不能忘的倒是两件事。

一是这里三峰环翠,西峰刚直,南峰峻急,中峰体秀身圆,土石和美,并且左有青龙蜿蜒,右有白虎低沉,前有朱雀欲飞,后有玄武伏降,本应存有王气,要出大人物的。然而,寺院道观并没建在面山枕山、左右临水的山脉重心位置,而选于天地交会最利升仙的山峰凸点上,因此,这里一直安稳,与其说寺观是选中了这里的山水所建,不如说正是建造了寺观才保护了山的峻美树的茂密。

二是每年农历四月初一至初八,是浴佛庙会,根据"佛生时龙喷香雨浴佛身"之说,以各种名香浸洗佛像,而平常山上很难下雨,庙会前却必有一场雨,庙会后也必有一场雨,竟然几百年来从未延误过。

最后,我们下到峡谷去看神笔峰。神笔峰果然端直插天,大家都嚷嚷着让我好好写篇文章,记下此时此景,我一时脑子里翻涌着许多前人诗句,什么满身黑痕多、独立在人间,什么众鹰盘旋、落霞堆地,什么松上云从容、涧底水急湍,但觉得没一句能准确地描写这神笔峰的神采和看到神笔峰的心境,我说:大收藏家是以眼收藏的,今日看到神笔峰了,我也就拥有了神笔峰。

要离开贵清山了,小吴又和我们戏嘴了。

没哄吧?

没哄。

好吧?

好。

哈这就对了!

问你一句?

问。

为啥这么多天你不早早说来贵清山?

一路上都是黄土塬梁的,最后要给你们个惊喜哈,祖国山河可爱,定西不能排外么,离开定西的时候看看贵清山,给你们留个好印象哈!

没来贵清山,定西已经留下好印象了呀。

那来了贵清山呢?

定西有贵清,清贵乃定西。

2010 年 12 月 29 日写毕

2011 年 2 月 11 日改毕

说　棣　花

棣花是十六个自然村。

白家垭的白亮傍晚坐在厦子屋门槛上吃饭,正低头在碗里捞豆儿,啪的一下,院子里有了一条鱼,鱼在地上蹦跶。白亮以为谁从河里钓了鱼给他扔进来,就说:谁呀?!没有回应,开了院门出来看,一个人背身走到巷口了,夕阳照着,看不清那是谁,但那人似乎脚不着地,好像在水上漂,又好像是被什么抬着,转过巷头那棵柳树就不见了。

白亮想是不是三海,他给三海家垒过院墙,三海一直感激他,钓了鱼就送了他一条?但三海害病睡倒一个月了,哪里能去钓鱼?是白路的二儿子水皮?水皮整天去钓鱼哩,钓了鱼就拿到公路上卖给过往的司机,咋能平白无故地给他一条呢?!

白亮回到院子再看鱼,鱼身上没有鳞片,有一小片云,如一撮棉花,知道了鱼是从天上掉下来的。

天上有银河,银河里还真有水、水里有鱼?或者,是鹳从棣花河叼了鱼飞过院子,不小心松了口,把鱼掉了下来?

白亮觉得是好事,还往天上看了许久,会不会也能掉下馅饼。但天上没有馅饼,起了悠悠风,风把一片杨树叶子吹了来,贴在他脸上,盖了一只眼。他把鱼捡回屋炖了。

第二天,白亮到河里担水。河边的浅水里一只猫和一条鱼搏斗,鱼可能是游到了浅水滩上,猫就去叼,鱼摆着尾打水花,猫几次都跌坐在水里。白亮放下桶去撵猫,却发现那鱼身上长了毛和翅膀,正疑惑,鱼游进深水里不见了。

鱼怎么长毛和翅膀呢?

白亮更看见了奇怪的事,几乎就在那条鱼游进深水后,突然在河上流的百米远,一群鱼从水里跃出来,竟然就飞到空中,而同时空中又有一群鸟飞下来一只一只入了水。然后,轮番从天上到河里,从河里到天上,一会儿是鱼,一会儿是鸟,循环往复。

从此以后,白亮行为做事和人不一样。比如,和邻居为庄基红过脸,邻居骂他是吃草长大的,他说,是呀,吃草长大的。村里人事后说,你咋能让他那样骂你?他说就是吃草长大的呀,菜不是草吗,米和面还不是草籽磨的?他走路也不像以前的姿势了,胳膊前后甩得很厉害,像是狗刨式的,在河里游泳。别人笑他,他说:你以为空气不是水?

贾塬村的五福练气功,练了三年,就练成了。他让一些妇女闭眼站着,然后在五步之外发功,问:有凉飕飕的风吗?妇女说:啊,啊,是凉飕飕的。棣花人都知道了五福有气功,让五福用气功治病。五福治病不治头痛脑热,他觉得那不是病,喝碗姜汤捂捂汗就好了,他只治癌症。棣花患癌症的人多,没钱去省城医院动手术,而五福发功治病不收费的,说:给我传个名就行。

五福治病很讲究地点,一般都在村后的崖底,崖底有一棵百年老柏,他趴在树上要采一会儿气,再叫病人坐了,开始推开手掌,要把一股子气发出去。九八年七月十四,他正发功,天上起了风,风是狂风,一下子把他吹起,啪地甩到半崖壁上。风过去了,他从崖壁上掉下来,人已经成了肉泥饼子。

东街有个二郎庙,庙前就是魁星楼,庙和楼中间的场子很大,棣花人习惯叫那是庙场子。拴劳住在庙场子后边,人丑,家又贫,但他有一个好被单子。整个夏天,拴劳都不在家里睡,嫌家里热,又有蚊子,天黑就披着被单子去庙场子了。他在庙场子扫一块净地,盖着被单睡下了,第二天一早,却总是从魁星楼上下来。魁星楼很高,攀着楼墙的砖窝可以上到第三层,上面风畅快。村里人都说拴劳半夜里披着被单就飞上楼了,传得神乎其神,但问拴劳,拴劳只是笑,没承认,也没否定过。

后来,拴劳去西安讨好生活了,走时就带着被单子,一走三年再没回来。不知怎么,村里都在议论,说拴劳在西安以偷窃为生,能飞檐走壁,因为他有被单子。

到了二〇〇三年,到处闹"非典",棣花十六个自然村组织了防护队,严防死守不准从西安来的人进村。拴劳偏偏就回来了,防护队一声喊地撵他,撵到棣花西头的砭崖上,砭崖下就是河。有人说:不敢再撵了,再撵就掉到河里了。又有人却说:没事,他能披被单子飞天哩。防护队举着棍棒还往前撵,拴劳就从砭崖上跳下去了。

拴劳跳下去是死了还是活着,反正从此再没回来过,也没有他的消息。

冬季里,砱崖上出现了许多蝙蝠,有人说是不是拴劳变成了蝙蝠,因为蝙蝠的翅膀张开来像是披着一块小被单子。立即有人反对这种联想:怎么可能呢,蝙蝠的被单是黑的,拴劳的被单是白的。

巩家涧村的上槽在给自行车充气的时候受了启发,就整天练着用手抓空气。抓一把,就扔出去砸旁边的狗,但狗总是没反应。这一天他又在练习,听到巷口有人叫他,上槽上槽,叫得生紧。抬头看时巷口起了烟,灰腾腾的,先是一股冲过来,到跟前了却是一只狗。再是一疙瘩烟已经到头顶上了,拿了笤帚便打,竟然打着了,掉下来一只扑鸽。扑鸽在地上扑腾了一阵,又飞走了。后来有两团烟互相交融纠结地过来,他想着:这是啥?定睛盯着,两团烟是他大他妈,背着两篓子红薯,惊得他张嘴叫不出声了。

他大说:十声八声喊不应你?到地里背红薯去!

上槽瓷着眼看着他大他妈,还用手扇了一下,他大他妈不是烟呀,烟一扇就散的。

他大说:你咋啦?

上槽说:哦,我眼睛雾很。

他大说:年轻轻的雾啥眼?

上槽要放下笤帚,笤帚突然软起来,一溜烟从指头缝里飘了去。而且看巷口外的路上,烟雾更浓,烟里有乱七八糟的人声。平日在夜里,夜即便黑得像漆,他坐在院门口,村道里一有脚步声,他也就知道这是谁来了。现在他听出说话的有二爷,有来喜伯和他老婆,有春草、蝉婶子。但他能听见声音就是看不到人,人都是一片子烟,或浓或淡,是絮状也是条状。

上槽就跟着那片烟走,一会儿看见他们有人形了,一会儿又都是烟。

上槽最后是从巷口走到巷外的土路上,一直到了河滩地,背了那里挖出来的一篓红薯。往回走时,却不知道了怎么回去,因为他发现村子的那个方向并没有了村子,所有的房子、树,连同土路,除了烟,都不见了。立了好久,那烟像蘑菇一样隆起,在空中酝酿翻腾,忽然扑塌下去,渐渐地又变成房子、树,还有直直的一条土路,土路上蹦跶着蚂蚱。

上槽把他看到的情景告诉给村人,村人全是一个口气,说你眼睛有毛病了。上槽就觉得自己眼睛肯定有毛病了,不出半年,眼睛便瞎了。

中街村刘家的儿子名字没起好,叫刘榆。榆树总是拗着长,这刘榆也三十年了一直和他大拗劲。他大说,今日太阳出来了,把被子拿出来晒晒,他却去给鸡垒窝。他大说:今年自留地里栽些辣苗吧,他偏种了土豆。

他大活到五十六岁时得了鼓症,临死时想把自己坟修在村后的牛头坡上,棣花的坟地都在牛头坡上,只是花销大,他说:我死了,别铺张浪费,就埋到河滩的自家地吧。刘榆想,几十年了和大都拗着,这一次得听大一次。他大死后,果然就把大埋在河滩自家地里。第三年,河里发大水,冲了河滩地,刘榆他大的坟也冲没了。

河里原来产一种白条鱼,发大水后新生了昂哧鱼,之所以是昂哧鱼,这鱼自呼其名,昂哧昂哧叫,像是叹气。

野猫洼村出了个懒人,叫宽心,一辈子没结婚。他死的时候,眼睛都闭上了,嘴还张着,来照料他的邻居就看见一股白气从嘴里出来,一溜一溜地从窗格中飘去了。撵出来看,白气没有散,飘到那棵椿树顶上了,成了一片云,扇子大的一片,往西再飘。

云飘到西街村,好像停了一下,像思考的样子。阳光将云的影子投在老田家的屋顶上,但很快又走了,经过了后塬村,又经过了巩家湾,最后在崖底村葛火镰家的院子上空不动了。

葛火镰家养着一头公猪,公猪专门给棣花所有的母猪配种的,这一天正好骆驼项村的陆星星拉了母猪来配,云的影子就罩在母猪身上,白猪变成了黑猪。陆星星往天上一看,一片云像个手帕掉下来,他还下意识地躲了一下身子,似乎那云要砸着他。但云没砸着他,而且什么也没有了,他就把母猪牵回了家。

母猪后来生崽,往常母猪一生一窝崽,这回只生了一个崽。这崽样子还可爱,就是不好好长,已经半年了,又瘦又小,与猫常在一处玩。陆星星说:你是猪呀你不长?!它还是不长,到了年底,仅仅四五十斤,还生了一身红绒毛。

第二天早上,棣花流行猪瘟,死了八头猪,其中就有这头猪。猪死时,陆星星也发现有一股白气从猪嘴里溜出来,往空里飘了。在空里成了一片云,这云片更小,只有手掌大。

云飘过北源村上空,起了一阵小风,云就往南飘,又飘回野猫洼村。野猫洼村的芦苇园也飘芦絮,云和芦絮搅在一起,分不清是一疙瘩芦絮还是云,末了,一只蜂落在丁香树的花瓣上,芦絮就挂在树枝上,而云却没了。

丁香花谢后生了籽,籽落在地上的土缝里,来年生出一棵小丁香树。这小树长了两年还是个苗子,放牛的时候,牛把苗子连根拔出来嚼了。苗子一拔出来,是又有一丝白气飘了,但在空中始终没变成云,铜钱大的一团白气。白气移过了院墙,院墙外的水渠沟里有许多蚊子,后来就多了一只蚊子。

这蚊子能飞了,有一夜飞到打麦场上,那里睡了乘凉的人,蚊子专叮人腿,啪地挨了一掌,就掌死了,再没有云,连一点白气都没有。

雷家坡村其实没有姓雷的,是两大族姓,一个姓雨,一个姓田。姓田的都腿短脖子粗,姓雨的高个窄脸,但姓田的男人多,姓雨的女人多,姓田的就控制着村子。

棣花北五十里地的洛南县有煤窑,早年姓田的一个男子在那里当矿工,后来承包了一个煤窑,逐渐做大,成了有钱的老板,便把村里姓田的男人都带去挖煤,姓田的人家就过上了好日子。姓雨的人家还穷着,女人们就只好到棣花的保姆培训班上报名,她们长得好看,性情也柔顺,培训完后西安的保姆中介公司挑去了七八个,全送去了一些高级领导干部的家里。

二〇〇〇年春节,挖煤的回来了,都有钱,先集体在县上住了一晚宾馆才回村,而那些保姆没有回来。姓雨的说挖煤的在县宾馆住了一夜,吃肉喝酒,还招了妓女,离开后,妓女尿了三天黑水。

春节一过,姓田的男人又去了煤窑,正月二十四那天,井下瓦斯爆炸,没有一个活着出来。而就在这天,七八个保姆回到村里,她们给村里人说,都曾经跟着主人去过广州或北京,坐的飞机,飞机上有厕所,拉屎尿尿就漏在空中,在空中什么都没有了。

每年四月初八棣花的庙会上要耍社火,中街村准备两台芯子,一台是走兽和地狱,一台是飞禽和天堂。正做着,有人担心这是暗喻雷家坡村,会惹是非,后来就取消了。

药树梁村在棣花的西北角,除了独独一棵大药树外,坡上枣树很多,枣树每一年都有被雷击的。被雷击过的枣木有灵性,县城关镇的阴阳先生曾来寻找雷击枣木做法器,而药树梁村的人出来口袋里也都有枣木刻成的小棒槌,说能避邪护身。

在三年前夏天,有良在坡上放牛,天上又响炸雷,有良赶着牛就下坡,雷这回没击枣树,把有良击了,但没有击死,脊背上有了一片文字。说是文字,又不是文字,棣花小学的老师也认不得,那是十八个像字的字,分三行,发红,像被手抓出的,却不疼不痒。

有良在当年的秋末瘫了,手脚收缩,做不了活,吃饭行走也不行了,整天得坐在家里的藤椅上,让端吃送喝。但有良知道啥时刮风下雨,有一天太阳红红的,他说一会儿有冰雹哩,谁也不信,但一锅旱烟没吃完,冰雹就噼里啪啦下来了。

还有一回,已在半夜里,有良叫醒家人,说天上掉石头呀,快到院里去。家人知道他说话应,都起来到院子,一直坐到天亮,没有什么石头,才要回屋时,突然天空一团火光,咚的一声,有东西砸在屋顶。过了一会儿进去看了,屋地上果然有一块石头,升子大,把屋顶砸了个洞,地上也一个坑。

西街村的韩十三梦多,一入睡就做梦,醒来又能记得梦的事。他三岁时梦到的都是他成了个老头,胡子又白又长,常拿了一把木剑到一个高墙上去舞。他把梦说给旁人,人都笑他:高墙上能舞剑?但觉得他每天都做梦,梦醒又给人说梦,很好玩的,见了便问:碎仔,又做啥梦了?韩十三就说他在一个地方走,路很长很宽,两边都是房子,房子特别高,一层一层全是玻璃,路上有车,车多得像河水,一个穿白衣裳的人像神婆子一样指手画脚。村人有走过西安的,觉得这像是西安,就又问:那是街道,街上还有啥?韩十三说:路边都是树,树上长星星。

往后,随着年龄增长,韩十三的梦越来越离奇,但全是城里的事。他在小学时,就梦见自己在一家饭店里炒菜,戴很高很高的帽子,他不炒土豆丝,也不炒豆芽,炒的尽是一些长得怪模怪样的鱼和虾。到了中学时,他梦见自己拿着八磅锤、锯,还有刷墙的磙子,他在给人家刷墙时,那女主人送给他了一件制服,但也骂过他。

这样的梦做了三年,中学毕业后没有考上大学,就一直在村里劳动,还当过村会计,又烧过砖瓦窑,娶妻生子。梦还在做,梦到了城里,才知道早先梦到了人在高墙上舞剑,那墙是城墙,从城墙上能看见不远处的钟楼,钟楼的顶金光闪闪。那时,村里人有去西安打工的,他问:西安有个钟楼吗?回答说有,又问:城墙上能开车吗？回答说能。韩十三就决定也去西安打工。

到了西安,西安的一切和他曾经的梦境一样,他甚至对那里已十分熟悉,还去了他当厨师的酒店,酒店门口是有两个石狮子,右边的一个石狮子眼睛上涂着红。但是,韩十三初到西安,没有技术也没有资金,他只好去捡破烂。捡破烂第一天就赚了三十元,这让他非常高兴,想着一天赚三十元,十天就是三百元,一个月九百元呀！第二天,他起得很早上街了,却被一辆运渣土的卡车撞倒,而司机逃逸,一个小时后才被人发现往医院送,半路上把气断了。这一年他三十岁。

墓前立了个碑子,上面刻了生于一九八〇年,逝于二〇一〇年。但不久,刻字变了,是生于一九八〇年,逝于二〇四〇年。村人不知这刻字怎么就变了？

棣花乡政府设在中街村,是一个大院子,新修的高院墙,新换的大铁门,但门卫还是那个旧老汉。老汉姓夜,从年轻起人叫他不叫老夜,嫌谐音是老爷,就叫他老黑。

老黑从五八年就在这里当门卫,那时乡政府是公社,今年老黑八十岁,眼不花,耳不聋,身体特别好,乡政府还雇他当门卫。棣花的人其实寿命都不长,差不多每个人家都有着遗憾,比如有些人,日子恓惶了几十年,终于孩子大了,又给孩子娶了媳妇,再是扒了旧屋,盖了一院子新房,家里粮食充足,吃喝不愁,说:这下没事了,该享清福呀！可常常是没事了才二年,最多五年,这人就死了。但老黑活到八十岁,还精神成这样,很多人便请教他的健康长寿秘诀。老黑说,他是每个大年三十晚上,包完饺子了,就制订生活计划的。他的生活计划已经制订到一百二十岁,每一岁里要干什么,怎么去干,都一一详细列出。中街药铺的跛子老王看过老黑一百岁那年的计划,过后给人说,老黑这一年的计划是五月份给孙子的孙子结婚,结婚用房得新盖,他要资助三千元。再是把院子里的井重新淘一下,安个电水泵。再再是,那一年应该是乡政府要换届,要来新的乡长了,这是陪过的第四十五位乡政府领导,他力争陪过七十位。

乡政府院子西墙外有一棵老楸树,这树不是乡政府的,是刘反正家的。棣花再没有这么大的树了,黄昏的时候,中街村的人喜欢在树下说闲话,当然说到这树活得久,说老黑也活得久,有一个叫宽喜的人,就也学着老黑订计划,计划他也要活过一百岁。

宽喜只活了六十二岁就死了。

而中街村还有一个人,叫牛绳,牛绳的日子艰难,整天说啥时死呀,死了就不泼烦了。他来问老黑:宽喜也心劲大着要长寿,咋就死了,你这计划是不是不中用?老黑说:宽喜是县上干部,退休没了事,阎王爷哪会让没事干的人还活在世上?订计划是订着做不完的事哩,不是为了活而活的。宽喜想活他活不了,你想死也死不了,因为你上有老下有少,你任务没完成哩你咋死?

这话说过半年,有一天夜里,老黑在院门口坐着,听见楸树咯吱咯吱响,好像在说:唉,走呀,我走呀。

第二天,刘反正得了脑溢血死了,他儿子伐了楸树给他大做了棺材。

乡政府大院门口从此没了那棵树,而老黑还在,新一任的乡长才来了七天,老黑每晚要给新乡长说着一段棣花的历史。

2010年7月7日写

又上白云山

又上白云山,距前一次隔了二十五年。

那时是从延安到佳县的,坐大卡车,半天颠簸,土眯得没眉没眼,痔疮也犯了,知道什么是荒凉和无奈。这次从榆林去,一路经过方塌、王家砭,川道开阔,地势平坦,又不解了佳县有的是好地方,怎么县城就一定要向东,东到黄河岸边的石山上?到了县城,城貌虽有改观,但也只是多了几处高楼,楼面有了瓷贴,更觉得路基石砌得特高,街道越发逼仄,几乎所有的坎坎畔畔,没有树,却挤着屋舍,屋舍长短宽窄不等,随势赋形,却一律出门就爬磴道,窗外便是峡谷。喜的是以前城里很少见到有人骑自行车,现在竟然摩托很多,我是在弯腰辨认峭壁上斑驳不清的刻字时,一骑手呼啸而过,惊得头上的草帽扶风而去,如飞碟一样在峡谷里长时间飘浮。到底还是不晓得县体育场修在哪儿,打起篮球或踢足球,一不小心会不会球就掉进黄河里去呢?县城建在这么陡峭的山顶上,古人或许是考虑了军事防务,或许是为了悬天奇景,便把人的生活的舒适全然不顾及了。

其实,陕北,包括中国西部很多很多地方,原本就不那么适宜于人的生存的。

遗憾的是中国人多,硬是在不宜于人生存的地方生存着,这就是宿命,如同岩石缝里长就的那些野荆。在瘠贫干渴的土地上种庄稼,因为必定薄收,只能广种,人也是,越是生存艰辛,越要繁衍后代。怎样的生存环境就有怎样的生存经验,岩石缝里的野荆根须如爪,质地坚硬,枝叶稀少,在风里发出金属般的颤响。而在佳县,看着那腰身已经佝偻,没牙的嘴嚅嚅不已,仍坐在窑洞前用刀子刮着洋芋皮的老妪,看着河畔上的汉子,枯瘦而孤寂,挥动着镢头挖地的背影,你就会为他们的处境而叹吁,又不能不为他们生命的坚韧而感动。

为什么活着,怎样去活,大多数人并不知道,也不去理会,但日子就是这样有秩或无秩地过着,如草一样,逢春生绿,冬来变黄。

确实在一直关注着陕北。曾倏忽间,好消息从黄土高原像风一样吹来:陕北富了,不是渐富,是暴富,因为那里开发了储存量巨大的油田和气田。于是,这些年来,关于陕北富人的故事很多。说他们已经没人在黄土窝里蹦着敲腰鼓了,也没人凿那些在土炕上拴娃娃的小石狮子和剪窗花,那虽然是艺术,但那是穷人的艺术。现在的他们,背着钱在西安大肆购房,有一次就买下整个单元或一整座楼,有亲朋好友联合着买断了某些药厂,经营了什么豪华酒店。他们口大气粗,出手阔绰,浓重的鼻音成了一种中国科威特人的标志。就在我来陕北前,朋友就特别提醒路上要注意安全,因为高速公路上拉油拉气的车多,他们从不让道,也不减速。果然是这样,一路上油气车十分疯狂,就发生了一起事故。在收费站的通道里,一辆小车紧随着一辆油车,可能是随得太紧,又按了几声喇叭,油车司机就不耐烦了,猛地把车往后一倒,小车的前盖立即就张开了来。

二十五年后再次来到陕北,沿途看了三个县城四个镇子,同行的朋友惊讶着陕北财富暴涨,却也抱怨着淳朴的世风已经逝去。我虽有同感,却也警惕着:是不是我们心中已有了各种情绪,这就像我们讨厌了某个导演,而在电影院里看到的就不再是别人拍的电影,而是自己的偏见?

这也就是我之所以急切地来陕北,决定最后一站到佳县的原因。

但是我没有想到在佳县,再也没有见到坡峁上或沟畔里有磕头机,也再没遇到拉油拉气的车,佳县依然是往昔的佳县。原来陕北一部分地下有石油和天然气,一部分地方,包括佳县,他们没有。除了方塌和王家砭那个川道今年雨水好,草木还旺盛外,在漫长的黄河西岸,山乱石残,沟壑干焦,你看不到多少庄稼,而是枣树。佳县的枣数百年来就有名,现在依然是枣,门前屋后、沟沟岔岔都是枣树,并没多少羊,错落的窑洞口有几只鸡,砭道上默默地走动着毛驴。

生存的艰辛,生命必然产生恐惧,而庙宇就是人类恐惧的产物,于是佳县就有了白云观。

白云观在白云山上,距城十里,同样在黄河边,同样结构山巅,与佳县县城耸峙。是佳县县城先于白云观修建,还是修建县城的时候同时修建了白云观,我没有查阅资料,不敢妄说,但我相信白云观是一直在保护和安慰着佳县县城,佳县县城之所以一直没有搬迁,恐怕也缘于白云观。

上一次来白云观,在佳县县城的一家饭馆里喝了两碗豆钱稀饭,饭稀得照着我满是胡楂的脸,漂着的几片豆钱,也就是在黄豆还嫩的时候压扁了的那种,嚼起来倒是很香。那时所有的路还是土路,我徒步沿黄河滩往下走,滩上就是大片的枣树,枣树碗粗盆粗的,是我从未见过。透过枣树,黄河就在不远处咆哮,声如滚雷。我曾经到过禹门口下的黄河,那里厚云积岸,大水走泥,而这处在秦晋大峡谷中的黄河,你只觉得它性情暴戾,河水翻卷的是滚沸的铜汁。行走了一半,一群毛驴走来,毛驴没人鞭赶,却列队齐整,全是背上有木架,木架上缚着两块凿得方正的石块。后来才知道这是往白云山上运送修葺庙宇的石料了。佳县的山水原本是人性情刚硬,使强用狠,但佳县人敬畏神明,怀柔化软,连毛驴也成了信徒,规矩地无人鞭赶往山上运石。我当下感慨不已。我们就跟着毛驴走,走过一个时辰,忽峡风骤起,草木皆伏,却见天上白云纷乱,一起往山头聚集,聚集成偌大的一堆白棉花状,便再不动弹。在佳县县城就听说白云山上有非常之景色和非常之灵异,而峡谷风起,山开白云,确实使我叹为观止。沿途右面都是悬崖峭壁,藤蔓倒挂,危石历历,但到一处,山弯环拱左右,而正中突出一崖,就在那孤峻如削的崖头上垂下一条磴道。我初以为那是流水渠或从黄河里往山上抽水的水泥管道,而毛驴们一字儿排着从磴道上爬了上去,我才知道白云山到了,这条磴道就是白云观的神路。

天下好山上多有庙宇,而道教从来最神秘玄妙。中国传统文化里,比如中医、风水、占卜,其确实有精华灿烂,却也包裹了许多夸大其辞故弄玄虚的东西,道家更不例外,往往山门分别,华山上的崆峒山上的观前磴道就已经十分险峻,但全然没这条神路窄而陡。入观先登神路,是神爱走奇特之道,还是拜神需极力攀登,这让我想到佳县县城的建筑正是受了道教的启迪吧。

这次重上神路,神路上还有十多人,以衣着和气质而看,有官员有商人有农夫和船工,都拿着香烛纸裱,他们都是要去观里祈祷升官发财保重身家。这天并没有云雾,神路的台阶干净明显,但上到一半,只觉路在移动,人也头晕目眩起来。终于上到神路顶的石牌坊下坐歇,正如碑文上所写:足下青石铺地,头上白云连天,红日出没异常,黄河奔流不息,四望之,而秦峦晋峰为禅者坐蒲团,虽万千年不而重位也。一块走上神路的官员,那位眉宇间透着一股精明气的中年人,他异常兴奋,冲着我说:这神路应该叫青云!我回应着他:好!我知道他在抒发着青云直上的得意,但他继续往头天门爬去,我却觉得叫青云德路为好。

山脊仍然在凸着,白云观的建筑开始递进而上,头天门,二天门,三天门,四天门,天门重重开启,倒疑惑怎么没建九天门呢,九天门多好,九重天,上到山顶,任何人都可以做神仙了。记得上次来时,正逢庙会,秦晋蒙宁香客云集,满山人群塞道,诸庙香火腾空,我第一次听说佳县的旅游局文物局就都设在观里,每年观里的收入竟占了全县财政收入的一半。这话当不当真,我未落实,但站在石阶上乞讨的人很多,虽上山的人每次只掏出二分五分的零钱,我询问一个乞者一天能收入多少,回答竟然是三十元,在当时真是个惊人的数目。这次上山,并不逢庙会,香客仍然不少,各天门前的石级上时不时人多得裹足不前。石级外就是松树,树下花草灿然,有人从石级上挤了下去,凑近那些花朵闻闻,不敢动手,因为几十米就有一个牌子,上书:花木睡觉,且勿打扰。有趣是有趣,可大白天里花木睡什么觉呀。民间有传说:今生长得漂亮,前世给神灵献过花。而这些花木沿道两旁开放,那也是为神灵而灿烂,怎么是睡觉了呢?

大概数了一下,白云观有庙宇五十余座,各类建筑近百处,这与上次来时恢复了不少,且又大多重新修葺。纵目看去,景随山转,山赋庙形。跟着香客穿庙群之中,回环萦绕,关圣庙,东岳殿,五祖,七真,药王,痘神,玉皇阁,真武殿,三宫,马王,河神,山神,五龙宫,真人洞,各路神灵,各得其位。到处有石碑,驻足咏读,差不多见历代历朝、世世代代翻修维护的记载。神灵是人类创造出来的,神灵又产生了无比的奇异,人便一辈一辈敬奉和供养,给了人生生不息的隐忍和坚强。

庙堂里神威赫赫,凡进去的人都敛声静气,焚香磕头,我当然在叩拜之列,敬畏地看着那些石雕泥胎。佛教道教是崇拜偶像的,这些石头泥巴一旦塑成神像它就有了其魂其灵,也就是神气,这如同官做久了身上就有了威一样。白云观自明朱翊皇帝亲赐《道藏》4726卷,毛泽东主席又两次登临后,声名大震,观里神奇的故事就广为流布。在陕北,我们常常惊叹那些窑洞不但宜于人的居住,其一面山放眼而去,尽是排排层层的窑洞,震撼力绝不亚于一片楼群的水泥森林。人的饮食、居住、语言、服饰都是与生存的自然环境有关,陕北的窑洞其实也是没有木头所致的创造,但白云观如此浩大的建筑群,这些木头又是从哪儿来的呢?观里的道士提起这事就津津乐道,说当年玉凤真人到此,露坐石上,寒暑不侵,每夜山头放光,土人便想筑建坛宇,偏就这一夜黄河里有大木漂浮而至。这样的传说在别的地方也有,河西的嘉峪关城堞修建时,便也是一夜风刮砖至,待修好城堞,而仅仅剩下一页砖。面对着众多殿宇,我无法弄清最早的建筑是哪一座,而这建筑数百年复修,原来的木头还剩下几根?我遗憾在藏经阁里没有看见西南梁栋上的灵芝,那可是佳县人宣传白云观最有名的故事,说是《道藏》存入藏经阁后,有州牧卢君登阁眺望,忽见西南梁栋上挺生灵芝九茎,五色鲜明,光艳夺目。想起甘肃的崆峒山上有悬天洞,历史上凡是有大贵人去,洞里必有水出,据说有一年肖华将军去了山上,和尚道士都跑到洞下看出水的奇观,结果滴水未见。我笑着说:九茎灵芝或许大贵人能见,我不能见,或许有慧根的人能见,我不能见。自嘲着出了阁,去那真人一指顾间顿令清泉涌出而今称神水池舀水喝,果然是水与石槽相齐,多取之不见少,寡取亦未尝溢出。离开神水池,我便去真武大殿焚香,又抽了一签。白云观的签灵验,早已是天下皆知,最有名的例子就是毛泽东主席在一九四七年农历九月九日抽出一签,结果不久就离开陕北去西柏坡,又不久进京,中国的历史从此翻开了一页。开心的是,我把签抽出,道士问:哪一签?我说:四十三签。道士愣了一下,喜欢叫道:日出扶桑,和毛主席抽的同一个签。签每日被无数人抽过,和毛主席抽的同一个签的人肯定多多,但这一签对于我毕竟是一个庆祝。出了大殿,装好签谱,想今日的陕北,要穷就穷得要命,要富却富得流油,穷人和富人都来这里焚香敬神,于是神灵就以此大而化之,平衡谐和。富人有的是钱,听说早些年里,内蒙和宁夏的香客骑马而来,朝拜之后,钱袋捐空,马匹留下,只身返回,而今更有吴旗、志丹、府谷、神木一带的贩油暴富的人,或者山西太原一带的煤大王,动辄来这里捐献巨资,或修一座桥,立一个石牌楼。他们有的是钱,但他们需要平安,需要好好的身体和快乐。这就像害胃病的人来求医,医生完全可以一次看好他,却看了多年,花去了许多钱,医生说:他很有钱,需要一个胃病,而我一直在帮助他。那些贫穷苦愁的人来这里,他们的人生积累了太多的痛苦,需要带着明日的希望来生活,烧一炷高香,抽一个好签,其生命的干瘪的种子就又发芽了。一直在殿前院子里帮香客点燃香烛的那个老头,衣衫破旧,形容枯槁,但总是笑笑的,一脸天真。他见我出来,恭喜我抽了好签,说:你要信哩!我们就交谈起来,他说他是佳县城北山沟里的人,五年前害病了,病得很重,又没钱去看医生,家里把棺材都做好了。就这么等着死的时候,有人建议他来观里敬神,他就来了,以后每隔一天来一趟,结果病有了起色,越来越好,现在病竟然没了,他便还来,帮着香客点燃香烛,清洁观里的垃圾。我没有问他到底患了什么病,也没有揭穿有些病只要把思想从病上转移,心系一处抱着希望,又不停地上山活动,时间一长病也就消除了,但我说:要信哩,人活在世上一定要信点什么的。天色向晚,我是得离开白云观了,离开前登上了魁星阁。魁星阁在山之巅,可以拍摄山的俯瞰图,却遗憾这次来未能目睹云漫庙宇的景观。但是,连我也没想到,就在出了魁星阁,山巅之后的空中竟有一片云飘来,先是带状,后成方形,中间空虚,而同时在整个山脊两侧的沟壑里也有薄雾如潮涨起,花木牌楼顿时缥缈,数分钟后,山头上空聚起一堆白云,自得清洁而炫目。

我永远记住了,白云是白云山的一个开花。

写于 2007 年 7 月 25 日

不能让狗说人话

西安城里,差不多的人家都养了狗,各种各样的狗。每到清晨或是傍晚,小区里,公园中,马路边,都有遛狗的,人走多快,狗走多快,狗走多快,人走多快。狗是家里成员了,吃得好,睡得好,每天洗澡,有病就医,除了没姓氏,名字也都十分讲究。据说城里人口是八百万了,怎么可能呢,没统计狗呀,肯定到了一千万。

这个社会已经不分别阶级了,但却有着许多群系,比如乡党呀,同学呀,战友呀,维系关系,天罗地网的,又新增了上网的炒股的学佛的爬山的,再就是养狗的。有个成语是狐朋狗友,现在还真有狗友了。约定时间吧,狗友们便带着狗在广场聚会,狗们趁机蹦呀叫呀,公狗和母狗交配,然后拉屎,跷起一条后腿撒尿,狗的主人,都是些自称爸妈的,就热烈地显摆起他家的狗如何地漂亮、乖呀,能殷勤而且多么地忠诚。

忠诚是人们养狗的最大原因吧。人是多么需要忠诚呀,即使最不忠诚做人的人,他也不喜欢不忠诚的人和动物。因此,这个城里,流浪的狗并不多见,偶尔见到的只是一些走失的狗,而走失的狗往往就又被人收养了。流浪的多是些寻不着活干的人,再就是猫。猫有媚态,却不忠诚,很多猫都被赶出家门了。

曾有三个人给我说过这样的事,一个是他们夫妇同岳母生活在一起了十多年,在儿子上了中学后,老人去世了。这几年他养了一只狗,有一天突然发现狗的眼神很像岳母的眼神,从此,总觉得狗就是他岳母。另一个人,他说他父亲已经去世七八年了,但他越来越觉得家里的狗像他父亲,尤其那走路的姿势,嘴角一抽一抽的样子。还有一个,他家的狗眼睛细长,凡是家里人说话,或是做什么事情,狗就坐在墙角,脑袋向前倾着一动不动,而眼睛一眨一眨地盯着,神气好像是它什么都看着了,什么都听着了。他就要说:到睡房去,去了把门撞上!狗有些不情愿,声不高不低咕哝着,可能在和他犟嘴,但狗能听懂人话,人却听不懂狗话,狗话只是反复着两个音:汪汪。

我突然想,狗如果能说了人话呢?

刚一有这想法,我就吓出一身冷汗,天呀,狗如果能说了人话,那恐怖了,每日都有惊天新闻,这个世界就完全崩溃啦!试想想,外部有再大的日头,四堵墙的家里会发生什么呢,老不尊,少不孝,恶言相向,拳脚施暴,赤身性交,黑钱交易,行贿受贿,预谋抢窃,吸大烟,藏赃物,制造假货,偷税漏税,陷害他人,计算职位,日鬼捣棒槌堂而皇之的人世间有太多不可告知外界的秘密就全公开了。常说泄露天机,每个人都有他的天机,狗原来是天机最容易泄露者,它就像飞机上的黑匣子,就像掌握核按钮的那些大国的总统,令人害怕了。狗其实不是忠诚,是以忠诚的模样来接近人的各个家庭里窃取人私密的特工呀。好的是,这个社会,之所以还安然无恙,仅仅是狗什么都掌握着,它只是不会说人话。

上帝怎么会让狗说人话呢,不会的,能说人话它就不是狗了,也没有人再肯养狗。

是的,不能让狗说人话,永远不能让狗说人话。

2010 年 9 月 6 日晚

震 后 小 记

二〇〇八年五月十二日十四时二十八分,四川汶川一带发生八级地震,西安震感强烈,当时我正在工作室午休,经历了一场生死惊恐。

我的工作室离我居家的地方较远,我题为上书房,即永松路一座公寓最上边的书房,十三楼,上下两层,挑室结构,面积近二百平方米。每个房间靠墙都竖有大型的木格玻璃柜,下三格装着书籍,上三格放了各类收藏的古董,柜子上又紧挨着摆满秦、汉、唐时期的陶罐。而书案上以及案左和案前的木架上又摆放了数十尊石的木的铜的佛像和奇石、瓷器。地上也随处堆着书籍、石雕、砖刻、根艺、缸盆。我是前一星期在成都办书画展,展览期间去游历的地方正是四川重灾区,如绵阳、德阳、都江堰、绵竹、广元等。书画作品带回后还未装框,数十个四尺到八尺不等的玻璃镜框就倚靠在二层书画间的柜前,或二层楼沿栏里。五月十一日,即前一天晚上,得一彩绘云纹的桃木桩,粗若盆口,高近一米,立于书案前的巨型汉罐上的瓷盆中,其状如祥云涌出,很是喜欢,还说上书房多有佛像镇宅,又添桃木柱可以避邪,就摆弄到深夜才离开。

十二日一早,从居家处到工作室,惦记着这一天是释迦牟尼佛诞日,要在诸佛像前敬香。敬过香了,读了一阵《山海经》,有人敲门,是抱了一捆书要求签名。十二点下楼在街上吃饭,饭后困顿,便在卧间的小床上休息,地震就发生了。那时正睡得沉,床摇晃不已,我属相是龙,平日好龙的形象,在梦里似乎身处云上,还说:云从龙。突然醒来,床已如浪中船舟,差点被簸下床,意识到地震了,急往外跑。地板已立脚不稳,踉跄着到客厅,人像过浮桥,跑不动,便听见写作间声响一片,有什么在撞,在倒,在碎,咕哩咯哐,有什么在砸下来,断裂声尖锐恐怖,接着又是一声巨响,似乎在二层书画间。心想:楼要垮了,楼顶已经开始垮了!扑到大门口,拉开了门,门还未扭曲能拉开,楼道上没有人,那一盆橡皮树连盆带树在跳,估计已逃不出去了,想就站在门框下,又觉得不对,想返回洗手间,又怕客厅的柜子上东西砸下来,就去按电梯,意识到电梯不能乘,就顺楼梯往下跑。跑到十二层,感觉楼梯要掉了,因为楼梯是水泥部件,里边并没多少钢筋吧,就听见书房里倒坍和破碎声更大,如电影里常见的那种镜头,人在前边跑,身后一切都爆炸了。瞬间里想:跑不下去了,十三层楼怎么能跑得下去?!到了十层,一男子也往下跑,还有一老太太,老太太举着手,给我说:我没关门!我没关门! 我说:我也没关,快跑,快! 老太太跑不动,她挡着我的路,但我不能超过她,更不能拨开她,就在她身后,防着她跌倒。终于和老太太跑下一层,出了楼道,楼前空地上站满了人,个个面如土色,一男子只穿了条裤衩,一女的光脚抱着小孩,小孩在哭。有人在喊:往街上跑,楼要坍啦! 人群又往街上跑,街道上人黑压压一片。

到了街上,地再未动,楼也没见坍,所有人都在打手机,手机竟

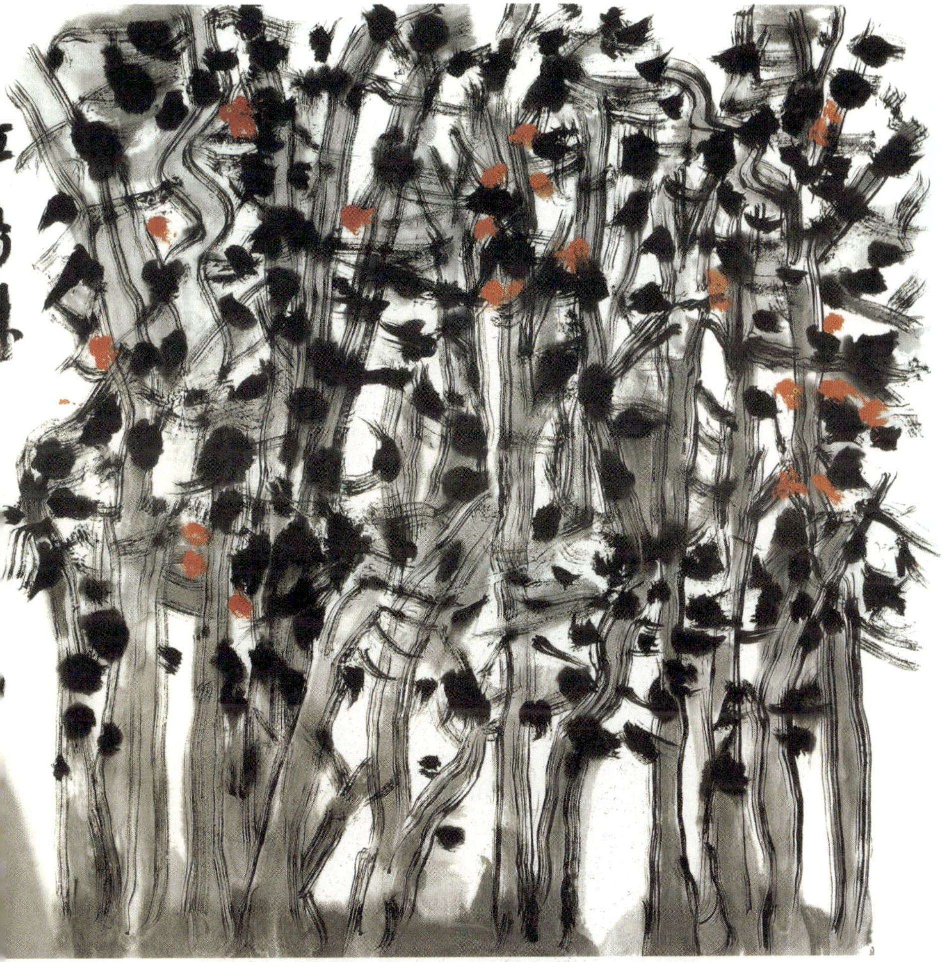

荷塘平凹 己丑

然打不通,骂现代化没用,有人就把手机摔了。更多的人在叫苦,屋门未关,担心被盗,但没人敢再上楼,有人说:盗不了,贼也怕死的。仍有一群人一直盯着楼门洞。

差不多两个小时后,有人的手机上偶尔出现一条信息,立即互相传着,是四川汶川地震,西安只是波及。既然西安不是震源区,人心稍定,人群就开始谈刚才各自的经历,楼层低的人在说桌子在跳,鱼缸中的水泼了出来,一老头头晕,以为血压又高了,忙去取药,人就跌坐地上,一人正吃饭,夹了饺子往嘴里送,却送到了鼻子上。楼层高的人在说晃动有近乎一米,衣柜就倒了,饮水器倒了,水像蛇一样满地钻,他跑时头撞在墙上,在楼梯上又崴了脚,刚才不疼,现在咋肿成棉花包了。我浑身发软,脸上的肉都僵着,痴了眼看坐在街沿上的一个人,他的腿在抖,说:这阵咋抖哩?用手去按,脚抖得像装了弹簧。

我是直到晚上才约了几个朋友上楼去工作室,室内狼藉不堪,几乎不能插脚。经查,客厅案上的那尊三十余斤重的古铜佛像掉在地板上。此铜佛在"文革"中被砸开两半,我收藏时用胶粘合的,它掉下来,是先落在案下的条凳上,再落地,旧痕再次裂开,将地板砖砸出一个洞。客厅四个书柜里,一片零乱,虽玻璃门挡着,但小陶人鼻子蹭掉,硅化石栽倒,压烂瓷碗。写作间,靠在二层楼沿栏里的八尺镜框翻下来,又推倒了靠在楼层下的一个四米高的古门扇,再砸倒了地板上诸多摆设,玻璃破碎一地,镜框后背断裂,压折了养着的一株灵芝。八尺镜框翻下来,完全可以砸到空中的巨型吊灯,但没有砸到,可能是灯刚好摇摆过去后,镜框翻下来,但楼上的那个非洲大羊被镜框翻下时砸着,一犄角飞下来如长矛一样就扎在书桌前的书堆缝里。大吊灯亮着,是一镜框从墙上掉下来砸开了开关。小条案上的一尊木菩萨落地,断一手。书桌后架子上木佛落下,伤头冠一角。桌左架子上两个明清琉璃龙头坠地,一个断其座,一个成独眼。状如孔丘的奇石重约二十斤,滚下架子,幸好卡在架子与墙之间,未砸着地板。桌左前书柜顶上空出一个位置,柜下是一堆陶片。桌右书柜顶上空出两个位置,柜下是一堆彩陶碎片。彩绘云纹桃木柱从古汉罐上坠地,汉罐未伤,下一盘龙根艺断一角。桌对面架子上十多尊石佛还在,上边挂着的弘一法师书法镜框落下,玻璃已破。所有书柜书籍零乱,摆着的古董移位倾斜,一汉马断一足,一汉俑头平躺了,额角伤残。到卧间,还好,靠在墙角的画像石板倒在人面狮身的石雕上,竟然未断。急上跃层书画间,楼梯台阶上站立的两排小石狮尚完整,只是两个背了身去。门口靠立的另一八尺镜框横倒,玻璃一地,清代一对木门联交叉在门框内。一玻璃罩破碎。花架上的大砚台移位,砚台上的根艺凤凰坠落,断其颈。间内四壁靠立的文件柜顶上,原摆有数十马家窑彩陶罐,六个位置空了。门后一块重约百斤的石雕从宽凳上掉下。文件柜前斜靠的八个大画框全倒,砸坏了存放在那里的一灯具,玻璃碴和彩陶片搅在一起。四个人花了三个小时清理,垃圾装了四麻袋。

当天夜里,传说还有余震,再不敢睡,在地板上立一啤酒瓶,一直看电视新闻,五次觉得吊灯在动,惊跳起来,定睛才看到吊灯并未动。至四时,又觉吊灯摇,急唤家人外逃,在院中坐到六时,返屋,家人轮流值班,让我睡一会儿,却怎么也睡不着,总觉得床在晃,又坐起来守着那啤酒瓶。如此两天,如马惊了一般,又见人便说那天的惊恐,先听者表情丰富,随我惊乍,后说得多了,人家就说:你深呼吸,多做深呼吸。

我想这样一个问题:如果当时不在卧间午休,而在写作间,架子上和二层楼栏里的东西一齐往下落,我肯定跑不出去,即便跑出来必受重伤。再想一个问题:落下来的八尺镜框、羊犄角、陶罐、奇石,虽都有未放稳的原因,可那些木佛、石佛,甚至三十余斤重的铜佛,连同装着大符咒的玻璃框、彩绘云纹桃木柱不应该倒呀,却怎么也倒了,毁了?想通了,正是灾难到来,邪气所袭,这些东西挺身为我受难,以败坏自己发出响声催我逃离,这就如佩玉器,身有难时玉先碎而为人预兆。

如此思想,魂魄逐渐附体,才坐回书桌,记下此次惊恐和损失。

2008 年 5 月 14 日

武帝山记

以帝王之名而名山者,为武帝山也。百里山草木不生,而唯此苍翠者,为武帝山也。看似不高,登而艰险者,为武帝山也。坡前是柏,坡后是松,皆从石隙扭出者,为武帝山也。云遮雾罩有龟起龙探者,为武帝山也。忽晴忽阴,时日照时冰雹者,为武帝山也。塑神像而鞭挞呵斥索雨者,为武帝山也。不喜武力,不近权贵而攀武帝山者为平凹也。平凹攀山,不求羽化成仙,而为内省修心也。

平凹于1999年5月7日

说《黄河魂》

看黄河可以去好多地方,但要看黄河的精神气势,去小北干流中段的西岸最好。若从合阳县东的土塬下来,几十里宽的河滩上烟波浩渺,你会惊叹黄河出了龙门后是多么自由,自由使黄河没了暴戾,舒缓却更加壮阔深沉。一边是数百米高的黄土峡壁如暮云堆积,一边是大水走泥,稠铜滥漫;天老地荒,世事沧桑,泥能不为自己的生命存在而锐声呐喊吗?如果能在这里多待些日子,黎明早起就可以饱览黄河之水为什么是"天上来",天近傍晚又可领略长河落日是如何地圆。黄河是二十四小时里因阴晴雨雪而变换着颜色,主流道的开合聚散却以三十年的时空演绎着它或在河东或在河西的谚语。夏日里,上千米的河床会在瞬间崩岸,河中的沙峰像地毯一样卷起,那是黄河在"揭底"。秋冬两季,水底有牛吼般的声音间或响起,这是黄河又在"地哭"。什么是魂魄,附气之神为魂,附形之灵为魄;太多的瑰丽太多的雄浑和太多的神秘,使黄河在这里构成了天下最独特的声与色的奇观,所以我称这里是"黄河魂"景区。

画家王金岭

能在水面上扑腾,也可能溅出些水花的,往往并不是大鱼,大鱼多在水底深处。

这是文学艺术界常有的现象。

似乎有一段时间了,许多人在纳闷:九十年代在陕西画坛多么著名的王金岭,怎么就没消息了呢?是从政当官了,还是调往了外地?

其实王金岭一直都在陕西,还在画他的画。

从宏观上讲,中国在大踏步前进,而着眼于某一个区域,又都是乱象丛生,这就是当今的社会。当画坛上没有一个标准、众声嘈杂的时候,王金岭既不想附庸政治,也不想从众同流,又不想追逐时髦,他是慢慢转身,并不华丽地,坐到了一边,只去想他要想的,只去做他要做的。

从热闹的席位上出走,选择寂寞,这需要定力的;而从此即可以看到天,看到地,看到天地的精神,看到"藐姑射之山,有神人居焉,肌肤若冰雪,绰约如处子"。

不可避免,他离席的日子里,于别人的眼里,他是不停地盖他的画室。先是在沣峪里筑茅舍,又在翠华山下建新屋,这是多么有好心情又多么会生活呀。其实,这种不断造屋的过程正是他在艰难而痛苦地寻找艺术心灵的归宿。为此,他远离了江湖,不靠近官场,也不动用媒体,不钻小圈子,甚至一些所谓的展览、会议也不去,连画也卖得少了,竟然对于一些以官为重、以时髦为重、以炒作为重的盲目接受艺术的顾客一概不卖。

谁都承认他是有绘画天才的,但他知道珍惜,又知道如何去发展,因为他有他的抱负。于是,他"游名川,读奇书,见大人,养自己浩然之气",在新筑的画室里思考着什么是中国画,中国画的本质和精髓在哪里,揣摩历史上的画家和画家的经典作品。天趣忙中得,心花静里开,他的见解高了,判断力强了,又十分苛求自己,反复实践,专注作画。

在一个下午,我们去拜见他,他是那么有兴致地谈着新近阅读八大、徐渭、黄宾虹、齐白石的感受,也读着石鲁和王子武。他一再在说,画家不是一种职业,而是一种与天为徒的事,墨水要诚实,甚于热血。当他拿出一批新作,大家一声叫好。好在什么地方,众说不一,那又是一番争论,最后几乎达成一致的看法,他不是如书法由篆到隶由隶到楷到行到草的开宗立派人物,却是特色鲜明个性十足的有大格局的画家,他的画:

一、传达的是中国人的思维,处理情与理,处理意与境,处理虚与实,完全是中国文化的气质。

二、已经完成了人与画的统一。山水花鸟人物其实都在画他,画他的精神,画他的思想情感,画他的文化修养,画他的生命品格。

三、功力越发深厚,笔墨更为精到,已不仅仅是技,而是道了。

我们对他说,水火既济,宝鼎丹成,闭关修养该结束了吧?他说:哪里是闭关修行不闭关修行呀,搬柴运水,无非大道么。我们都笑了,他也笑了,笑得是那样平淡而灿烂。我想,是真天才者,时间是不会亏待的,他的画将会赢得更多人心,他也定会在社会上产生大的影响,当然这种影响不是市场影响,而是艺术的影响。

2010 年 7 月 19 日

小 记 怀 一

第一次见怀一,就知道这名字不是他父母起的,自己给自己起名,这像《山海经》上常说的那种动物:自呼其名。但他那么年轻的,还很瘦,怎么就能怀抱得住一呢?

后来见怀一,已经胖了,剃着光头,有些和尚气象,便和名字配上了。

人这一生,要交往各色人等,有的人见了无缘无故感到亲切,有的人见了却没理由地反感。见怀一总觉得熟,怀疑前世我们做过亲戚或朋友,尤其他那笑声和笑起来嘴角的变化。

我给许多人推荐过怀一的画,都说好。

怀一是有绘画天才的,所以他似乎很轻松,不是那种以为搞艺术和种庄稼一样下苦而笨得让人瞧着可怜,也不是那种要光前裕后,以为艺为登天云梯,结果浊气满纸,低俗不堪。他高故能生逸,文故能呈静,多哲思,多性灵,多趣味。他曾画了相当数量的僧,这是我非常喜欢的画,总想起那句话:安忍不动,犹如大地,静虑深密,犹如地藏。他也曾画过许多案头上的物件,其并不堕落的颓废,其生命本真的简素,其天然风度,让我玩味不止。当今的画坛上,多是要去评奖和国展,多是要去竞价和拍卖,怀一这样的人,这样的画,注定是不入主流的,他当然明白这点,办起个"二月书坊",

招得一些气味相投者,清风出袖,明月入怀,谈文说艺,弄笔濡墨,真有点"自闭桃源称太古,欲栽大木柱长天"。

不该有怨愤吧,人处在任何社会都是难满意的,我们羡慕春秋时代,孔子也说世风日下,孔子向往周朝,而周朝的伯夷叔齐也说:今天下暗,周德衰。当年齐白石出道,并不合潮流,没有大画,日常题材,却开辟了一个新天地。当然,齐白石是坐在一个菜园子里的老翁,怀一的"二月书坊"是个小木屋,他们今天可能只享小誉,明日谁又能料到不留远名呢?

2011 年 3 月 15 日

寻 找 商 州

一九八〇年,我的创作出现了问题,既不愿意跟着当时同行的东西走,又不知道自己该写什么,怎么去写,着实是苦闷彷徨。去了一趟霍去病墓,看到了汉代的一批石雕,写下了《"卧虎"说》短短一个文章,整理自己的思绪,然后就返回故乡。那时我对城市还存在着一定的抵触,心里不畅了,喜欢回故乡。在故乡待了一些日子,乡下的生活唤起了我小时记忆,我醒悟到我的创作一直没根,总是随波逐流,像个流寇。别人写伤痕类的作品,我也写,而我写这类作品,体证并不深刻。别人写知青,而我又是回乡青年,我得有我的根据地呀,于是萌生了写故乡的人事。此后,我开始有意识地回故乡采风,其中最大的两次,分别与当时还在商洛工作的朋友为伴,把商洛地区七个县主要村镇走了一遍。那两次大行动,使我特兴奋,白天走村串寨,晚上就整理笔记,饭时遇见什么吃什么,天黑哪儿能住就住哪儿。从村镇回到县城,想方设法借地方去看。商洛地区以前仅知道是秦头楚尾,是中原文化和楚文化的交会处,经过采风,才知道这里的历史文化、时代变化以及风土人情是那样地丰厚和有特点,它足够我写一辈子。现在回想起来,那几次回商洛,夯实了我创作的基础。但那几次回商洛对我的身体却造成了伤害,身上有了虱子倒无所谓,每次回到西安,一进门老婆就让脱下全部衣服用滚水去烫,而让我痛苦的是染上了疥疮和乙肝。疥疮是在一个乡上染的,那里才发过一次大水,天又淋雨不停,我投宿的小旅舍被褥潮得厉害,睡到半夜又穿起衣服再睡,结果染了疥疮。乙肝是我在一个县上感冒了,去一家小卫生所打柴胡,卫生所只一个针头,给别人打过了,用酒精棉球擦一下,又给另一个患者打,我那时不知道,打了一针柴胡就染上了乙肝,害得我十多年乙肝在身,成了文坛著名的病人。我终于结束了我创作上的流寇主义,开始有了"根据地"。我大量地写商洛的故事,那时为了不对号入座,避开商洛这个字眼,采用了古时这块地方的名字:商州。于是《商州初录》以及商州系列作品就接二连三发表了。(现在,商洛地区改成了市,改市时曾想用商州名,后因规定地区改市得沿用原名,而原商县作为商洛行署所在县,改名商州区。)随着商州系列作品产生了影响,我才一步步自觉起来,便长期坚守两块阵地,一是商州,一是西安,从西安的角度看商州,从商州的角度看西安,以这两个角度看中国,而一直写到了现在。

《高兴》后记

三年前的一个下午,我在家读《西游记》,正想着唐僧和他的三个徒弟其实是一个人的四个侧面,门就被咚咚敲响。在电话普及的年代,人与人见面都是事先要约好的,这是谁,我并没有在这个时候约任何人呀,就故意不立即去开门,要让这不速之客知道我是反感这种行为的。咚,咚,门还在敲,而且声音越来越大,最后是哐的一下,用脚踢了。

我有些愤怒,一把将门拉开,门口站着的却是刘书祯。

他说:哎呀,我还以为你不在家哩!

我说:是你呀,几时进城的?

他说:我已经在城市生活啦!

他的嘴里永远没有正经话,我就笑了,让他进屋坐下,说:书祯,你个嘴儿匠!

他说:你不要叫我书祯,我现在改名高兴了,你得叫我刘高兴!

这就是刘高兴。这也就是我第一次见到过着了城市生活的刘高兴。

如果读了《秦腔》,而且还记得的话,《秦腔》书中的书正就是以他为原型的。我们是一块长大的。小的时候,我并不热惚他,他头发有些卷,鼻孔里老流着黄涕,但我崇拜他大。我们那儿把父亲都叫大，因为他大不是贾族人，叫叔时前边要加上名字，就是五林叔。五林叔不识字，但出口成章，能背戏本子，能讲三国和岳飞大战朱仙镇。尤其一米八的个头，在骂老婆的时候，要盘脚搭手坐在蒲团上，骂得没有火气，却极尽挖苦，妙语连珠，像是在说单口相声。"文革"中我和书祯又是一起从初中辍学回乡务了农，后来他去当兵，我上了大学。再后来我是逢年过节回老家看望父母，他已经在乡政府做起饭，但人家嫌他不卫生，又常常将剩菜剩饭要送回家喂猪，就辞退了他。再再后来，我写我的书，他做过泥水匠，吊过挂面，磨过豆腐，也在三六九日的集市上摆过油条摊子。他几乎什么都干过了，什么都没干出个名堂，日子过得狼狈，村里许多人都在笑话他。但我一回去，他逮住消息了，天晴下雨或黑漆半夜，肯定要跑来看我。我们便嘻嘻哈哈谈说几个小时，不累不困，直到我母亲做过饭一块吃了，他嘴里叼着纸烟，耳朵上再别上一根，才走了。

我喜欢和他说话，他说话有细节。

有一年夏天回去，儿时的伙伴来了几个，却没见他，我问书祯呢，他们说可能在西河地里插秧吧。那时节村里的麦早收过了，秧也开始灌二遍水，书祯竟然才插秧？他们说还不是娃们都小，就他一个劳力，地里活啥时候干到人前去?! 到了晚上，月光一片，我去西河滩地看他。地是个窄长溜，他弯着腰在那头插秧，隐隐约约像是鬼影，这边地堰上却放着个收音机，正唱宋祖英。我大声喊他，他哗哩哗啦蹚着泥水跑了过来，说：咱回，咱回！我说：你插你的秧！他说：反正黄花菜已经凉了，看它还能凉到哪儿去？他的家就盖在半涧上，门口没有场地，但门框上还保留着过年时写的对联，一边是:张开口除了吃喝还要笑,一边是:一闭眼都在黑里就睡美。我说:词儿你编的?他说:不对仗。又说:我在村里宣布了,谁揭我房上瓦可以,谁揭这春联,我打断他的腿!

一进院门,他就喊老婆烧开水,说城里人讲究喝开水不喝生水的,把水往滚着烧!开水端上来了。他从柜里取了一包白糖,抓一把就放进去。又对老婆:快炒上几个鸡蛋来!他老婆愣了,说:咱没养鸡哪儿有鸡蛋?!他说:没鸡蛋?我赶紧圆场说这么晚了吃什么鸡蛋呀。他嘎嘎笑起来,说:你这老婆不会做事,没鸡蛋你就说我给你借去,你一借再不闪面不就完了,你偏说没鸡蛋!说得我也笑了。他说:不吃鸡蛋了,咱不吃鸡屁下的东西,总得让平凹高兴呀,你把咱钱柜子拉来!老婆还是没配合好,说:钱柜子?他说:母猪还不是钱柜子?没脑子!结果把已经关了圈的猪又放出来。这是头拖着大肚皮的母猪,一赶进屋他就搔猪后腿,母猪立马舒服得卧下,挓起了四条腿。而十二个猪崽也一溜带串儿从门槛上往里翻,一翻一个肉疙瘩,一翻一个肉疙瘩。他说:不得了啊,一个猪崽五十八元,五十八元哩,你算算,十二个猪崽是多少钱?!

那天我们谈说得非常久,原本他后半夜插秧也没去成。问起村里的事,他说了,咱这儿啥都好,就是地越来越少。一级公路改造时占了一些地,修铁路又占了一些地,现在又要修高速路呀,还得占地,村里人均只剩下二分地了。交通真是大发达了,可庄稼往哪儿种,科学家啥都发明哩,咋不发明种庄稼?他说了,村道里你还看见有几个小伙姑娘?没了,都出去打工了。旧社会生了儿子是老蒋的,生下姑娘是保长的,现在农民给城里生娃哩!他说了,狗日的×××总算把两间屋拆椽卖了,老婆病成那样,是要人呀还是要钱呀?!他说了,×××终于结束光棍生活了,那女的是三个娃,丈夫从树上摔下来成了瘫子,他被招夫养夫了的,不出力就有三个娃了!他问我有没有认识治精神病的大夫?我问咋啦?他说知道×××吗,我说我记不起了,他说×××你记不起?就是咱小时偷人家的杏,让人家撵得咱掉到莲菜池里的×××么!我说×××疯了?他说两口子好苦,成年磨豆腐卖供儿子上大学,儿子大学毕业了不愿意回县来教书,在西安做盲流,文化盲流。这还罢了,那小女儿出外打工,出去了两年没音讯,×××没疯,他老婆疯了,你介绍个大夫给治治,要不我不敢从他家门口过,她不知了羞耻,动不动不穿裤子往出跑,我眼睛没处瞅么。听了他的话,我就叹息了,他说:你叹息啥哩?我说:农村还这么苦。他说:瞧你,苦瓜不苦那还叫苦瓜?!

先前他来过西安,曾费尽周折寻到了我家,但我去外地开会,回来听孩子讲,有一个自称是我同学的人来了,来了一身的土,倒茶不喝,要到水龙头接喝生水,在地板上吐痰,吐了痰又用脚蹭,说了一堆他们听不明白的话,后来就起身走了。我听了,觉得肯定是刘书祯,就埋怨孩子慢待了他。家乡生活苦焦,苦焦人心事多,最受不了的是城里的亲朋好友慢待。如果你待他们好,他们便四处给你扬名,你是个科长也会说你就是局长,坐小车,住洋房,读砖头厚的书,即使吃豆面糊糊里边也放着人参燕窝。他们还会竭力保护你的老屋,院子里的梨不会少一颗,清明节去上坟,也要在你家的祖坟上培几锨土。如果你慢待了他,他们就永远记仇,你就是在外把事情干得惊天动地,那是你的事,与他们无关,来了人问起你,他们说:噢,他那人呀,该怎么说呢,不说了吧。你回去了,他们避而远之,避不及的,最多说一句,你回来了,脚不停就走了。你在老家过什么红白事,摆上酒桌他们不来,来了就提个水桶,吃一碗往水桶里倒半碗,把一桶剩菜剩饭提回去喂猪。我们邻村就有一个在县上当局长的,慢待了老家人,他坐着小车进村,村道里有人铺了席晒包谷,就是不肯收席让小车过去,而后来小车轮子碾着了包谷,拦住车须要数着被碾碎的包谷,一颗赔一元钱,不赔不行。所以我告诉孩子,以后不管我在家不在家,凡是老家来了人,一定要笑脸相迎,酒饭招待,不要让他们进门换鞋,不要给人家纸烟了又把烟灰缸放在旁边,他们说话要看着他们认真倾听,乡里人有乡里人的不文明,他们却有城里人没有的幽默和智慧。

我只说孩子慢待了刘书祯,刘书祯再也不会来城里找我了,但他这一次又来了,而且成了刘高兴。

他这次进城投奔的是他的儿子。他的儿子多年前就来到西安打工,在一家煤店里送煤。他的儿子没有继承他和他父亲的乐观幽默,总是沉默寡言,又总是愤愤不平,初中毕业后一直谋着要出外打工,他就让儿子去打工了。他说:父子是冤家,让狗日的去吧,饿不死就算成功了!可当儿子春节回来过年时,儿子却穿了件西服,每次打扑克小赌,输掉一元钱了就从怀里掏出一指厚一沓百元钱来取出一元,然后把那沓钱装进怀里,再输一元钱了,又掏出那沓钱再取出一元。但儿子没有把钱交给他。他说:我这个人民咋就没有个人民币?! 也就出来打工了。他已经五十三岁了,一张嘴仍然是年轻的,腰和腿却不行了,跑不快,干活就蔫。他在儿子的煤店里干了一个月。他说和儿子住在那个塑料板搭成的棚子里,热得他夜夜在地上泼了水,铺上张竹席睡,这些他都不在乎,恼气的是儿子和他想法不一样。他是有了钱就攒,儿子有了钱就花,他要儿子把钱交给他,他在老家给儿子盖新房,儿子就是不给。父子俩矛盾了,大吵了一顿,他一气出来单独干,单独干只能拾破烂,他就拾起破烂了。

拾破烂?我可是从来没有关注过这个行业,甚至作想也没作想过。事后琢磨,虽然我在西安三十多年了,每天都要见城里有拉着架子车或骑着三轮车拾破烂的人,也曾招呼着拾破烂人来家收过旧书刊报纸,但我怎么就没有在脑子里想过这些人是从哪儿来的,为什么来拾破烂,拾破烂能顾住吃喝吗,白天转街晚上又睡在哪儿呢?城市人,也包括我和我的家人,得意我们的卫生间是修饰得多么豪华漂亮,豪华漂亮地修饰卫生间认为是先进的时尚的文明的,可城市如人一样,吃喝进多少,就得屙尿出多少,而我们对于这个城市的有关排泄清理的职业行当为什么从来视而不见、见而不理、麻木不仁呢?这就像我们每时每刻都在呼吸着却从不觉得自己在呼吸一样吗?我也时常在鼓呼着要有感恩的意识,可平日里感动我们的往往是那类雷锋式的好人好事,怎么就忘记了天上的太阳,地上的清水?!

那天,我们谈论就尽是有关拾破烂的事,而且,他的拾破烂的经历似乎成了他考察了解西安和来西安打工的过程。他见我惊讶的神色越发得意扬扬,盘脚搭手坐在沙发上,一边口水淋漓地吸纸烟,一边慢条斯理地排说。他让我知道了在这个城市打工的哪儿人都有,但因各地的情况又不相同:关中的东府和西府,经济条件相对还好,人也经见得多,他们多是在经济开发区的一些大公司打工。陕北的来人体格高大,又善于抱团,更多的是聚集在一些包工头手下,去盖楼,去筑路,或在宾馆和住宅区里做保安。陕南的三个区域,汉中、安康人貌如南方人,性情又乖巧,基本上都是在一些服务行业做事,如在店铺里卖货,如在饭馆、茶楼、洗脚屋里当服务生。而商州呢,商州是最贫困也最闭塞的地方,既不是产林区也没有石油煤炭天然气资源,历来当地挣钱的门道就是开一个小饭店,偏又普遍地喜文好学,尤其注重孩子上学,上学的目的就是早早逃离这山地。比如我们县,三十万人口,年财政收入两千多万,而供大学生上学,每年几乎从民间都要付出一亿元。每年一亿,每年一亿,老百姓就是一捆子谷秆,被榨着被拧着被挤着,水分一滴滴没有了,只剩下一把糠渣。这些学生大学毕业后却极少再回原籍,他们就在城里的一些单位、公司做临时工,不停地跳槽,不停地印制名片。可怜的商州山区水土流失了,仅有的钱被学生带走了,有了知识的精英人才也走了,中国出现了历史上最大的一次人口迁徙,迁徙地就是城市,城市这张大口,将一碗菜汤上的油珠珠都吸了。刘高兴说:新衣服都穿上走了,家里扔下的是破棉袄!商州的经济凋敝不堪,剩下的人也还得出走呀,西安在他们的心中是花花世界,是福地,是金山银海。可出走一没资金,二没技术,三没城里有权有势的人来承携,他们只有干最苦最累最脏又最容易干到的活,就是送煤拾破烂。但凡一个人干了什么,干得还可以,必是一个擤掇一个,先是本家亲戚一伙,再是同村同乡一帮,就都相继出来了,逐渐也形成以商州人为主的送煤群体和拾破烂群体。

自从刘高兴来到了我家,我们的往来就频繁了。每到下雨天,下雨天他就空闲了,他说那是他们的节日,要么到我家来,要么叫我去他租住处。从他的口里,我也才知道我们贾姓族里其实有很多晚辈都在城里打工,但他们从来没有和我联系过。或许是我长年不回去和他们隔远了,或许是他们都混得不好,觉得羞愧不愿见到我。我也曾想,即使他们来找我,我虽有文名但无官无权无钱的又能帮他们做些什么呢?刘高兴之所以来找我,他不想求我什么,他也知道我的处境和性情,又因为年龄相近,他需要说话,我需要倾听,所以我们就亲近了。当我有什么大的活动,比如给母亲祝寿,为女儿举办婚礼,我当然得通知他。他的衣着和容貌明显地和所有宾客不一样,就像苹果筐里突然有了一个土豆。但这个土豆是欢乐的,他的大嗓门和类似于周星驰式的笑使大家不习惯,可得知他的身份后惊奇着他的坦然和幽默,又兴致勃勃地与他交谈。他就会说许多乡下的和在城里拾破烂中的奇闻轶事,他说得绘声绘色,等大家听得一愣一愣的,他却一脸严肃地,说一句很雅的古句:爱读奇书初不记,饱闻怪事总无惊。于是那些教授都感慨了,说:刘高兴,你形象思维好啊,比老贾还好!他说:我在学校的功课是比平凹好,可一样是瓷砖,命运把他那块瓷砖贴到了灶台上,我这块瓷砖贴到了厕所么!然后又是嘎嘎大笑,擦了一下鼻涕,说:我是闰土!我赶紧制止他,说你胡比喻,我可不敢是鲁迅。他说:你是不是鲁迅我不管,但我是闰土!

他不是闰土,他是现在的刘高兴。

现在的刘高兴使我萌生了写作的欲望。我想,刘高兴和他那个拾破烂的群体,对于我和更多的人来说,是别一样的生活,别一样的人生。在所有的大都市里,我们看多了动辄一个庆典几千万,一个晚会几百万,到处张扬着盛世的繁荣和豪华,或许从他们的生存状态和精神状态里能摸出这个年代城市的不轻易能触摸到的脉搏吧。当这种欲望愈来愈强烈,告知给我的一位朋友,朋友却不以为然:历史从来是精英创造的,过去是帝王将相才子佳人,现在是管理层的实业界的金融行的时尚群的叱咤风云人物,这样的题材才可能写出主流的作品,才可能写出大的作品。朋友的话是没有错,但我有我的实际情况,以我生存环境和我学识才情的局限,写那样的题材别人会比我写得更好,我还是写我能写的我也觉得我应该写的东西吧。我在这几年来一直在想这样的问题:在据说每年全国出版千部长篇小说的情况下,在我又是已经五十多岁的所谓老作家了,我现在要写到底该去写什么,我的写作的意义到底是什么?我掂量过我自己,我可能不是射日的后羿,不是舞干戚的刑天,但我也绝不是为了迎合和消费去舞笔弄墨。我这也不是在标榜我多么清高和多大野心,我也是写不出什么好东西,而在这个年代的作家普遍缺乏大精神和大技巧,文学作品不可能经典,那么,就不妨把自己的作品写成一份份社会记录而留给历史。我要写刘高兴和刘高兴一样的乡下进城群体,他们是如何走进城市的,他们为何在城市里安身生活,他们又是如何感受认知城市,他们有他们的命运,这个时代又赋予他们如何的命运感,能写出来让更多的人了解，我觉得我就满足了。

在一次会上，有个记者反复地在追问我：你下一部作品写什么呢，下一部作品写什么呢？我不耐烦了，说了我的计划，不想这位记者就在报上发了消息，闹得到处的报纸转载，都知道我要写进城民工的作品了。而这时，一个陌生人，可能是读者吧，他寄给了我一信，信里什么也没说，只是两个纸条，一条写着："看山是山，看水是水，看山不是山，看水不是水，看山还是山，看水还是水。"一条写着："每有制述多用新事，并以文采妙绝当时。"这些话都是古人的话，而陌生人这个时候将此话抄寄给我，我知道这是提醒，这是建议，这是鼓励和期望。这就让我感动，也很紧张，有了压力。原本动笔写便觉得我仅仅了解刘高兴而并不了解拾**破烂的整个群体**，纯是萝卜难以做出一桌菜的，我得稳住，我得先到**那些拾破烂的群体中去**。

于是，我开始了广泛了解拾破烂群体的工作。这项工作我请了文友孙见喜先生给予帮忙，因为以前听他说过，他的老家村里几乎有三分之一的人在西安拾破烂。老孙也是商州人，好冲动又极热心，他立即联系在西安拾破烂的一个亲戚，并实话实说是我想去他们租住处看看。这位亲戚第一个反应是：贾平凹？是那个写书的吗？老孙说：你还知道贾平凹呀，是他，他想去看看你们。这位亲戚沉默了，说：他来看我们？像看耍猴一样看我们?! 老孙说：不，他不是那样。这位亲戚说：要是作为乡里乡亲的，他啥时来谝都行，要是皇帝他妈拾麦图个好玩，那就让他不要来了。

老孙把这话转达给我，我想起了以前摄影界曾引起了一场争论的一件作品。那个作品是一个骑自行车人在马路上摔倒的瞬间,画面极其生动,艺术性非常地高,但这个作者是为了拍这张照片,特意在马路上挖了一个洞而隐身于旁拍摄的。我告诉老孙:咱们虽然是为了更丰富写作素材去了解他们的,但去了就不要再想着要写他们,也不要表现出在可怜他们同情他们甚至要拯救他们的意思,咱们完全是串门。我们就去了,没有带笔记本,没有带录音机,也没有带照相机,而是所有口袋里都装了纸烟。

那是一个傍晚,我们按照老孙亲戚提供的地址寻去,没想在西安南郊城乡结合部的村子是那么多,这个村子和那个村子又没特别的标志,我们竟进入了另一个村子,这村子又有几十条巷道,两个小时过去了还没寻出个眉目。去问路灯下那个蹴着吃纸烟的人:这村里有没有个叫×××的租住户?那人说:满天都是星星,你问哪个?我又问:住没住拾破烂的?那人说:前边那条巷里都是拾破烂的!我们走进去,果然巷道里有许多架子车,有妇女在那里分类着破烂,而两个男的端了碗在门口灯下吃饭,包谷糁稀饭里煮着土豆,土豆没有切,吃的时候眼睁得老大。我们问知道不知道个×××的,只摇头,不说话。钻进一个院子,四边的房像个炮楼,几十户人家门上都吊个门帘,看着如中药店的药屉,老孙放声喊:×××!有人揭了门帘出来倒水,说屋里有个病人哩,你不要喊。老孙说:我找×××。那人说:这里没个×××。

我们到底没有寻到×××。但是,也就在那一夜,我们以找乡党为名,钻进了十多个院子,接触了十五六个拾破烂的人,看了他们住的怎样,吃的什么,大致询问了他们各自的进城的原因、时间和收入状况。他们大多目光警惕,言语短缺,你让他多说些,他说这有啥说的或说我不会说,咪啦一笑就躲开了。他们中没个刘高兴,这让我遗憾。还好,最巷头的那个院子里一个瘸子健谈,他接过了我给他的一包纸烟,拆开了就天女散花一样分别给站在各个门口的人扔去一根,扔去的纸烟没有一根不被在空中接住,然后就围过来说:吓,贵纸烟么!瘸子说他是老破烂,来西安十年了,院子里的人都是他先后从村里带出来的,就像当年闹革命,一个当红军了,就拉了一帮人当了红军,现在他们村就叫破烂村。老孙说我们老家村里有个老者,儿子孙子里七个人当了兵,人叫老者是兵种,那你是破烂种了!没想一句笑话,站在另一个门口的妇女却说:他算什么破烂种,连个老婆还没有哩!说得瘸子顿时尴尬,领我们到他的住屋,一边拍打着床沿上的土让我们坐,一边说:我又不是没有过老婆,我是有过三个老婆哩,合不来,都是不到一年我就撵走了。那是肮脏不堪的十平方米的小屋,没有窗户,味道难闻。老孙翻人家的被褥,揭人家的锅盖,又把人家晾在床头木板上的几块干馍掰开来说霉成这样了还能吃呀,再就是在枕头底下发现了一本杂志。老孙说:还看杂志?他说:看么。老孙说:知道不知道有个作家……我忙制止了老孙,把杂志拿过来,杂志上却有一半张页粘在一起揭不开。问怎么粘成这样,他一时脸面通红,支支吾吾说睡下胡思乱想哩就动了手,又嫌弄脏了褥子,就……把杂志夺过去又塞进枕头下。我没有反感他,也没有说什么话取笑他。我问了他的名字,他说白殿睿,不是建设的建,是宫殿的殿。名字起得很文雅。

我记住了白殿睿,过后又去找过他几次。他已经是拾破烂中的老油条了,我拿给他一条纸烟,他要把他拾来放在床头的一扇铝窗送我,我没接受。他问我是干啥的,是不是记者,是记者了给他拍个大照片,登到报上多好。但再次去我拿了照相机,他却病了,拉肚子拉得躺在床上不得起来,拒绝了我给他照相。

而老孙的那个亲戚,我们再次联系,终于弄清了那个城中村的位置。这次同我和老孙去的还有一位美术教授,他有私家车,说他也想画画拾破烂的人。车一到村口,×××已经在那里张望,穿了双皮鞋,但腿老弓着。老孙说:这鞋是拾的吧?他说:哪能拾到这么新的鞋,人家送的,本来要留给儿子的,你们要来就穿上了,有些小。却低声问:穿西服的是贾平凹?老孙说不是,用手指我。他说:个子不高么!我当然还是带着纸烟,但他说他把烟戒了。进巷道,入一户院门,后边是一座六层简易楼,×××就住在顶层,而顶层一共七个房间,分别住了他的六家亲戚。他们都是才从街上回来,正生火做饭。我去每一家看的时候,他们也都是笑脸。后来我们就坐在×××的屋里,屋里小得打不开转身,天又热,一股子鞋臭味。美术教授就待不住了,他说他下去转转,要走的时候给他打个电话。美术教授是没在农村生活过,我生活过,我就脱了鞋坐上了床,问这房的租金,问他在哪条街上拾破烂,那么远的路早晨怎么去晚上怎么回来,就自己取了碗从保温瓶里要倒水喝。他脸上活泛多了,但回答我的话都是些通用话,比如,他说这租金合适,能接受。在朱雀门外那一带拾破烂,收入挺好。他有一辆自行车,早上带老婆进城,架子车都是存在收购站上的,日子比才来时好,日子会越来越好。老孙说:你不要那么正经,你想说什么就说什么,胡诌!他说:还真胡诌呀?我说:胡诌!三个人就都笑了。我们就乱七八糟地胡诌了,他竟是那样健谈,虽然没有刘高兴说得那么形象,但拾破烂中的一些事记得很准确,一件一件连时间地点都说得清。我先还真会逗引,逗着他说,后来就完全浸沉在他的故事中,随着他的高兴而高兴,随着他的难过而难过。他老婆在门外炉子上做饭,进来说:你只排夸你出五关斩六将哩,咋不说你走麦城!你出来。他出去了,又进来说:老婆问你们吃了没,没吃了就在我这儿吃?我说:就在你这儿吃。他就对老婆说:在咱这儿吃哩,你去村商店买些挂面。我赶紧说:买什么挂面?做啥我吃啥。我就又问了怎么个走了麦城?他讲了三宗,一宗是他在建筑工地被人家打了一顿,一宗是被街上的混混骗了三百元,一宗是被市容队收没了架子车。饭做熟了,是熬了一大锅的包谷糁稀饭,给我盛了一大海碗,没有菜,没醋没辣子,说有盐哩,放些盐吧,给我面前堆上了一纸袋盐面。筷子是他老婆给我的,两根筷子粘连在一起,我知道是没洗净,但我不能说再洗一下,也不能用纸去擦,他们能用,我也就用,便扒拉着饭吸吸溜溜吃起来。×××一直是看着我吃,把那个风扇从床下取出来。那是个排气扇,吹过来的风是一股子,而且电线断了几处重新接上没缠绝缘胶布,我担心他触上了电,他说:没事。不停地转动着排气扇的方位给我吹。我把一大海碗饭吃完了,他说:够了没?我说:够了。他说:我估摸你也够了。

老孙的这位亲戚,后来虽然和我称不上朋友,却绝对成了熟人,他常到老孙那儿去,而他一去,老孙必定会给我电话,我也就去了。他有时拿着一些拾来的好东西送给我们,比如一个笛子,一个老式的眼镜盒,我们付给他一百元钱。他知道我喜欢收藏,有一次拿来了一个小黑陶罐,以为是个古董送我,我欣然接受,但我知道那是个几年前才烧制的罐子。我给他付钱的时候,他坚决不要,却说:要是今日我只收入十元钱,那我会收你的钱的,可我今日已经收入了十八元了,这就够够的了,我只求你帮个忙。原来他的一个兄弟拾破烂时把架子车停放在了马路边,而那一段马路立了牌子不准人力车通过,他兄弟不识字停放了,市容队就拉走了架子车,他兄弟去讨要,市容队说罚五百元了才能把架子车拉走。他求我能不能帮着把架子车要回来。

我说:我给你要回来。

他说:真能要回来了,我请你喝酒!

其实我和老孙哪儿有疏通市容队的能力呀?但我必须得帮他要回架子车,就叫来了电视台一个朋友,商量出一个阴谋。让他带着摄像机,如果他们不给架子车,便威胁着媒体要曝光这种粗暴对待弱势群体的行为。我们是一路上都在给自己壮胆,可万万没想到去了市容队,那里竟有人认出了我,对我的到来兴奋不已,我成了座上宾。那就好,寒暄之后,我便说了情况,架子车不费吹灰之力要回来了。×××激动地抱住我,说我牛,牛得很,并要了我的名片,说以后谁再欺侮他,他就拿出我的名片,说他是我的表哥。便问我:我能说是你的表哥吗?我说:是表哥!

几个月后,我终于写起拾破烂人的故事了。

但我没有想到,写起来却是那样地不顺手,因为我总是想象着我和刘高兴、白殿睿以及×××的年龄都差不多,如果我不是一九七二年以工农兵上大学那个偶然的机会进了城,我肯定也是农民,到了五十多岁了,也肯定来拾垃圾,那又会是怎么个形状呢?这样的情绪,使我为这些离开了土地在城市里的贫困、卑微、寂寞和受到的种种歧视而痛心着哀叹着,一种压抑的东西始终在左右我的笔。我常常是把一章写好了又撕去,撕去了再写,写了再撕,想为什么中国会出现打工的这么一个阶层呢?这是国家在改革过程中的无奈之举、权宜之计还是长远的战略政策?这个阶层谁来组织谁来管理,他们能为城市接纳融合吗?进城打工真的就能使农民富裕吗?没有了劳动力的农村又如何建设呢?城市与乡村是逐渐一体化呢还是更加拉大了人群的贫富差距?我不是政府决策人,不懂得治国之道,也不是经济学家有指导社会之术,但作为一个作家,虽也明白写作不能滞止于就事论事,可我无法摆脱一种与生俱来的忧患,使作品写得苦涩沉重。而且,我吃惊地发现,我虽然在城市里生活了几十年,平日还自诩有现代的意识,却仍有严重的农民意识,即内心深处厌恶城市,仇恨城市,我在作品里替我写的这些拾破烂人在厌恶城市,仇恨城市。我越写越写不下去,到底是将十万字毁之一炬。

　　我不写了,我想过一段时间再写。恰好这一段时间发生了一件特大的事,几个月就再没去摸笔。事情还是出在老孙的那伙拾破烂的同乡里,一个老汉,其实比我也就大那么儿岁,他们夫妇在西安拾破烂时,其女儿就在一家饭馆里端盘子,有人说能帮她寻一个更能挣钱的工作,结果上当受骗,被拐卖到了山西。老汉为了找女儿,拾破烂每当攒够两千元就去山西探,先后探了两年,终于得知女儿被拐卖在五台县的一个山村里。老汉一直对外隐瞒着这事,觉得丢人,可再要去解救女儿时没了路费,来借钱,才给我和老孙说了。我、老孙埋怨他出了这么大的事为什么不及时报警,也为什么不给我们说,而且凭你单枪匹马一个人去能把人解救回来?我们当即带他去报案,但他租住地的派出所却以他不是当地户口为理由不理睬这事,是老汉和他们吵了一场,案是报上了,派出所却强调要让去解救可以,但必须提供准确无误的被拐卖人的地址,并提供最少五千元的出警费。为了确凿地址,老汉再次去了五台县,我们给他出主意,叮咛如果查访到女儿,一定要稳住那家人。十几天后他回来了,哭着给我们说:我只说咱商州穷,五台县的深山野洼里比咱那儿还穷,一年四季吃不上白馍。咱女儿年纪那么小,整天像牲畜一样被绳子拴在屋里,已经给人家生了个娃了……他哭,我和老孙也流眼泪,拿了钱去给派出所,派出所却说当时警力不够,要等一个月后才能抽出人手。我和老孙又联系老孙老家的派出所,那里的派出所有认识的人,派出所所长答应亲自去解救,花销还可以减到三分之二。几番折腾后,组成了解救队伍就出发了。那个晚上,按计划是应该到了五台县的山村,被拐卖的女儿能不能见到,那家人和村民会不会放人,可能发生械斗吗,去的车辆夜里走山路能安全吗,我和老孙心都悬着,一直守在电话机旁,因为事先约好,人一解救出来就及时通报我们的。九点钟没有消息,十点钟没有消息,十一点了还没有消息,老孙拿出一小筐花生,说:应该没事,派出所所长有经验,他解救过三个被拐卖的妇女哩。

我们就以吃花生缓解焦虑,但花生已吃完了,花生皮也一片一片在手里都捏成了碎末,十二点电话仍不响。我说:电话是不是有毛病?检查了一遍,线都好着,拿手机打了一次,立即就响了。老孙的母亲一直也陪着我们,七十多岁的人了,紧张得就哭起来,说那女儿多水灵的,怎么就被四十多岁的丑男人强迫着做媳妇生娃娃,如果这次失败了,肯定人家就转移了那女儿,那就永远不得回来了!老孙说:你不要说么,你不要说么!他母亲还在说,老孙就躁了,母子俩都生了气,屋子里倒一时寂静无声,只有墙上的钟表嗒嗒嗒地响。到了十二点二十一分,电话铃突然响了,老孙去接电话,老孙的母亲也去接电话,电话被撞得掉在了地上。电话是派出所打来的,只说了一句:成功啦,我们正往沟外跑哩!我和老孙大呼小叫,惊得邻居以为发生了什么事,咚咚地过来敲门。到了一点,老孙说他想吃一碗面条,他母亲竟就擀起面来,结果老孙吃了两碗,我吃了两碗。

　　这次成功解救,使我和老孙很有成就感,我们三天内见了朋友就想说,但三天后老汉来感谢我们,说了解救的过程,我们再也高兴不起来。因为解救过程中发生了村民集体疯狂追撵堵截事件,他们高喊着:我们为什么就不能有老婆?买来的十三个女人都跑了,你让这一村灭绝啊?!后来就乱打起来,派出所所长衣服被撕破了,腿上被石头砸出了血包,若不是朝天鸣枪,去解救的人都可能有生命危险,老汉的女儿是跑出来了,而女儿生下的不足一岁的孩子没能抱出来。这该是怎样的悲剧呀,这边父女团圆了,那边夫妻分散了,父亲得到了女儿,女儿又失去了儿子。我后来再去老汉那儿,老汉依然在拾破烂,他的女儿却始终不肯见外人。

我还是继续去那些拾破烂人租住的村巷,这差不多成了一种下意识,每每到城南了,就要拐过去看看,而在大街上碰上拾破烂的人了,也就停下来拉呱几句,或者目视着很久。差不多又过去了一年,我所接触和认识的那些拾破烂人,大都还在西安,还在拾破烂,状况并无多大改变。而那个供养孩子上大学的,孩子毕业了,但他患上了严重的哮喘病,已不能再拾破烂又回到老家去。其中有一个攒了钱,与人合伙在县城办了个超市,还在老家新盖了一院房。他几乎是拾破烂人的先进榜样,他的事迹被他们普遍传颂。当然,也有死在西安的。死了三个,一个是被车撞死的,一个是肝硬化病死,一个是被同伴谋财致死。

当那个被同伴谋财致死的消息见诸了报纸后,我去了白殿睿租住的那个村子。白殿睿不在,碰上了一个年轻人,他是拾了两年破烂,我们说起那个被致死的人,他说他见过那个人,他想不到受害人拾了十年破烂积攒了十万元为什么不在西安买房呢? 我说:那你有了钱就首先买房吗? 他说:肯定要买房! 买不了大的买小的,买不了新的买旧的,买不了有房产证的买没房产证的! 我说:再不回老家啦? 他说:我出来就在村口的碾盘前发了血誓,再也不回去!

刘高兴当然还在西安,身体似乎比以前还要好。他是一半个月了回去照料一下地里的庄稼,然后又来到西安,每次来了不是给我个电话说他又来了,就是冷不防地来敲门。他还是说这说那,表情丰富,笑声爽朗。

我就说了一句:咋迟早见你都是恁高兴的?

他停了一下,说:我叫刘高兴呀,咋能不高兴?!

得不到高兴但仍高兴着,这是什么人呢?但就这一句话,我突然地觉得我的思维该怎么改变了,我的小说该怎么去写了。本来是以刘高兴的事萌生了要写一部拾破烂人的书,而我深入了解那么多拾破烂人却使我的写作陷入了困境。刘高兴的这句话其实什么也没有说,真是奇怪,一张窗纸就砰地捅破了,一直只冒黑烟的柴火忽地就起了焰了。这部小说就只写刘高兴,可以说他是拾破烂人中的另类,而他也正是拾破烂人中的典型,他之所以是现在的他,他越是活得沉重,也就越懂得着轻松,越是活得苦难,他才越要享受着快乐。

我说:刘高兴,我现在知道你了!

他说:知道我了,知道我啥?

我说:你是泥塘里长出来的一枝莲!

他说:别给我文绉绉地酸,你知道咱老家砖泥窑吗,出窑的时候脸黑得像锅底,就显得牙是白的。

是的,在肮脏的地方干净地活着,这就是刘高兴。

他说得比我好,我就笑了,他也嘎嘎地笑。那天我们吃的是羊肉泡馍。

我重新写作。原来的书稿名字是《城市生活》,现在改成了《高兴》。原来是沿袭着《秦腔》的那种写法,写一个城市和一群人,现在只写刘高兴和他的二三个同伴。原来的结构如《秦腔》那样,是陕北一面山坡上一个挨一个层层叠叠的窑洞,或是一个山洼里成

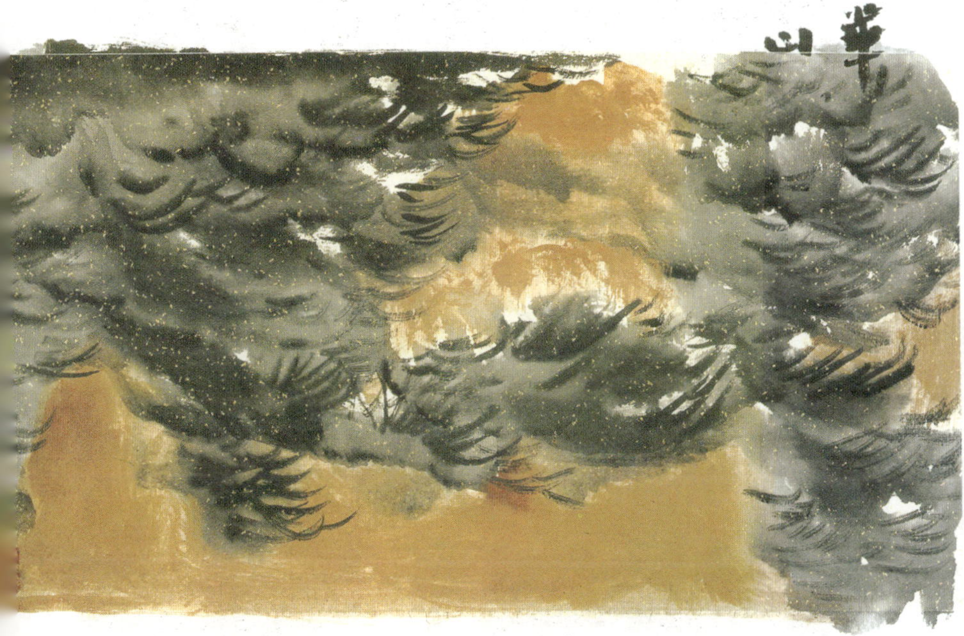
華山

平凹
廣軍

千上万的野菊铺成的花阵,现在是只盖一座小塔只栽一朵月季,让砖头按顺序垒上去让花瓣层层绽开。

我很快写完了书稿,写完了书稿是多么轻松呀,再没有做最后的修改,我就回了老家一次。老家的那条一级公路在改造之后,许多路段从丹江北岸移转到了南岸,过去的几十年老是从北岸的路上走,看厌了沿途的风光,而从南岸走,山水竟然是别一样的景致。每次回老家,肯定要去父亲的坟上烧纸奠酒,父亲虽然去世已有十八年,痛楚并没有从我心上逝去,一跪到坟前就止不住地泪流满面。这一次当然不能例外,但这一次我看见了父亲的坟地里一片鲜花。我的弟弟一直在父亲的坟地里栽种各类花木,而我以往回去都不是花季,现在各种形态各种颜色的花都开了,我跪在花丛中烧纸,第一次感受到死亡和鲜花的气息是那样地融合。我流着泪正喃喃地给父亲说:《秦腔》我写了咱这儿的农民怎样一步步从土地上走出,现在《高兴》又写了他们走出土地后的城里生活,我总算写了……就在这时,一股风吹了过来,花草摇曳,纸灰飞舞,我愣了半天,蓦地又觉得《高兴》还有哪儿不对。从坟地出来,脑子里挥之不去的仍是父亲坟地里死亡和鲜花的气息,考虑起书稿中虽然在那么多拾破烂人的苦难的底色上写着刘高兴在城市里的快活,可写得并不到位,是哪儿出了问题,是叙述角度不对?我当然还没有想得更明白,但已严重地认为小改动是不行的,要换角度,要变叙述人就得再一次书写。

我终止了还要到商州各县去走一圈的计划,急匆匆返回西安,开始了第五次写作。这一次主要是叙述人的彻底改变,许多情节和许多议论文字都删掉了,我尽一切能力去抑制那种似乎读起来痛快的极其夸张变形的虚空高蹈的叙述,使故事更生活化、细节化,变得柔软和温暖。因为情节和人物极其简单,在写的过程中常常就乱了节奏而显得顺溜,就故意笨拙,让它发涩发滞,似乎毫无了技巧,似乎是江郎才尽的那种不会了写作的写作。

这期间,刘高兴又来过几次。他真是个奇怪的人,他看我平日弄些书画玩的,他竟也买了笔墨在旧报纸上写起了书法,就一张一张挂在他租住的屋里。更令我吃惊的是他知道了我以他为原型写这本书,他也开始了要为我写文章,在一个纸本上用各种颜色的笔写出了我和他少年时期的三万字的故事。我读了那三万字,基本上是流水账式的,错别字很多,但过去的事写得活灵活现。我能对他说什么呢,写这样的文字发表肯定是不行的,他在那样的条件下写了只能是一种浪费精力和时间,可我能让他不写吗?我说了这样的话:刘高兴,如果三十多年前你上了大学留在西安,你绝对是比我好几倍的作家。如果我去当兵回到农村,我现在即便也进城拾破烂,我拾不过你,也不会有你这样的快活和幽默。

但是,就在我写到了四分之三时,一个不好的消息传来,几乎使我又重新改写。那是一个文友来聊天,我一激动,就给他念写好的前三章,他突然说:你开头写了民工背尸回乡的事?我说:这开头好吧。他说:这材料是哪儿来的?我说:是看了凤凰卫视上的一则报道而改造的。他说:你看过电影《叶落归根》没?我说:没看过,怎么啦?他说:《叶落归根》就写了背尸的事。我一听脑袋大了,忙问那电影是怎么个样儿,这位文友详细讲了电影的故事情节,我心放下了。电影可能也是看到了那个报道,但电影纯粹演绎了背尸的过程。我的小说仅仅是做了个引子罢了。文友说你最好改改,我不改,在二〇〇五年我在初稿中就这么写了,怎么改呢?电影是他的电影,小说却绝对是我的小说,骡子和马那是两回事。

又是过了二十多天吧,那天雨下得哗哗哗,我正在写小说的结尾,电话响了,我烦这时候来电话,不去接,可过一会儿电话又响了。我拿起电话,说:谁?!声音传过来是刘高兴,他说:怎么不接电话呀? 我说:我正忙着……他说:知道你忙,我不能贸然去敲门,可我打电话约时间你又不接!忙什么,是不是忙着写我,什么时候写完呀! 我说:快完了,还得再小改小改。他说:你写东西还这么艰难,我可写完你的传记了! 说完他在电话里嘎嘎嘎地大笑。

其实他就在我的楼下打电话。

于是我放下笔,开门,刘高兴湿漉漉地进来了。

《古炉》后记

五十岁后,周围的熟人有些开始死亡,去火葬场的次数增多,而我突然地喜欢在身上装钱了,又瞌睡日渐减少,便知道自己是老了。

老了就是提醒自己:一定不要贪恋位子,不吃凉粉便腾板凳;一定不要太去抛头露面,能不参加的活动坚决抹下脸去拒绝;一定不要偏执;一定不要嫉妒别人。这些都可以做到,尽量去做到,但控制不了的却是记忆啊,而且记忆越忆越是远,越远越是那么清晰。

这让我有些恍惚:难道人生不是百年,是二百年,一是现实的日子,一是梦境的日子?甚至还不忘消灭,一方面用儿女来复制自己,一方面靠记忆还原自己?

我的记忆更多地回到了少年,我的少年正是上个世纪六十年代的中后期,那时中国正发生着史无前例的"文化大革命"。

对于"文化大革命",已经是很久的时间没人提及了,或许那四十多年,时间在消磨着了一切,可影视没完没了地戏说着清代、明代、唐汉秦的故事,"文革"怎么就无人有兴趣呢?或许"文革"仍是敏感的话题,不堪回首,难以把握,那里边有政治,涉及评价,过去就让过去吧?

其实,自从"文革"结束以后,我何尝不也在回避。我是每年十几次地回过我的故乡,在我家的老宅子墙头依稀还有着当年的标语残迹,我有意不去看它。那座废弃了的小学校里,我参加过一次批斗会,还做过记录员,路过了偏不进去。甚至有一年经过一个村子,有人指着三间歪歪斜斜的破房子,说那是当年吊打我父亲的那个造反派的家,我说:他还在吗?回答是:早死了,全家都死了。我说:哦,都死了。就匆匆离去。

但在我们那个村子里,经历过"文革"的人有多半死了,少半的还在,其中就有一位曾经是一派很大的头儿,他们全都鹤首鸡皮,或仍在田间劳动,或已经拄上了拐杖,默默地从巷道里走过。我去河畔钓鱼的那个中午,看见有人背了柴草过河。这是两个老汉,头发全白了,腿细得像木头棍儿,水流冲得他们站不稳,为了防止跌倒,就手拉扯了手,趔趔趄趄、趔趔趄趄地走了过来。那场面很能感人,我还在感慨着,突然才认得他们曾经是有过仇的,因为"文革"中派别不一样,武斗中一个用砖打破过一个的头,一个气不过,夜里拿了刀砍断了另一个家的椿树,那椿树差不多碗口粗了。而那个当过一派很大的头儿的,佝偻着腰坐在他家的院子里独自喝酒,酒当然是自己酿的包谷酒,握酒杯的手指还很有力,但他的面目是那样地敦厚了,脾气也出奇地柔和,我刚一路过院门口,他就叫我的小名,说:你回来啦?你几个月没回来了,来喝一口,啊来喝一口嘛!

那天太阳很暖和,村子里极其安静,我目睹着风在巷道里旋起了一股,竟然像一根绳子在那里游走。当年这里曾经多么惨烈的一场武斗啊,现在,没有了血迹,没有了尸体,没有了一地的大字报的纸屑和棍棒砖头,一切都没有了,往事就如这风,一旋而悠悠远去。

我问我的那些侄孙:你们知道"文化大革命"吗?侄孙说:不知道。我又问:你们知道你爷的爷的名字吗?侄孙说:不知道。我说:哦,咋啥都不知道。

不知道爷的爷的名字,却依然在为爷的爷传宗接代,而"文革"呢,一切真的就过去了吗?为什么影视上都可以表现着清以前的各个朝代,而不触及"文革",这是在做不能忘却的忘却吗?我在五十多岁后动不动就眼前浮出少年的经历,记忆汪汪如水,别的人难道不往事涌上心头?那个佝偻了腰的曾经当过一派大头的老人在独自喝酒,寂寞的晚年里他应该咀嚼着什么下酒吧。

我想,经历过"文革"的人,不管在其中迫害过人或被人迫害过,只要人还活着,他必会有记忆。

也就在那一次回故乡,我产生了把我记忆写出来的欲望。

我之所以有这种欲望,一是记忆如下雨天蓄起来的窖水,四十多年了,泥沙沉底,拨去漂浮的草末树叶,能看到水的清亮。二是我不满意曾经在"文革"后不久读到的那些关于"文革"的作品,它们都写得过于表象,又多形成了程式。还有更重要的一点,我觉得我应该有使命,或许也正是宿命,经历过的人多半已死去和将要死去,活着的人要么不写作,要么能写的又多怨愤,而我呢,我那时十三岁,初中刚刚学到数学的一元一次方程就辍学回村了。我没有与人辩论过,因为口笨,但我也刷过大字报,刷大字报时我提糨糊桶。我在学校是属于"联指",回乡后我们村以贾姓为主,又是属于"联指",我再不能亮我的观点,直到后来父亲被批斗,从此越发不敢乱说乱动。但我毕竟年纪还小,谁也不在乎我,虽然也是受害者,却更是旁观者。

我的旁观,毕竟,是故乡的小山村的"文革",它或许无法反映全部的"文革",但我可以自信,我观察到了"文革"怎样在一个乡间的小村子里发生的,如果"文革"之火不是从中国社会的最底层点起,那中国社会的最底层却怎样使火一点就燃?

我的观察,来自于我自以为的很深的生活中,构成了我的记忆。这是一个人的记忆,也是一个国家的记忆吧。其实,"文革"对于国家对于时代是一个大的事件,对于文学,却是一团混沌的令人迷惘又迷醉的东西,它有声有色地充塞在天地之间,当年我站在一旁看着,听不懂也看不透,摸不着头脑,四十多年了,以文学的角度,我还在一旁看着,企图走近和走进,似乎越更无力把握,如看月在山上,登上山了,月亮却离山还远。我只能依量而为,力所能及地从我的生活中去体验去写作,看能否与之接近一点。

烧制瓷器的那个古炉村子,是偏僻的。那里的山水清明,树木种类繁多,野兽活跃,六畜兴旺,而人虽然勤劳又擅长于技工,却极度地贫穷。正因为太贫穷了,他们落后,简陋,委琐,荒诞,残忍。历来被运动着,也有了运动的惯性。人人病病恹恹,使强用狠,惊惊恐恐,争吵不休。在公社的体制下,像鸟护巢一样守着老婆娃娃热炕头,却老婆不贤,儿女不孝。他们相互依赖,又相互攻讦,像铁匠铺子都卖刀子,从不想刀子也会伤人。他们一方面极其自私,一方面不惜生命。面对着他们,不能不爱他们,爱着他们又不能不恨他们,有什么办法呢？你就在其中,可怜的族类啊,爱恨交集。

是他们,也是我们,皆芸芸众生,像河里的泥沙顺流移走,像土地上的庄稼,一茬一茬轮回。没有上游的泥沙翻滚,怎么能下游静水深流,五谷要结,是庄稼就得经受冬冷夏热啊。如城市的一些老太太常常被骗子以秘鲁假钞换取了人民币,是老太太没有知识又贪图占便宜所致,古炉村的人们在"文革"中有他们的小仇小恨,有他们的小利小益,有他们的小幻小想,各人在水里扑腾,却会使水波动。而波动大了,浪头就起,如同过浮桥,谁也并不故意要摆,可人人都在惊慌地走,桥就摆起来,摆得厉害了肯定要翻覆。

我读过一位智者的书,他这样写着:内心投射出来的形象是神,这偶像就会给人力量,因此人心是空虚的又是惊恐的。如果一件事的因已经开始,它不可避免得制造出一个果,被特定的文化或文明局限及牵制的整个过程,这可以称之为命运。

古炉村人就有"文革"的命运,他们和我们就有了"文革"的命运,中国人就有了"文革"的命运。

"文革"结束了,不管怎样,也不管作什么评价,正如任何一个人类历史的巨大灾难无不是以历史的进步而补偿的一样,没有"文革"就没有中国人思想上的裂变,没有"文革"就不可能有以后的整个社会转型的改革。而问题是,曾经的一段时期,似乎大家都是"文革"的批判者,好像谁也没了责任。是呀,责任是谁呢,寻不到能千刀万剐的责任人,只留下了一个恶的代名词:"文革"。但我常常想:在中国,以后还会不会再出现类似"文革"那样的事呢？说这样的话别人会以为矫情了吧,可这是真的,如我受过了五一二地震波及的恐惧后,至今午休时不时就觉得床动,立即惊醒,心跳不已。

有人说过很精彩的话,说因为你与你的家人和亲人在这个世上只有一次碰面的机会,所以得珍惜。因为人与人同在这个地球,所以得珍惜。可现实中这种珍惜并不是那么容易就做到了,贫穷容易使人凶残,不平等容易使人仇恨,不要以为自己如何对待了别人,别人就会如何对待自己。永远不要相信真正,没有真正,没有真正的友谊,没有真正的爱情,只有善与丑,只有时间,只有在时间里转换美丑。这如同土地,它可以长出各种草木,草木长出红白黄蓝紫黑青的花,这些颜色原本都在土里。我们放不下心的是在我们身上,除了仁义礼智信外,同时也有着魔鬼,而魔鬼强悍,最易于放纵。只有物质之丰富,教育之普及,法制之健全,制度之完备,宗教之提升,才是人类自我控制的办法。

在书中,有那么一个善人,他在喋喋不休地说病。古炉村里的病人太多了,他需要来说,他说着与村人不一样的话,这些话或许不像个乡下人说的,但我还是让他说。这个善人是有原型的,先是我们村里的一个老者,后来我在一个寺庙里看到了桌上摆放了许多佛教方面的书,这些书是善男信女编印的,非正式出版,可以免费,谁喜欢谁可以拿走,我就拿走了一本《王凤仪言行录》书。王凤仪是清同治人,书中介绍了他的一生和他一生给人说病的事迹。我读了数遍,觉得非常好,就让他同村中的老者合二为一做了善人。善人是宗教的,哲学的,他又不是宗教家和哲学家,他的学识和生存环境只能算是乡间智者,在人性爆发了恶的年代,他注定要失败的,但他毕竟疗救了一些村人,在进行着他力所能及的恢复、修补,维持着人伦道德,企图着社会的和谐和安稳。

陕西这地方土厚,惯来出奇人异事,十多年来时常传出哪儿出了个什么什么神来。我曾经在西安城南的山里拜访过众多的隐在洞穴和茅棚里修行的人,曾经见过一位并没有上过大学却钻研了十多年高等数学的农民,曾经读过一本自称是创立了新的宇宙哲学的手写书,还有一本针对时下世界格局的新的兵书草稿,甚至与那些堪舆大师、预测高手以及一场大病后突然有了功力能消灾灭祸的人交谈过。最有兴趣的去结识那些民间艺人,比如刻皮影的,捏花馍的,搞木雕泥塑的,做血社火芯子的,无师而绘画的,铰花花的。铰花花就是剪纸。我见到过这些人,这些人并不是传说中的不得了,但他们无一例外都是有神性的人,要么天人合一,要么意志坚强,定力超常。当我在书中写到狗尿苔的婆时,原本我是要写我母亲的灵秀和善良,写到一半,得知陕北又发现一个能铰花花的老太太周苹英,她目不识丁,剪出的作品却有一种圣的境界。因为路远,我还未去寻访,竟意外地得到了一本她的剪纸图册,其中还有郭庆丰的一篇评介她的文章。文章写得真好,帮助我从周苹英的剪纸中看懂了许多的灵魂的图像。于是,狗尿苔婆的身上同时也就有了周苹英的影子。

整个的写作过程中,《王凤仪言行录》和周苹英的剪纸图册以及郭庆丰的评介文章,是我读过而参考借鉴最多的作品,所以特意在此向他们致礼。

除此之外,古炉村里的人人事事,几乎全部是我的记忆。狗尿苔,那个可怜可爱的孩子,虽然不完全依附于某一个原型的身上,但在写作的时候,常有一种幻觉,是他就在我的书房,或者钻到这儿藏在那儿,或者痴呆呆地坐在桌前看我,偶尔还叫着我的名字。我定睛后,当然书房里什么人都没有,却糊涂了:狗尿苔会不会就是我呢?我喜欢着这个人物,他实在是太丑陋、太精怪、太委屈,他前无来处,后无落脚,如星外之客。当他被抱养在了古炉村,因人境逼仄,所以导致想象无涯,与动物植物交流,构成了童话一般的世界。狗尿苔和他的童话乐园,这正是古炉村山光水色的美丽中的美丽啊。

在写作的中期,我收购了一尊明代的铜佛,是童子佛,赤身裸体,有茂密的发髻,有垂肩的大耳,两条特长的胳膊,一手举过头顶指着天,一手垂下过膝指着地,意思是:天上地下唯我独尊。这尊佛就供在书桌上,他注视着我的写作,在我的意念里,他也将神明赋给了我的狗尿苔,我也恍惚里认定狗尿苔其实是一位天使。

整整四年了,四年浸淫在记忆里。但我明白我要完成的并不是回忆录,也不是写自传的工作。它是小说。小说有小说的基本写作规律。我依然采取了写实的方法,建设着那个自古以来就烧瓷的村子,极力使这个村子有声有色,有气味,有温度,开目即见,触手可摸;以我狭隘的认识吧,长篇小说就是写生活,写生活的经验,如果写出让读者读时不觉得它是小说了,而相信真有那么一个村子,有一群人在那个村子里过着封闭的庸俗的柴米油盐和悲欢离合的日子,发生着就是那个村子发生的故事,等他们有这种认同了,甚至还觉得这样的村子和村子里的人太朴素和简单,太平常了,这样也称之为小说,那他们自己也可以写了,这就是我最满意的成功。我在年轻的时候是写诗的,受过李贺影响,李贺是常骑着毛驴想他的诗句,突然有一个句子了就写下来装进囊袋里。我也就苦思冥想寻诗句,但往往写成了让编辑去审,编辑却说我是把充满了诗意的每一句写成了没有诗意的一首诗。自后我放弃了写诗,改写小说,那时所写的小说追求怎样写得有哲理,有观念,怎样标新立异,现在看起来,激情充满,刻意作势,太过矫情。在读古代大作家的诗文,比如李白吧,那首"床前明月光,疑是地上霜。举头望明月,低头思故乡",这简直是大白话么,太简单了么,但让自己去写,打死就是写不出来。最容易的其实是最难的,最朴素的其实是最豪华的。什么叫写活?逼真了才能活,逼真就得写实,写实就是写日常,写伦理,脚蹬地才能跃起,任何现代主义的艺术都是建立在扎实的写实功力之上的。

　　写实并不是就事说事,为写实而写实,那是一摊泥塌在地上,是鸡仅仅能飞到院墙。在《秦腔》那本书里,我主张过以实写虚,以最真实朴素的句子去建造作品浑然多义而完整的意境,如建造房子一样,坚实的基,牢固的柱子和墙,而房子里全部是空虚,让阳光照进,空气流通。

　　回想起来,我的写作得益最大的是美术理论,在二十年前,西方那些现代主义各流派的美术理论让我大开眼界。而中国的书,我除了兴趣戏曲美学外,热衷在国画里寻找我小说的技法。西方现代派美术的思维和观念,中国传统美术的哲学和技术,如果结合了,如面能揉得到,那是让人兴奋而乐此不疲的。比如,怎样大面积的团块渲染,看似充满,其实有层次脉络,渲染中既有西方的色彩,又隐着中国的线条,既存淋淋真气使得温暖,又显一派苍茫沉厚。比如,看似写实,其实写意,看似没秩序,没工整,胡摊乱堆,整体上却清明透彻。比如,怎样"破笔散锋"。比如,怎样使世情环境苦涩与悲凉,怎样使人物郁勃黝黯,孤寂无奈。

苦恼的是越是这样的思索,越是去试验,越是感到了自己的功力不济。四年里,原本可以很快写下去,常常就写不下去,泄气,发火,对着镜子恨自己,说:不写了!可不写更难受啊。世上上瘾东西太多了,吸鸦片上瘾,喝酒上瘾,吃饭是最大上瘾,写作也上瘾。还得写下去,那就平静下来,尽其能力去写吧。在功夫不济的情况下,我能做到的就是反复叮咛自己:慢些、慢些,把握住节奏,要笔顺着我不要我被笔牵着,要故事为人物生发,不要人物跟着故事跑了。

四年里,出了多少事情,受了多少难场,当我写完全书稿最后一个字时,我说天呀,我终于写完了,写得怎样那是另一回事,但我总算写完了。

我感激着家里的大小活儿从不让我干,对于妻子女儿,我是那样地不尽职,我对她们说:啊把我当个大领导看待吧,大领导谁是能顾了家的呢?我感激着我的字画,字画收入使我没有了经济的压力,从而不再在写作中考虑市场,能使我安静地写,写我想写的东西。我感激着我的身体,它除了坏掉了四颗牙,别的部位并没有出麻达。我感激着那三百多支签字笔,它们的血是黑水,流尽了,静静地死去在那个大筐里。

《秦腔》后记

在陕西东南,沿着丹江往下走,到了丹凤县和商县(现在商洛专区改制为商洛市,商县为商州区)交界的地方有个叫棣花街的村镇,那就是我的故乡。我出生在那里,并一直长到了十九岁。丹江从秦岭发源,在高山峻岭中突围去的汉江,沿途冲积形成了六七个盆地,棣花街属于较小的盆地,却最完备盆地的特点:四山环抱,水田纵横,产五谷杂粮,生长芦苇和莲藕。村镇前是笔架山,村镇中有木板门面老街,高高的台阶,大的场子,分布着塔、寺院、钟楼、魁星阁和戏楼。村镇人一直把街道叫官路,官路曾经是古长安通往东南的唯一要道,走过了多少商贾、军队和文人骚客,现还保留着骡马帮会馆的遗址,流传着秦王鼓乐和李自成的闯王拳法。如果往江南岸的峭崖上看,能看到当年兵荒匪乱的石窟,据说如今石窟里还有干尸,一近傍晚,成群的蝙蝠飞出来,棣花街就麻喳喳地黑了。让村镇人夸夸其谈的是祖宗们接待过李白、杜甫、王维、韩愈一些人物,他们在街上住宿过,写过许多诗词。我十九岁以前,没有走出过棣花街方圆三十里,穿草鞋,留着个盖盖头,除了上学,时常背了碾成的米去南北二山去多换人家的包谷和土豆,他们问:"哪里的?"我说:"棣花街的!"他们就不敢在秤上捣鬼。那时候这里的自然风景和人文景观依然在商洛专区著名,常有穿了皮鞋的城里人从312国道上下来,在老街上参观和照相。但老虎不吃人,声名在外,棣花街人多地少,日子是极度的贫困。那个春上,河堤上的柳树和槐树刚一生芽,就全被捋光了,泉池里石头压着的是一筐一筐煮过的树叶,在水里泡着拔涩。我和弟弟帮母亲把炒过的干苕蔓在碾子上砸,罗出面儿了便迫不及待地往口里塞,晚上稀粪就顺了裤腿流。我家隔壁的厦子屋里,住着一个李姓的老头,他一辈子编草鞋,一双草鞋三分钱,临死最大的愿望是能吃上一碗包谷糁糊汤,就是没吃上,队长为他盖棺,说:"别变成饿死鬼。"塞在他怀里的仍是一颗熟红苕。全村镇没有一个胖子,人人脖子细长,一开会,大场子上黑乎乎一片,都是清一色的土皂衣裤。就在这一群人里谁能想到有那么多的能人呢:宽仁善制木。本旺能泥塑。东街李家兄弟精通胡琴,夜夜在门前的榆树下拉奏。中街的冬生爱唱秦腔,吃了上顿没下顿的,老婆都跟人去讨饭了,他仍在屋里唱,唱着旦角。五林叔一下雨就让我们一伙孩子给他剥玉米棒子或推石磨,然后他盘腿搭手坐在那里说《封神演义》,有人对照了书本,竟和书本上一字不差。生平在偷偷地读《易经》,他最后成了阴阳先生。百庆学绘画,拿锅黑当墨,在墙上可以画出二十四孝图。刘新春整理鼓谱。刘高富有土木设计上的本事,率领八个弟子修建了几乎全县所有的重要建筑。西街的韩姓和东街的贾姓是棣花街上的大族,韩述绩和贾毛顺的文墨最深,毛笔字写得宽博温润,包揽了全村镇门楼上的题匾。每年从腊月三十到正月十五,棣花街都是唱大戏和闹社火,演员的补贴是每人每次三斤热红苕,戏和社火去县上会演,总能拿了头名奖牌。以至于外地来镇上工作的干部,来时必有人叮咛:到棣花街了千万不敢随便说文写字。再是我离开了故乡生活在了西安,以写作出了名,故乡人并不以为然,甚至有人在棣花街上说起了我,回应的是:像他那样的,这里能拉一车!

就在这样的故乡,我生活了十九年。我在祠堂改做的教室里认得了字。我一直是病包儿,却从来没进过医院,不是喝姜汤捂汗,就是拔火罐或用磁片割破眉心放血,久久不能治愈的病那都是"撞了鬼",就请神作法。我学会了各种农活,学会了秦腔和写对联、铭锦。我是个农民,善良本分,又自私好强,能出大力,有了苦不对人说。我感激着故乡的水土,它使我如芦苇丛里的萤火虫,夜里自带了一盏小灯,如满山遍野的棠棣花,鲜艳的颜色是自染的。但是,我又恨故乡,故乡的贫困使我的身体始终没有长开,红苕吃坏了我的胃。我终于在偶尔的机遇中离开了故乡,那曾经在棣花街是一件惊天动地的事情,记得我背着被褥坐在去省城的汽车上,经过秦岭时停车小便,我说:"我把农民皮剥了!"可后来,做起城里人了,我才发现,我的本性依旧是农民,如乌鸡一样,那是乌在了骨头里的。

我必须逢年过节就回故乡,去参加老亲世故的寿辰、婚嫁、丧葬,行门户,吃宴席,我一进村镇的街道,村镇人并不看重我是个作家,只是说:贾家老四的儿子回来了!我得赶紧上前递纸烟。我城里小屋在相当长的年月里都是故乡在省城的办事处,我备了一大摞粗瓷海碗,几副钢丝床,小屋里一来人肯定要吃捞面,腥油拌的辣子,大疙瘩蒜,喝酒就划拳,惹得同楼道的人家怒目而视。所以,棣花街上发生了任何事,比如谁得了孙子,是顺生还是横生,谁又死了,埋完人后的饭是上了一道肉还是两道肉,谁家的媳妇不会过日子,谁家兄弟分家为一个笸篮致成了仇人,我全知道。一九七九年到一九八九年的十年里,故乡的消息总是让我振奋,土地承包了,风调雨顺了,粮食够吃了,来人总是给我带新碾出的米,各种煮锅的豆子,甚至是半扇子猪肉,他们要评价公园里的花木比他们院子里的花木好看,要进戏园子,要我给他们写中堂对联,我还笑着说:棣花街人到底还高贵!那些年是乡亲们最快活的岁月,他们在重新分来的土地上精心务弄,冬天的月夜下,常常还有人在地里忙活,田堰上放着旱烟匣子和收音机,收音机里声嘶力竭地吼秦腔。我一回去,不是这一家开始盖新房,就是另一家为儿子结婚做家具,或者老年人又在晒他们做好的那些将来要穿的寿衣寿鞋了。农民一生三大事就是给孩子结婚,为老人送终,再造一座房子,这些他们都体体面面地进行着,他们很舒心,都把邓小平的像贴在墙上,给他上香和磕头。我的那些昔日一块套过牛,砍过柴,偷过红苕蔓子和豌豆的伙伴会坐满我家旧院子,我们吃纸烟,喝烧酒,唱秦腔,全晕了头,相互称"哥哥",棣花街人把"哥哥(gē)"发音为"哥哥(guǒ)",热闹得像一窝鸟叫。

对于农村、农民和土地,我们从小接受教育,也从生存体验中,形成了固有的概念,即我们是农业国家,土地供养了我们一切,农民善良和勤劳。但是,长期以来,农村却是最落后的地方,农民是最贫困的人群。当国家实行起改革,社会发生转型,首先从农村开始,它的伟大功绩解决了农民吃饭问题,虽然我们都知道像中国这样的变化没有前史可鉴,一切都充满了生气,一切又都混乱着,人搅着事,事搅着人,只能扑扑腾腾往前拥着走,可农村在解决了农民吃饭问题后,国家的注意力转移到了城市,农村又怎么办呢?农民不仅仅只是吃饱肚子,水里的葫芦压下去了一次就会永远沉在水底吗?就在要进入新的世纪的那一年,我的父亲去世了。父亲的去世使贾氏家族在棣花街的显赫威势开始衰败,而棣花街似乎也度过了它暂短的欣欣向荣岁月。这里没有矿藏,没有工业,有限的土地在极度地发挥了它的潜力后,粮食产量不再提高,而化肥、农药、种子以及各种各样的税费迅速上涨,农村又成了一切社会压力的泄洪池。体制对治理发生了松弛,旧的东西稀里哗啦地没了,像泼去的水,新的东西迟迟没再来,来了也抓不住,四面八方的风方向不定地吹,农民是一群鸡,羽毛翻皱,脚步趔趄,无所适从,他们无法再守住土地,他们一步一步从土地上出走,虽然他们是土命,把树和草拔起来又抖净了根须上的土栽在哪儿都是难活。我仍然是不断地回到我的故乡,但那条国道已经改造了,以更宽的路面横穿了村镇后的塬地,铁路也将修有梯田的牛头岭劈开,听说又开始在河堤内的水田里修高速公路了,盆地就那么小,交通的发达使耕地日益锐减。而老街人家在这些年里十有八九迁居到国道边,他们当然没再盖那种一明两暗的硬梁房,全是水泥预制板搭就的二层楼,冬冷夏热,水泥地面上满是黄泥片,厅间蛮大,摆设的仍是那一个木板柜和三四只土瓮。巷口的一堆妇女抱着孩子,我都不认识,只能以其相貌推测着叫起我还熟悉的他们父亲的名字,果然全部准确,而他们知道了我是谁时,一哇声地叫我:"八爷!"(我在我那一辈里排行老八。)我站在老街上,老街几乎要废弃了,门面板有的还在,有的全然腐烂,从塌了一角的檐头到门框脑上亮亮的挂了蛛网,蜘蛛是长腿花纹的大蜘蛛,形象丑陋,使你立即想到那是魔鬼的变种。街面上生满了草,没有老鼠,黑蚊子一抬脚就轰轰响,那间曾经是商店的门面屋前,石砌的台阶上有蛇蜕一半在石缝里一半吊着。张家的老五,当年的劳模,常年披着褂子当村干部的,现在脑中风了,流着哈喇子走过来,他喜欢地望着我笑,给我说话,但我听不清他说些什么。堂兄在告诉我,许民娃的娘糊涂了,在炕上拉屎又把屎抹在墙上。关印还是贪吃,当了支书的他的侄儿家被人在饭里投了毒,他去吃了三大碗,当时就倒在地上死了。后沟里有人吵架,一个说:你张狂啥呀,你把老子×咬了?!那一个把帽子一卸,竟然扑上去就咬×,把×咬下来了。村镇出外打工几十人,男的一半在铜川下煤窑,在潼关背金矿,一半在省城里拉煤、捡破烂,女的谁知道在外边干什么,她们从来不说,回来都花枝招展。但打工伤亡的不下十个,都是在白木棺材上缚一只白公鸡送了回来,多的赔偿一万元,少的不过两千,又全是为了这些赔偿,婆媳打闹,纠纷不绝。因抢劫坐牢的三个,因赌博被拘留过十八人,选村干部宗族械斗过一次。抗税惹事公安局来了一车人。村镇里没有了精壮劳力,原本地不够种,地又荒了许多,死了人都熬煎抬不到坟里去。我站在街巷的石磙子碾盘前,想,难道棣花街上我的亲人、熟人就这么很快地要消失吗?这条老街很快就要消失吗?土地也从此要消失吗?真的是在城市化,而农村能真正地消失吗?如果消失不了,那又该怎么办呢?

父亲去世之后,我的长辈们接二连三地都去世,和我同辈的人也都老了,日子艰辛使他们的容貌看上去比我能大十岁,也开始在死去。我把母亲接到了城里跟我过活,棣花街这几年我回去次数减少了。故乡是以父母的存在而存在的,现在的故乡对于我越来越成为一种概念。每当我路过城街的劳务市场,站满了那些粗手粗脚衣衫破烂的年轻农民,总觉得其中许多人面熟,就猜测他们是我故乡死去的父老的托生。我甚至有过这样的念头:如果将来母亲也过世了,我还回故乡吗?或许不再回去,或许回去得更勤吧。故乡呀,我感激着故乡给了我生命,把我送到了城里,每一做想故乡那腐败的老街,那老婆婆在院子里用湿草燃起熏蚊子的火,火不起焰,只冒着酸酸的呛呛的黑烟,我就强烈地冲动着要为故乡写些什么。我以前写过,那都是写整个商州,真正为棣花街写得太零碎太少。我清楚,故乡将出现另一种形状,我将越来越陌生,它以后或许像有了疤的苹果,苹果腐烂,如一泡脓水,或许它会淤地里生出了荷花,愈开愈艳,但那都再不属于我,而目前的态势与我相宜,我有责任和感情写下它。法门寺的塔在倒塌了一半的时候,我用散文记载过一半塔的模样,那是至今世上唯一写一半塔的文字,现在我为故乡写这本书,却是为了忘却的回忆。

我决心以这本书为故乡树起一块碑子。

当我雄心勃勃在二〇〇三年的春天动笔之前,我奠祭了棣花街上近十年二十年的亡人,也为棣花街上未亡的人把一杯酒洒在地上,从此我书房当庭摆放的那一个巨大的汉罐里,日日燃香,香烟袅袅,如一根线端端冲上屋顶。我的写作充满了矛盾和痛苦,我不知道该赞歌现实还是诅咒现实,是为棣花街的父老乡亲庆幸还是为他们悲哀。那些亡人,包括我的父亲,当了一辈子村干部的伯父,以及我的三位婶娘,那些未亡人,包括现在又是村干部的堂兄和在乡派出所当警察的族侄,他们总是像抢镜头一样在我眼前涌现,死鬼和活鬼一起向我诉说,诉说时又是那么争争吵吵。我就放下笔盯着汉罐长出来的烟线,烟线在我长长的吁气中突然地散乱,我就感觉到满屋子中幽灵飘浮。

书稿整整写了一年九个月,这期间我基本上没有再干别事,缺席了多少会议被领导批评,拒绝了多少应酬让朋友们恨骂,我只是写我的。每日清晨从住所带了一包擀咸的面条或包好的素饺,赶到写作的书房,门窗依然是严闭的,大开着灯光,掐断电话,中午在煤气灶煮了面条和素饺,一直到天黑方出去吃饭喝茶会友。一日一日这么过着,寂寞是难熬的,休息的方法就写毛笔字和画画。我画了唐僧玄奘的像,以他当年在城南大雁塔译经的清苦来激励自己。我画了《悲天悯猫图》,一只狗卧在那里,仰面朝天而悲号,一只猫蹑手蹑脚过来看狗。我画《抚琴人》,题写"精神寂寞方抚琴"。又写了条幅:"到底毛颖是吞虏,沧浪随处可濯缨。"我把这些字画挂在四壁,更有两个大字一直在书桌前:"守侯",让守住灵魂的侯来监视我。古人讲:文章惊恐成。这部书稿真的一直在惊恐中写作,完成了一稿,不满意,再写,还不满意,又写了三稿,仍是不满意,在三稿上又修改了一次。这是我从来都没有过的现象,我不知道是年龄大了,精力不济,还是我江郎才尽,总是结不了稿,连家人都看着我可怜了,说:结束吧,结束吧,再改你就改傻了!我是差不多要傻了,难道人是土变的,身上的泥垢越搓越搓不净,书稿也是越改越这儿不是那儿不够吗?

　　写作的整个过程中,有一位朋友一直在关注着,我每写完一稿,他就拿去复印。那个小小的复印店,复印了四稿,每一稿都近八百页,他得到了一笔很好的收入,他就极热情,和我的朋友就都最早读这书稿。他们都来自农村,但都不是文学圈中的人,读得非常兴趣,跑来对我说:"你要树碑子,这是个大碑子啊!"他们的话当然给了我反复修改的信心,但终于放下了最后一稿的笔,坐在烟雾腾腾的书房里,我又一次怀疑我所写出的这些文字了。我的故乡是棣花街,我的故事是清风街,棣花街是月,清风街是水中月,棣花街是花,清风街是镜里花。但水中的月镜里的花依然是那些生老病离死,吃喝拉撒睡,这种密实的流年式的叙写,农村人或在农村生活过的人能进入,城里人能进入吗?陕西人能进入,外省人能进入吗?我不是不懂得也不是没写过戏剧性的情节,也不是陌生和拒绝那一种"有意味的形式",只因我写的是一堆鸡零狗碎的泼烦日子,它只能是这一种写法,这如同马腿的矫健是马为觅食跑出来的,鸟声的悦耳是鸟为求爱唱出来的。我唯一表现我的,是我在哪儿不经意地进入,如何地变换角色和控制节奏。在时尚于理念写作的今天,时尚于家族史诗写作的今天,我把浓茶倒在宜兴瓷碗里会不会被人看作是清水呢?穿一件土布袄去吃宴席会不会被耻笑为贫穷呢?如果慢慢去读,能理解我的迷惘和辛酸,可很多人习惯了翻着读,是否说"没意思"就撂到尘埃里去了呢?更可怕的,是那些先入为主的人,他要是一听说我又写了一本书,还不去读就要骂母猪生不下狮子,狗嘴里吐不出象牙。我早年在棣花街时,就遇着过一个因地畔纠纷与我家置了气的邻居妇女,她看我家什么都不顺眼,骂过我娘,也骂过我,连我家的鸡狗走路她都骂过。我久久地不敢把书稿交付给出版社,还是帮我复印的那个朋友给我鼓劲,他说:"真是傻呀你,一袋子粮食摆在街市上,讲究吃海鲜的人不光顾,要减肥的只吃蔬菜水果的人不光顾,总有吃米吃面的主儿吧?!"

但现在我倒担心起故乡人如何对待这本书了,既然张狂着要树一块碑子,他们肯让我树吗,认可这块碑子吗?清风街里的人人事事,棣花街上都能寻着根根蔓蔓,画鬼容易画人难,我不至于太没本事,要写老虎却写成了狗吧。再是,犯不犯忌讳呢?我是不懂政治的,但我怕政治。十几年前我写《商州初录》,有人就大加讨伐,说"调子灰暗,把农民的垢甲搓下来给农民看,甭说为人民写作,为社会主义写作,连'进步作家'都不如!"雨果说:人有石头,上帝有云。而如今还有没有这样的人呢?我知道,在我的故乡,有许多是做了的不一定说,说了的不一定做,但我是作家,作家是受苦与抨击的先知,作家职业的性质决定了他与现实社会可能要发生摩擦,却绝没企图和罪恶。我听说过甚至还亲眼目睹过,一个乡级干部对着县级领导,一个县级干部对着省级领导述职的时候,他们要说尽成绩,连虱子都长了双眼皮,当他们申报款项,却恓惶了还再恓惶,人在喝风屙屁,屁都没个屁味。树一块碑子,并不是在修一座祠堂,中国从来没有像今天这样渴望强大,人们从来没有像今天需要活得儒雅,我以清风街的故事为碑了,行将过去的棣花街,故乡啊,从此失去记忆。

（在写作过程中参考了《当代中国乡村治理与选举观察研究丛书》中的有关材料和数据,特在此说明并致谢。）

《浮躁》序言之一

这仍然是一本关于商州的书,但是我要特别声明:在这里所写到的商州,它已经不是地图上所标志的那一块行政区域划分的商州了,它是我虚构的商州,是我作为一个载体的商州,是我心中的商州。而我之所以还要沿用这两个字,那是我太爱我的故乡的缘故罢了。

我是太不愿意再听到有关对号入座的闲话。

在这本书里,我仅写了一条河上的故事,这条河我叫它州河。于我的设计中,商州是应该有这么一条河的,且这河又是商州唯一的大河。商州人称什么大的东西,总是喜欢以州来概括的,他们说"走州过县",那就指闯荡了许多大的世界,大凡能直接通往州里的公路,还一律称之为"官道",一座州城简直是满天下的最辉煌的中心圣地。

现在已经有许多人到商州去旅行考察,他们所带的指南是我以往的一些小说,却往往乘兴而去败兴而归,责骂我的欺骗。这全是心之不同而目之色异的原因,怨我是没有道理的。就说现在的州河虽然也是不真实的,但商州的河流多却是任何来人皆可体验的。这些河流几乎都发源于秦岭,后来都归于长江,但它们明显地不类同北方的河,亦不是所谓南方的河。古怪得不可捉摸,清明而又性情暴戾,四月五月冬月腊月枯时几乎断流,春秋二季了,却满河满沿不可一世,流速极紧,非一般人之见识和想象。若不枯不发之期,粗看似乎并无奇处,但主流道从不蹈一,走十里滚靠北岸,走十里倒贴南岸,故商州的河滩皆宽,"三十年河东,三十年河西"的成语在这里已经简化为一个符号"S"代替,阴阳师这么用,村里野叟孀妇孺没齿小儿也这么用。

　　因此,我的这条州河便是一条我认为全中国的最浮躁不安的河。浮躁当然不是州河的美德,但它是州河不同于别河的特点,这如同它翻洞过峡吼声价天喜欢悲壮声势一样,只说明它还太年轻,事实也正如此,州河毕竟是这条河流经商州地面的一段上游,它还要流过几个省,走上千里上万里的路往长江去,往大海去。它的前途是越走越深沉,越走越有力量的。

　　对于州河,我们不需要作过分的赞美,同时亦不需要作刻薄的指责,它经过了商州地面,是必由之路,更看好的是它现在流得无拘无束,流得随心所欲,以自己的存在流,以自己的经验流。

　　××年前,孔子说:逝者如斯夫。我总疑心,这先生是在作州河考。

1986年6月平凹识于五味什字巷

《浮躁》序言之二

下面的这段话原本是我作为跋的,现在却拉到前边来作又一个序,所以读者是可以先跳过去不看的。

老实说,这部作品我写了好长时间,先作废过十五万字,后又翻来覆去过三四遍,它让我吃了许多苦,倾注了我许多心血,我曾写到中卷的时候不止一次地窃笑:写《浮躁》,作者亦浮躁呀!但也就在写作的过程中,我由朦朦胧胧而渐渐清晰地悟到这一部作品将是我三十四岁之前的最大一部也是最后一部作品了,我再也不可能还要以这种框架来构写我的作品了。换句话说,这种流行的似乎严格的写实方法对我来讲将有些不那么适宜,甚至大有了那么一种束缚。

一位画家曾经对我评述过他自己的画:他力图追求一种简洁的风格,但他现在却必须将画面搞得很繁很实,在用减法之前而大用加法。我恐怕也是如此,必须先写完这部作品了,因为我的哲学意识太差,生活底气不足,技巧更是生涩,我必要先踏着别人的路子走,虽然这条路上已有成百上千的优秀作家将其了不起的作品放在了我的面前。于是,我是认真来写这部作品的,企图使它更多混茫,更多蕴藉,以总结我以前的创作,且更有一层意义是有意识在这一部作品里修我的性和练我的笔,扼制在写到一半时之所以心态浮躁正是想当文学家这个作祟的鬼欲望,而冲和、宽缓。可以说,我在战胜这部作品的同时也战胜了我。

我之所以要写这些话,作出一种不伦不类的可怜又近乎可耻的说明,因为我真有一种预感,自信我下一部作品可能会写好,可能全然不再是这部作品的模样。一个时代有一个时代的作品,我应该为其而努力。现在不是产生绝对权威的时候,政治上不可能再出现毛泽东,文学上也不可能再会有托尔斯泰了。中西的文化深层结构都在发生着各自的裂变,怎样写这个令人振奋又令人痛苦的裂变过程,我觉得这其中极有魅力,尤其作为中国的作家怎样把握自己民族文化的裂变,又如何在形式上不以西方人的那种焦点透视法而运用中国画的散点透视法来进行,那将是多有趣的试验!有趣才诱人着迷,劳作而心态平和,这才使我大了胆子想很快结束这部作品的工作去干一种自感受活的事。

我欣赏这样一段话:艺术家最高的目标在于表现他对人间宇宙的感应,发掘最动人的情趣,在存在之上建构他的意象世界。硬的和谐,苦涩的美感,艺术诞生于约束,死于自由。

但我还是衷心希望我的读者能热情地先读完这部作品。按商州人的风俗,人生到了三十六岁是一个大关,庆贺仪式犹如新生儿一般,而庆贺三十六岁却并不是在三十六岁那年而在三十五岁生日的那天。明年我将要"新生"了,所以我更企望我的读者与一个将要过去的我亲吻后而告别,等待着我的再见。

阿弥陀佛啊!

1986年7月平凹识于静虚村

《带灯》后记

进入六十岁的时候,我就不愿意别人说今年得给你过个大寿了;很丢人的,怎么就到六十了呢?生日那天,家人和朋友们已经在饭店订了宴席,就是不去,一个人躲在书房里喘息。其实逃避时间正是衰老的表现,我都觉得可笑了。于是,在母亲的遗像前叩头,感念着母亲给我的生命,说我并不是害怕衰老,只是不耐烦宴席上长久吃喝和顺嘴而出的祝词,况且我现在还茁壮,六十年里并没有做成一两件事情,还是留着八十九十时再庆贺吧。我又在佛前焚香,佛总是在转化我,把一只蛹变成了彩蝶,把一颗籽变出了大树,今年头发又掉了许多,露骨的牙也坏了两颗,那就快赐给我力量吧,我母亲在晚年时常梦见捡了一篮鸡蛋,我企望着让带灯活灵活现于纸上吧,补偿性地使我完成又一部作品。

整个夏天,我都在为《带灯》忙活。我是多么喜欢夏天啊,几十年来,我的每一部长篇作品几乎都是在冬天里酝酿,在夏天里完满,别人在脑子昏昏,脾气变坏,热的恨不得把皮剥下来凉快,我乐见草木旺盛,蚊虫飞舞,意气纵横地在写作中欢悦。这一点,我很骄傲,自诩这不是冬虫夏草吗,冬天里眠得像一条虫,夏天里却是绿草,并开出一朵花了。

这一本《带灯》仍是关于中国农村的,更是当下农村发生着的人事。我这一生可能大部分作品都是要给农村写的,想想,或许这是我的命,土命,或许是农村选择了我,似乎听到了一种声音:那么大的地和地里长满了荒草,让贾家的儿子去耕犁吧。于是,不写作的时候我穿着人衣,写作时我披了牛皮。记得当年父亲告诉我,他十多岁在西安考学,考过还没张榜时流浪街头,一老人介绍他去一个地方可以有饭吃,到了那个地方,却是八路军驻西安办事处,要送他去延安当兵。我父亲的观念里当兵不好,而且国民党整天宣传延安是共产党的集聚地,共产党是土匪,他就没有去。我埋怨父亲,你要去了,你就是无产阶级革命家了,我也成高干子弟了。父亲还讲,他考上了学又毕业后,在西安教书,那时五袋洋面可以买一小院房的,他差不多要买了,西安开始解放,城里响了枪声,他就跑回了老家丹凤。我当然又埋怨:唉,你要不跑,我就不是城里人吗,又何苦让我挣扎了十九年后才做了城里人!当我在农村时,我的境遇糟透了,父亲有了历史问题,母亲害病,我又没力气,报名参军当兵呀,体检的人拿着玻璃棍儿把我身子所有部位都戳着看了,结果没有当成,第二年又招地质工人,去报名,当天晚上村支书就在报名册上把我的名字划掉了,隔了一年又招养路工,就是拿着锨在公路边的水渠里铲沙土垫路面的坑坑洼洼,人家还是不要我,后来招当民办教师也没选上,再后一个民办女教师要生孩子呀,需要个代理的,那次希望最大,我已经去修理了一支钢笔,却仍是让邻村的另一人掉了包。那段日子,几次大正午的在犁过的稻田里犯蒙,不辨了方向,转来转去寻不到田埂,村里人都说那是鬼迷糊了,让我顶着簸箕,拿桃木条子打着驱鬼。十几年后提起这些往事,有长者说:这一切都在为你当作家写农村创造条件呀,如赶羊,所有的岔道都堵了,就让羊顺着一条道儿往沟脑去么!我想也是。

在陕西作家协会的一次会上,我作过这样的发言:如果陕西还算中国文学的一个重镇吧,主要是出了一批写农村题材的作家,这些作家又大多数来自于农村,本身就是农民,后经提拔,户口转到城里,由业余写作变为专业作家的。但是,现在的情况完全变了,农村也不是昔日的农村,如果再走像老一批作家那样的路子,已没条件了,应该多鼓励年轻的作家拓宽思路,写更广泛的题材。我这么说着,但我还得写农村,一茬作家有一茬作家的使命,我是被定型了的品种,已经是苜蓿,开着紫色花,无法让它开出玫瑰。

几十年的习惯了,只要没有重要的会,家事又走得开,我就会邀二三朋友去农村跑动,说不清的一种牵挂,是那里的人,还是那里的山水?在那里不需要穿正装,用不着应酬,在一根绳索上,我愿意到那儿脚就到那儿,饭时了随便去个农户恳求给做一顿饭,天黑了见着旅馆就敲门。一年一年地去,农村里的年轻人越来越少,男的女的,聪明的和蠢笨的差不多都要进城去,他们很少有在城里真正讨上好日子,但只要还混得每日能吃两碗面条,他们就在城里漂呀,死也要做那里的鬼。而农村的四季,转换亦不那么冷暖分明了,牲口消失,农具减少,房舍破败,邻里陌生,一切颜色都褪了,山是残山水是剩水,只有狗的叫声如雷。我仍是要往农村里跑,真的如蝴蝶是花的鬼魂总去土丘的草丛。就在前年,我去陕西南部,走了七八个县城和十几个村镇,又去关中平原北部一带,再是去了一趟甘肃的定西。收获总是大的,当然这并不是指创作而言,如果纯粹为了创作而跑动那就显得小气而不自在,春天的到来哪里仅仅见麦苗拔节,地气涌动,万物复苏,土里有各种各样颜色呈现了草木花卉和庄稼。就在不久,我结识了山区一位乡镇干部,她是不知从哪儿获得了我的手机号,先是给我发短信,我以为她是一位业余作者,给她复了信,她却接二连三地又给我发信。要是平常,我简直要烦了,但她写的短信极好,这让我惊讶不已,我竟盼着她的信来,并决定山高路远地去看看她和生她养她的地方。我真的是去了,就在大山深处,她是个乡政府干部,具体在综治办工作。如果草木是大山灵性的外泄,她就该是崖头的一株灵芝,太聪慧了,她并不是文学青年,没有读更多的书,没有人能与她交流形成的文学环境,综治办的工作又繁忙泼烦,但她的文学感觉和文笔是那么好,令我相信了天才。在那深山的日子里,她是个滔滔不绝的倾诉者,我是个忠实的倾听人,使我了解了另一样的生活和工作。她又领着我走村串寨,去给那特困户办低保,也去堵截和训斥上访人,她能拽着牛尾巴上山,采到山花了,把一朵别在头上,买土蜂蜜,摘山果子,她跑累了,说你坐在这儿看风景吧,我去打个盹,她跑到一草窝里蜷身而卧就睡着了,我远远地看着她,她那衫子上的花的图案里花全活了,从身子上长上来在风中摇曳鲜艳。从她那儿的深山里回来不久,我又回了一趟我的老家,老家正在修了一条铁路又修高速公路,还有一座大的工厂被引进落户,而也发生了一场为在河里淘沙惹起的特大恶性群殴事件,死亡和伤残了好多人,这些人我都认识,自然我会走动双方家庭协助处理着遗留问题,在村口路旁与众人议论起来就感慨万千,唏嘘不已。事情远还没有结束,那

江湖久别乍漂泊 若狐独欲归不地 地对不典 人世同卷白添寂意 倒剑冷逼 秋风兵传 何厭历穿鱼停冰峰

戊子 李白书古诗

大水歌 乙酉 丰四

个在大深山里的乡政府干部,我们已经是朋友了,每天都给我发信,每次信都是几百字或上千字,谈其工作和生活,谈其追求和向往,似乎什么都不避讳,欢乐、悲伤、愤怒、苦闷,如我在老家的那个侄女,给你嘎嘎地抖着身子笑得没死没活了,又破口大骂那走路偷吃路边禾苗的牛和那长着黄瓜嘴就是不肯吃食的猪。她竟然定期给我寄东西,比如五味子果、鲜茵陈、核桃、蜂蜜,还有一包又一包乡政府下发给村寨的文件、通知、报表、工作规划、上访材料、救灾名册、领导讲稿,有一次可能是疏忽了吧,文件里还夹了一份她因工作失误而新写的检查草稿。

当我在看电视里的西安天气预报时,不知不觉地也关心了那个深山地区的天气预报,就是从那时,我冲动了写《带灯》。

在写《带灯》过程,也是我整理我自己的过程。不能说我对农村不熟悉,我认为已经太熟悉,即便在西安的街道看到两旁的村和一些小区门前的竖着的石头,我一眼便认得哪棵树是从农村移栽的,哪块石头是关中河道里的,哪块石头来自陕南的沟山谷。可我通过写《带灯》进一步了解了中国农村,尤其深入了乡镇政府,知道着那里的生存状态和生存者的精神状态。我的心情不好。可以说社会基层有太多的问题,就如书中的带灯所说,它像陈年的蜘蛛网,却哪儿都落灰尘。这些问题不是各级组织不知道,都知道,都在努力解决,可有些能解决了,有些无法解决,有些无法解决了就学猫刨土掩屎,或者见怪不怪,熟视无睹,自己把自己眼睛闭上了什么都没有发生吧,结果一边解决着一边又大量积压,体制的问题,道德的问题,法制的问题,信仰的问题,政治生态问题和环境生态问题,一颗麻疹出来了去搔,逗得一片麻疹出来,搔破了全成了麻子。这种想法令一些朋友嘲笑,说你干啥的就是干啥的,自己卖着蒸馍却想别人盖楼。我说:不能女娲补天,也得杞人忧天么,或许我是共产党员吧。那年四川大地震后十多天里,我睡在床上总觉得床动,走在路上总觉得路面发软,害怕着地震,却又盼望余震快来,惶惶不可终日。

正因为社会基层的问题太多,你才尊重了在乡镇政府工作的人,上边的任何政策、禁令、任务、指示全集中在他们那儿要完成,完不成就受责挨训被罚,各个系统的上级部门都说他们要抓的事情重要,文件、通知雪片似地飞来,他们只有两双手呀,两双手仅十个指头。而他们又能解决什么呢,手里只有风油精,头疼了抹一点,脚疼了也抹一点。他们面对是农民,怨恨像污水一样泼向他们。这种工作职能决定了它与社会摩擦的危险性。在我接触过的乡镇干部中,你同情着他们地位低下,工资微薄,喝恶水,受气挨骂,但他们也慢慢地扭曲了,弄虚作假,巴结上司,极力要跳出乡镇,由科级升迁副处,或到县城去寻个轻省岗位,而下乡到村寨了,却能喝酒,能吃鸡,张口骂人,脾气暴戾。所以,我才觉得带灯可敬可亲,她是高贵的智慧的,环境的逼仄才使她的想象无涯啊!我们可恨着那些贪官污吏,但又想,房子是砖瓦土坯所建,必有大梁和柱子,这些人天生为天下而生,为天下而想,自然不会去为自己的私欲而积财盗名好色和轻薄敷衍,这些人就是江山社稷的脊梁,就是民族的精英。

地藏菩萨说:地狱不空,誓不为佛。现在地藏菩萨依然还在做菩萨,我从庙里请回来一尊,给它献花供水焚香。以前从来没有注意过土地神,印象里胡子那么长个头那么小,一股烟一冒就从地里钻出来,而现在觉得它是神,了不起的神,最亲近的神,从文物市场上买回来一尊,不,也是请回来的,在它的香炉里放了五色粮食。

认识了带灯,了解了带灯,带灯给了我太多的兴奋和喜悦,也给了我太多的悲愤和忧伤,而我要写的《带灯》却一定是文学的,这就使我在动笔之前煎熬了很长一段时间的酝酿。我之前不大理会酝酿这个词,当我与一位八零后的女青年闲谈时,问她昨天晚上怎么没参加一个聚会呢?她说:我睡眠不好,九点钟就要酝酿睡觉了。我问:酝酿睡觉?怎么个酝酿?!她说:我得洗澡,洗完澡听音乐,音乐听着去泡一杯咖啡,然后看书,一边喝咖啡一边看书,看着看着我就困了,闭上眼就轻轻走向床,躺在那里才睡着了。酝酿还要做那么多的程序,在写《带灯》时我就学着她的样,也做了许多工作。

我做的工作之一是摊开了关于《带灯》的那么多的材料,思索着书中的带灯应该生长个什么模样呢,她是怎样的品格和面目而区别于以前的《秦腔》、《高兴》、《古炉》,甚或更早的《废都》、《浮躁》、《高老庄》?好心的朋友知道我要写《带灯》了,说:写了那么多了,怎么还写?是呀,我是写了那么多还要写,是证明我还能写吗,是要进一步以丰富而满足虚荣吗?我在审问着自己的时候,另一种声音在呢喃着,我以为是我家的狗,后来看见窗子开了道缝,又以为是挤进来的风,似乎那声音在说:写了几十年了,你也年纪大了,如果还要写,你就要为了你,为了中国当代文学去突破和提升。我吓得一身的冷汗,我说:这怎么可能呢,这不是要夺掉我手中的笔吗?那个声音又响:那你还浪费什么纸张呢?去抱你家的外孙吧!我说:可我丢不下笔,笔已经是我的手了,我能把手剁了吗?那声音最后说了一句:突破那么一点点提高那么一点点也不行吗?那时我突然想到一位诗人的话:白云开口说话,你的天空就下雨了。我伏在书桌上痛哭。

这件事或许是一种幻觉,却真实地发生过,我的自信受到严重打击,关于《带灯》的一大堆材料又打包搁置起来。过了春节,接着又生病住院,半年过后,心总不甘,死灰复燃,再次打开关于《带灯》的一大堆材料,我说:不写东西我还能做什么呢,让我试试,我没能力做到我可以在心里向往啊。看见了那么个好东西,能偷到手的是贼,惦记着也是贼么。

于是,我又做了另一件工作。其实也是在琢磨。

我琢磨的是,已经好多年了,所到之处,看到和听到的一种现象:越来越多的人在写作,在纸质材料上写,在电脑网络上写,作品数量如海潮涌来,但社会的舆论中却越来越多的哀叹文学出现了困境,前所未有的困境。这到底是怎么回事呢?文学出现了前所未有的困境,其实是社会出现了困境,是人类出现了困境。这种困境早已出现,只是我们还在封闭的环境里仅仅为着生存挣扎时未能顾及到,而我们的文学也就自愉自慰自乐着。当改革开放国家开始强盛人民开始富裕后,才举头四顾知道了海阔天空,而社会发展又出现了瓶颈,改革亟待进一步深化,再看我们的文学是那样的尴尬和无奈。我们差不多学会了一句话:作品要有现代意识。那么,现代意识到底是什么呢?对于当下中国的作家又怎么在写作中体现和完成呢?现代意识也就是人类意识,而地球上大多数的人所思所想的是什么,我们应该顺着潮流去才是。美国是全球最强大的国家,他们的强大使他们自信,他们当然要保护他们的国家利益,但不能不承认他们仍在考虑着人类的出路,他们有这种意识,所以他们四处干涉和指点,到南极,到火星,于是他们的文学也多有未来的题材,多有地球毁灭和重找人类栖身地的题材。而我们呢,因为贫穷先关心着吃穿住行的生存问题,久久以来,导致着我们的文学都是现实问题的题材,或是增加自己的虚荣,去回忆祖先曾经的光荣与骄傲。我们的文学多是历史的现实的内容,这对不对呢?是对的,而且以后的很长时间里可能还得写这些。当一个人在饥饿的时候盼望的是得到面包,而不是盼望神从天而降,即便盼望神从天而降那也是盼望拿着面包而来。但是,到了今日,我们的文学虽然还在关注着叙写着现实和历史,又怎样才具有现代意识、人类意识呢?我们的眼睛就得朝着人类最先进的方面注目,当然不是说我们同样去写地球面临的毁灭,人类寻找新家园的作品,这恐怕我们也写不好,却能做到的是清醒,正视和解决哪些问题是我们通往人类最先进方面的障碍。比如在民族的性情上,怎样不再卑情和暴戾,怎样不再虚妄和阴暗,怎样才真正的公平和富裕,怎样能活得尊严和自在。只有这样做了,这就是我们提供的中国经验,我们的生存和文学也将是远景大光明,对人类和世界文学的贡献也将是特殊的声响和色彩。

我从来身体不好,我的体育活动就是热情地观看电视转播的所有体育比赛。在终于开笔写起《带灯》，逢着欧冠杯，当我一场一场欣赏着巴塞罗那队的足球，突然有一天想：哈，他们的踢法是不是和我《秦腔》、《古炉》的写法近似呢？啊，是近似的。传统的踢法里，这得有后卫、中场、前锋，讲究的三条线如何保持距离，中场特别要腰硬，前锋得边路传中，等等等等。巴塞罗那则是所有人都是防守者和进攻者，进攻时就不停地传球倒脚，繁琐、细密而眼花缭乱地华丽，一切都在耐烦着显得毫不经意了，突然球就踢入网中。这样的消解了传统的阵型和战术的踢法，不就是不倚重故事和情节的写作吗？那繁琐细密的传球倒脚不就是写作中靠细节推进吗？我是那样地惊喜和兴奋。和我一同看球的是一个搞批评的朋友，他总是不认可我《秦腔》、《古炉》的写法，我说：你瞧呀，瞧呀，他们又进球了！他们不是总能进球吗？！

《秦腔》、《古炉》是那一种写法，《带灯》我却不想再那样写了，《带灯》是不适那种写法，我也得变变，不能在一棵树上吊死。那怎么写呢？其实我总有一种感觉，就是你写得时间长了，又淫浸其中，你总能寻到一种适合于你要写的内容的写法，如冬天必然寻到棉衣毛裤，夏天必然寻到短裤 T 恤，你的笔是握自己手里，却老觉得有什么力量在掌控了你的胳膊。几十年以来，我喜欢着明清以至三十年代的文学语言，它清新、灵动、疏淡、幽默、有韵致。我模仿着，借鉴着，后来似乎也有些像模像样了。而到了这般年纪，心性变了，却兴趣了中国两汉时期那种史的文章的风格，它没有那么多的灵动和蕴藉、委婉和华丽，但它沉而不糜，厚而简约，用意直白，下笔肯定，以真准震撼，以尖锐敲击。何况我是陕西南部人，生我养我的地方属秦头楚尾,我的品种里有柔的成分,有秀的基因,而我长期以来爱好着明清的文字,不免有些轻的佻的油的滑的一种玩的迹象出来,我令我真的警觉。我得有意地学习两汉品格了,使自己向海风山骨靠近。可这稍微地转身时关关节节都在响动,只好转一点,停下来,再转一点,停下来,我感叹地说:哪里能买到文学上的大力丸呢?

就在《带灯》写到一半,天津的一个文友来到了西安,她见了我说:怎么还写呀?我说:鸡不下蛋它憋啊!她返回天津后在报上写了关于我的一篇文章,其中写到我名字里的凹字,倒对我有了启发。以前有人说这个凹字,说是谷是盆是坑是砚是元宝,她却说是火山口。她这说得有趣,并不是她在夸我了我才说有趣,觉得可以从各个角度去理解火山口。社会是火山口,创作是火山口。火山口是曾经喷发过熔岩后留下的出口,它平日静寂的,没有树,没有草,更没有花,飞鸟走兽也不临近,但它只要是活的,内心一直在汹涌,在突奔,随时又会发生新的喷发。我常常有些迷信,生活中总以什么暗示着而求得给予自己自信和力量,看到文友的文章后,我将一个巨大的多年前购置的自然凹石摆在了桌上,它几乎占满了整个桌面。我是以它像个凹字而购置的,现在我将它看作了火山口敬供,但愿我的写作能如此。

带灯说,天热得像是把人拎起来拧水,这个夏天里写完了《带灯》。稿子交给了别人去复印,又托付别人将它送去杂志社和出版社,我就再不理会这个文学的带灯长成什么样子,腿长不长,能否跑远,有没有翅,是鸡翅还是鹰翅,飞得高吗?我全不管了,抽身而去农村了。我希望这一段隐在农村,恢复我农民的本性,吃五谷,喝泉水,吸农村的地气,晒农村的太阳,等待新的写作欲望的冲动,让天使和魔鬼再一次敲门。

这是一个人到了既喜欢《离骚》,又必须谈《山海经》的年纪了,我想要日月平顺,每晚如带灯一样关心着中央电视台的《新闻联播》和《天气预报》,咀嚼着天气就是天意的道理,看人间的万千变化。

王静安说:且自簪花,坐赏镜中人。

2012 年 8 月 14 日

《怀念狼》后记

一九九八年的六月我写完了《高老庄》,在后记中说:这可能是我本世纪里最后的一部长篇了。此话倒真言中。这一部《怀念狼》,还在写《高老庄》时就谋划于心,原本可以在一九九九年即可写出,却偏偏不能完成,一会儿是这样的事缠身,一会儿又是那样的事耽搁,并且写了作废,废了再写,就是让你在两千年里不得脱稿。可见人的一生写多少文字,什么时候写什么,都不是以人的意志所转移的。别人或许说这是宿命论,唯心主义,但我却有许多体会。我的爱好比较广泛,其中之一是收藏秦、汉、唐年间的陶罐,往往得到一件东西,很快地,必会有同样大小、色泽的另一件东西再得到,以物能引物,我就守株待兔,藏品也日渐丰富。干什么行当干得久了,说本行当的话时,似乎口里总有毒的,上至皇帝的教训是口中不敢有戏言,下至樵夫,上山绝对噤口"滚了"的话。我自以为文章是天地间的事,不敢随便地糟蹋纸和字,更认为能不能写成,写成个什么样儿,不是强为的。文学不是以时代的推移而论高低、优劣,也与作家的年龄大小无关,曹禺二十多岁写成了《雷雨》,张爱玲一出道就完成了她的文学成熟。有的人十年才磨一剑,有的人倚马千言,不可一概而论。各地有各地特产,比如贵州的酒,云南的烟,山西的醋,嗜酒者当然推崇贵州,但绝不必要认定贵州是人间天堂。

想到了一位画家,是西方的莫兰迪,有文章说他几十年在意大利的小镇上面对了几个罐子作画,画出了了不起的成就,遂也检点起我在《高老庄》写作中的一些困惑。十年前,我写过一组超短小说《太白山记》,第一回试图以实写虚,即把一种意识,以实景写出来,以后的十年里,我热衷于意象,总想使小说有多义性,或者说使现实生活进入诗意,或者说如火对于焰,如珠玉对于宝气的形而下与形而上的结合。但我苦恼于寻不着出路,即便有了出路处理得是那么生硬甚或强加的痕迹明显,使原本的想法不能顺利地进入读者眼中心中,发生了忽略不管或严重的误解。《怀念狼》里,我再次做我的试验,局部的意象已不为我看重了,而是直接将情节处理成意象。这样的试验能不能产生预想的结果,我暂且不知,但写作中使我产生了快慰却是真的。如果说,以前小说企图在一棵树上用水泥做它的某一枝干来造型,那么,现在我一定是一棵树就是一棵树,它的水分通过脉络传递到每一枝干每一叶片,让树整体的本身赋形。面对着要写的人与事,以物观物,使万物的本质得到具现。画家贾克梅第是讲过他的一个故事,当他在一九二五年终于放弃了只是关注实体之确"有"的传统写实主义绘画后,他尝试了所有的方法,直至那个"早上当我醒过来,房子里有一张椅子搭着一条毛巾,但我却吓出了一身冷汗。因为椅子和毛巾完全失去了重量,毛巾并不是压在椅子上,椅子也没有压在地板上",如隔着透明的水看着了水中的世界。他的故事让我再一次觉悟了老子关于容器和窗的解释,物象作为客观事物而存在着,存在的本质意义是以它们的有用性显现的,而它们的有用性正是由它们的空无的空间来决定的,存在成为无的形象,无成为存在的根据。但是,当写作以整体来作为意象而处理时,则需要用具体的物事,也就是生活的流程来完成。生活有它自我流动的规律,日子一日复一日地过下去,顺利或困难都要过去,这就是生活的本身,所以它混沌又鲜活。如此越写得实,越生活化,越是虚,越具有意象。以实写虚,体无证有,这正是我把《怀念狼》终于写完的兴趣所在啊。

在《高老庄》的后记里,我主要谈了作品之中文字之外的写作人传达出的精神,现在我们十分看重它。当今的中国文学,不关注社会和现实是不可能的,诚然关注社会和现实不一定只写现实生活题材,而即使写了现实生活并不一定就是现实主义。二十世纪末,或许二十一世纪初,形式的探索仍可能是很流行的事,我的看法这种探索应建立于新汉语文学的基础上,汉语文学有着它的民族性,即独特于西方人的思维和美学。诚然美国及西方的文化风靡,或许有一日全球统一化,但这一日对于中国来说毕竟不是短的日子。

《怀念狼》彻底不是我以前写熟了的题材,写法上也有了改变,我估计它会让一些人读着不适应,或者说兴趣不大。可它必须是我要写的一部书。写作在于自娱和娱人,自娱当然有我的存在,娱人而不是去迎合,包括政治的也包括世俗的。

新的世纪里,文坛毕竟是更年轻的作家的舞台,我老了,可我并不感觉过气。《怀念狼》是我新千年里的第一本书,在即将脱稿的时候,到处是庆典的活动,有记者来采访,需要我谈谈感想,我并未因逢上了两千年而欢喜若狂,我说,什么节日似乎与我都没多大的干系,作为一个作家,我就像农民,耕地播种长了庄稼,庄稼熟了就收获,收获了又耕地播种,长了庄稼又收获,年复一年,月复一月,日复一日吧。写完了《怀念狼》,下来肯定又得去充电去谋划去写作了,只祈望着在以后的岁月里,杂事少些,疾病少些,自在多些。

2000 年 1 月 16 日

《土门》后记

西安城里有一片街市叫土门。

我给人炫耀:只有西安城里才有这样的地名,这地名多好!但我却说不清土是什么,门是什么,这如我本身就是人,又生活在人群中,却从来解释不清人是什么一样。

于是我翻《现代汉语词典》。第一一六三页写道:土。tǔ①土壤;泥土:黄~/黏~/~山/~坡/~堆。②土地:国~/领~。③本地的;地方性的:~产/~风/~气/~话/这个字眼太~,外地人不好懂。④指我国民间沿用的生产技术和有关的设备、产品、人员等(区别于"洋"):~法/~高炉/~专家/~洋并举。⑤不合潮流;不开通:~里~气/~头~脑。⑥未熬制的鸦片:烟~。⑦(Tǔ)姓。

第七七五页写道:

门。mén①房屋、车船或用围墙、篱笆围起来的地方的出入口:前~/屋~/送货上~。②装置在上述出入口,能开关的障碍物,多用木料或金属材料做成:铁~/栅栏~儿/两扇红漆大~。③(~儿)器物可以开关的部门:柜~儿/炉~儿。④形状或作用像门的:电~/水~/气~/闸~。⑤(~儿)门径:窍~/炼钢的活儿我也摸着点~儿了。⑥旧时指封建家族或家族的一支,现在指一般的家庭:满~/双喜临~/张~王氏/长~长子。⑦宗教、学术思想上

263

的派别:儒~/佛~/左道旁~。⑧传统指称跟师傅有关的:拜~/同~/~徒。⑨一般事物的分类:分~别类/五花八~。⑩生物学中把具有最基本最显著的共同特征的生物分为若干群,每一群叫一门,如原生动物门、裸子植物门等。门以下为纲。⑪压宝时下赌注的位置名称,也用来表示赌博者的位置,有"天门""青龙"等名目。⑫量词。a)用于炮:一~大炮。b)用于功课、技术等:三~功课/两~技术。⑬(Mén)姓。

土与地是一个词,地与天做对应,天为阳为雄,地为阴为雌。《现代汉语词典》上这么详细地解释过了,将土和门组合起,我也明白了《道德经》为什么说"玄之又玄,众妙之门"的话。

我喜欢土门这片街市,一是因为我出生在乡下,是十九岁后从乡下来到西安城里的。乡下人要劳作,饭菜不好,经见又少,相貌粗糙,我进城二十多年了还常常被一些城里人讥笑。他们不承认我是城市人,就像他们总认为毛泽东是农民一样,似乎城市是他们的,是他们祖先的。但查一查他们的历史,他们只是父亲辈,最多是爷爷辈才从乡下到城的。所以,我进城后加紧着要生孩子,我想我孩子就可以正儿八经地做城里人了。第二个原因,是他们不承认我是城里人,我也不同他们论这个名分,但我毕竟不在土地上耕作已是二十多年了。在这么大的一座现代化城市里竟有街市叫土门,真够勇敢,也有诗意,我又是有着玩弄文字欲的作家,就油然而生亲切感了。

这一个夏天,西安特别热,其实西安已经热了好几个夏天了。过去一年中有四季,现在冬天一完就是夏天,夏天一过又是冬天。

人进入四十五岁,光阴如流水,这年轮也转快了。我没有春秋的衣服,要么羽绒衣从头到脚把自己裹得严严的只拿眼睛看世界,要么剥个三分之二精光,留三分之一的短裤,把大肚子和细胳膊细腿让世上看。冬天可能使人也去蛰伏的,冬天我不写文章,我老实在家待着,将一副弘一字体的对联贴在门上,拟的是:有茶清待客,无事乱翻书。夏天里我就写作呀,《浮躁》是夏天写的,《废都》是夏天写的,《白夜》是夏天写的,今夏里就写《土门》! 知道我德性的人说我是:在生活里胆怯,卑微,伏低伏小;在作品里却放肆,自在,爬高涉险,是个矛盾人。想一想,也是的,活到现在是四十四年,从事写作是二十一年,文章总是毁誉不休,自己却常能渡过厄境。为什么来着? 人活在世上的作用不同,像一窝蜂,有工蜂,有兵蜂,也有蜂王,专吃最好的蜜浆,我恐怕命定的就是文人。既然是文人,写文章的规律是要张扬升腾,当然是老虎在山上就发凶发威,而不写文章了,人就是凤凰落架,必定不如鸡的。路遥在世的时候,批点过我的名字,说平字形如阳具,凹字形如阴器,是阴阳交合体。他是爱戏谑我的一位朋友,可名字里边有阴阳该能相济,为何常年忙着生病,是国内著名的病人? 我只是在当今气候变了,四季成了两季,于不适应中求得适应罢了。文人如果不热衷于奔走政治权贵的门庭,又不肯钻在象牙塔里制作技巧,要在作品里得大自在。活人就得要能受亏,我患肝病十余年了,许多比我病得轻的人都死去了,我还活着,且渐渐健康,我秘而不宣的医疗法就是转毁为缘,口不臧否人物,多给他人做好事。

在夏天里写《土门》,我自然是常出没于土门街市。或者坐出租车去,坐五站,正好十元。或者骑了自行车,我就哼曲儿,曲儿非常好听,可惜我不会记谱,好曲子就如月光泻地,收不回来了。土门街市上百业俱全,我在那里看绸布,看茶纸,看菜馆,看国药,看酱酒,香烛,水果,铜器,服饰,青菜,漆作裱画命课缝纫灯笼雨伞镶牙修脚。看男人和女人。在小茶楼里看谈生意,领小姐,也红了脸打架。楼窗外边是十字路口的大圆盘,车在那里兜圈子,人在车间穿梭而行,想到那里是水的旋涡,咕咚,人和车,就要掉进去。土门为什么叫土门,历史的沿革里是当年的城乡结合部呢,还是老城里的四面门以外又多了一门?土门有门门扇却闭着,我想推门进去。

写《土门》有缘就有了一片街叫土门,写累了就逛土门,逛了土门再回来写《土门》。我写作的时候有点像林彪,窗户要拉上窗帘,不要风扇,也不要空调。有龙井,有面条,有烟抽,摘掉电话,内锁房门,写自己愿意写的事,这是多么愉快的事!每日除了逛土门,从早上可以写到晚,屋里只有上帝,上帝就是我,统治我的小说世界的一个是耶稣,一个是魔鬼。

远方的一位女性又来了信,我不知道她长得如何,她也没有写过详细地址,两年来她对我一直是个神秘的人物,她说她总在关注着我,但不要问她是谁,她会在某一天突然而至的。她的署名叫奥娘。奥娘,怪怪的又多有味的名字!奥娘的来信只是问候这个夏天的我,她的信的到来却对我是多大的吉祥啊,因为这一天我终于写完了《土门》。我打开了窗子,屋里的烟雾从我身边往外飘,外边是红阳一片。我望着我开窗放出的野云,说:"奥娘,你瞧这个夏天是多么灿烂啊!"

这时候,有人在敲门。谁在敲我的门呢?

1996 年 6 月 30 日夜

《病相报告》后记

一、一个老头

十八年前我在陕南山区采风时伤风感冒,去一个卫生站注射柴胡,患上了乙肝——事后晓得注射柴胡的那个针头扎进过十多个人的屁股,每扎过一次只用酒精棉球擦拭一下——从此,在中国的文坛上我成了著名的病人。乙肝是一种可怕的慢性病,它使我住过了西安市内差不多的大的医院,身体常年是蔫蔫的,更大的压迫是社会的偏见,住院期间你被铁栅栏圈着与外界隔离,铁栅栏每日还让护士用消毒水洒过,出院了你仍被别人警惕着身体的接触,不吃你的东西,远远地站住和你打招呼(乙肝病人是人群中的另类,他们惺惺惜惺惺,所以当社会上形成了以友为名的关系网,如战友网、学友网、乡友网,也有了病友网。而病友网总是曾经的乙肝患者)。我曾经写过《人病》一文,疑惑着到底是我病了还是人们都在病了?以此也想着许多问题,比如什么是病呢,嗜好是不是一种病,偏激是不是一种病,还有吝啬、嫉妒、贪婪、爱情……

爱情更是一种病。

我之所以这么认为是我出院后在某一个疗养地认识了一位老

头。老头当时已七十岁了,是个知识分子,满肚子的才学,我向他请教有关哲学和文学的问题,他显得十分正大,不能不让我高山仰止。但是,他除了要写作一部革命回忆录外(据说那部革命回忆录始终未能完成),每日要做两种功课,一是锻炼身体,把胳膊攀在树枝上,双腿蜷起,像吊死鬼虫一样荡来荡去;二是给远方的情人写信。一个年龄老朽的人如此狂热爱情,这已经是公开的秘密,大家都不避讳,而且故意逗他,老头那一刻纯真如儿童,脸颊红红的,眼睛放光,说一些很幼稚可笑的话。老头的两种不同的表现令我非常吃惊,我产生了强烈的要了解他的欲望,我几乎每晚都去他的房间,我们一边用蒲扇拍打着叮在腿上的蚊子一边谈黑格尔和《恶之花》,谈着谈着就谈到了他的青年时代和中年时代,他的青年和中年是参加过革命与革命革过他的命的经历,他的爱情就贯穿其中。我原以为可以将他为模特写一个美丽而有些滑稽的故事的,但越是了解了他我却不敢触及了,甚至在相处的日子再不戏谑他写情书的行为。老头不是一个坚定的革命党人,这令我们感到些许遗憾,或许是他的性格所致(知识分子是我们民族历来的精英阶层,但它绝不是个个都是精英,以我所见,他们有着严重的人格缺陷,乏于独立),但是,老头却是活得最真实的人,尤其到了晚年。老头用他一生的苦难完成着一个凄美的爱情故事,这故事对于写书人和读书人或许是一桩幸事,对于老头自己却未免残酷。这如同一头牛耕犁驮运了一生死在了田头和磨道,农人剥下了皮蒙了大鼓而欢庆丰收的喜悦。我想,起码等老头下世后再写吧,老头却一年一年活下来,他健康地活着,我越发觉得我做作家的无耻,这和那些一旦有了某画家的作品就等待着某画家立即死去而准备着高价售画的收藏者有什么不同!

老头的故事就这样一放十数年地搁置了下来。

现在,我与老头完全失去联系,听说他搬迁到了另一个城市,算起来年龄已近九十,可能是不在了人世,而在提笔要写他的故事时,更重要的是我也近五十,体证到了自己活着何尝不也是完成一种痛苦呢?生的目的是为了死,而生的过程中老头拥有了刻骨铭心的爱,而我们又有什么呢?当我终于动手写这个故事了,我把故事的梗概讲给一些朋友听,他们是劝我不要去写的:目下的时代哪里还有爱呢?老头的故事只能显出艺术上的不真实。我有些心不甘,特意去了迪厅,抓回来了我认识的诸位时兴的小女人(我的出现使欢蹦如虫子的舞者都驻足侧目,他们很少见过有如此老的人进入这种场合),并特意接触了一些单身贵族,他们可以随时将女人带回家来,事毕了,抽二张三张纸币塞在女人的口袋让其走人。这些人听我讲述老人的故事,眼圈却红了,哀叹起这个时代再不赋予他们的爱了。他们在哀叹,我想,是真实的。过去的年代爱是难以做的,现在的做却难以有爱,纯真的爱情在冰与火的煎熬下实现着崇高,它似乎生于约束死于自由。

与其说我在写老头的爱情,不如说我在写老头有病,与其说写老头病了,不如说社会沉疴已久。

二、复杂的故事

不管有多少人请著名的书法家写"宁静淡泊",悬挂于墙上,压在桌面玻璃下,但肯定是再也出现不了一个陶渊明了。现今的文坛,许多作品标榜着现实主义,实际上写满了现实的回避。那个老头,即便已经去世,他起码活到了九十余岁,他经的事情太多,活出了境界,他应该是一位神仙,我却无力将他写得精粹。在写作的过程中我常常想到这样的问题:李商隐的爱情诗,他的原意是否就是我们现在所理解和诠释的那样?真正的爱情诗它绝不是空泛的,肯定有秘密的心结,是写给自己或最多是另一个人。可李商隐是写给谁的,其中有什么凄苦的故事,我们不知道,我们只欣赏"春蚕到死丝方尽,蜡炬成灰泪始干"句子很美。六月的荷塘里我们看到的是冰清玉洁的莲,我们看不到深水下边的污泥和污泥中的藕。有时也想,梁山伯祝英台的爱情是中国最经典的了,但故事却是那么的简单!这或许是古人的生活很简单,讲的故事也简单,而现在是不能了,现在的人活得太琐碎,任何事情都十分复杂。复杂阻碍于故事的流传,可我无能为力。我企图把《病相报告》写得短而又短,或者是一个短篇,或者是一个中篇,但糟糕的是提纲就起草了十多页,我们习惯了要所谓的深刻,要起承转合,要典型环境中的典型人物,看到了山地里的一枝兰,自然要想到这兰在城里珍贵为什么在山中烂贱如草,为什么绿肥红瘦,绿红是从哪儿来的?《病相报告》是要写一个人的一生七十余年,铺设开来,那得有四五十万字数!如果四五十万的字数写一个爱情的故事(故事说远,它不发生在古代,古代我没经过读者也没经过,那鬼是好画的;故事说近,它又不是这几年的事,虽然我询问过十位二十二岁左右的青年"四人帮"是谁,他们皆摇头不知,但更多的人却是从各种运动中走过来的,眼里容不得一粒沙子),又要按着时间顺序一一交代清楚,那极可能这个故事陈腐不堪,皇帝穿上了龙袍才是皇帝,美丽的巩俐将一身大红对襟袄穿在身上出现在陕西关中的小镇上,她就是农妇秋菊,没有人找她签名留影了。我于是重起炉灶。我之所以使文中所有的人物统一以第一人称说话,是要将一切过渡性的部分全部弃去,让故事更纯粹。之所以将顺序打乱是想让读者看得真切而又不至于局限于故事。如此写下来,竟然也有十六七万字,我不能不哀叹:我们可能再也无法写出一个简单的故事了。

三、我的尴尬

我喜欢的夏天又要过去了。西安是没有春秋的,在寒风来临之前我修完了《病相报告》就可以去南方走一趟了。西安的冬天是不宜于我的,那看不见的风,总是庄严地流动,落在你的身上却像乱刀在飞。我数年来越加萌生着去南方居住的念头,可怜的是年迈的母亲和尚未长大的孩子需要照顾,以及又难以割舍的这座城弥漫的古文化的氛围。南方是心身暖和的,我这么想,而我的一位朋友来帮我修理损坏的一页窗扇时,讲了一个他的同事的笑话,让我在这个下午笑出了眼泪。

笑话是这样的:

××是个瘦子,上了一辆公共车,公共车的一面窗子上玻璃掉了是个空框,但他不知道。这时一个人也来赶车,此人比他还要瘦,就站在窗外,他以为从玻璃上照出了自己,一边看着一边拍脸说:唉,怎么又瘦出一圈了?!

四、还要干什么

当年,《浮躁》写完,开始写序,写了两个序,这是我的长篇中唯一的一次。在第二个序里,我宣布着写完了《浮躁》将再不从事《浮躁》类的写法,于是开始了后边的《废都》、《白夜》、《土门》、《高老庄》以及《怀念狼》和这个《病相报告》。在这些长篇里,序是没有了,却总少不了后记,后记里记录了该部作品产生的原因和过程,更多的阐述着自己的文学观。我不是理论家,我的写作体会是摸着石头过河,我把我的所思所想全写在其中了。但我多么悲哀,没人理会这些后记。现在,我又忍不住在即将付印《病相报告》时又要宣布对于《病相报告》写法的厌恶,我是有这个毛病,病得深,我已不指望别人怎么看待我,我说给了我为的是给自己鼓劲,下定决心。

我之所以如此,是我感到了一种不自在,也是我还在《病相报告》未完成前就急不可耐地先写了中篇《阿吉》。

我是这么想的:

中国的汉民族是一个大的民族,又是一个苦难的民族,它长期的封建专制,形成了民族的政治情结的潜意识。文学自然受其影响,便有了歌颂性的作品和揭露性的作品。歌颂性的历来受文人的鄙视,揭露性的则看作是一种责任和深刻,以至形成了一整套的审美标准,故推崇屈原、司马迁、杜甫,称之主流文学。伴随而行,几乎是平行的有另一种闲适的文学,其实是对主流文学的对抗和补充,阐述人生的感悟,抒发心意,如苏轼、陶潜乃至明清散文等,甚或包括李白。他们往往被称作"仙",但绝不能入"圣"。由此可见,重政治在于重道义,治国平天下,不满社会,干预朝事。闲适是享受生活,幽思玄想,启迪心智。作品是武器或玉器,作者是战士或歌手,是中国汉民族文学的特点。

而外国呢,西方呢,当然也有这两种形态的作品,但其最主要的特点是分析人性。他们的哲学决定了他们的科技、医学、饮食的思维和方法。故对于人性中的缺陷与丑恶,如贪婪、狠毒、嫉妒、吝啬、啰唆、猥琐、卑怯等等无不进行鞭挞,产生许许多多的杰作。越到现代文学,越是如此。

我不知道我还能说出些什么,也不知道能否说清,我的数理化不好,喜欢围棋却计算不了步骤。我的好处是静默玄想,只觉得我得改变文学观了。鲁迅好,好在有《阿Q正传》,是分析了人性的弱点,当代的先锋派作家受到尊重,是他们的努力有着重大的意义。《阿Q正传》却是完全的中国的味道。二十多年前就读《阿Q正传》,到了现在才有了理解,我是多么的蠢笨,如果在分析人性中弥漫中国传统中天人合一的浑然之气,意象氤氲,那正是我新的兴趣所在。

2001年10月7日

《高老庄》后记

今年我将出版我的文集,一共是十四卷,没有包括过去的《废都》和现在完成的《高老庄》。设计封面的曹刚先生在每一卷上以一个字做装饰,他选用了"大风起兮云飞扬,威加海内兮归故乡,安得猛士兮守四方"。这是刘邦的诗,二十三个字。瞬间的感觉里,我立即知道我的一生是会能写出二十三卷书的。《高老庄》应该为第十六卷,也就是我在这个世纪的最后一部长篇。

在世纪之末写完《高老庄》,我已经是很中年的人了。人是有本命年的,几乎每一个中国人在自己的本命年里莫不是恐慌惧怕,同样,天地运动也有它的周期性,过去的世纪之末景象如何,我们不能知道,但近几年来全球范围内的频繁的战争,骚乱,饥荒,瘟疫,旱涝,地震,恶性事故和金融危机,使得整个人类都焦躁着。世纪末的情绪笼罩着这个世界,于我正偏偏在中年。中年是人生最身心交瘁的阶段,上要养老,下要哺小,又有单位的工作,又有个人的事业,肩膀上扛的是一大堆人的脑袋,而身体却在极快地衰败。经历了人所能经受的种种事变(除过坐牢),我自信我是一个坚强的男人,我也开始相信了命运,总觉得我的人生剧本早被谁之手写好,我只是一幕幕往下演的时候,有笑声在什么地方轻轻地响起。《道德经》再不被认作是消极的世界观,《易经》也不再是故弄玄虚的东西,世事的变幻一步步看透,静正就附体而生,无所慕羡了,已不再宠辱动心。一早一晚都在仰头看天,象全在天上,蹲下来看地上熙熙攘攘物事,一切式又都在其中。年初的一个黄昏,低云飞渡,我出门要干事去,当一脚要踏下去的时候我突然看见了一只虫子就在脚下活活地蠕动,但我的脚因惯性已无法控制,踏下去就把它踏死了。我站在那里,悲哀了许久,忏悔着我无意的伤害,却一时想到这只虫子是多么像我们人类呀,这虫子正快乐地或愁苦地生活着,突然被踏死,虫子们一定在惊恐着这是一场什么灾难呢?也就在那个晚上,我坐在书房里,脑子里还想着虫子们的思考,电视中正播放着西藏的山民向神灵祈祷的镜头,蓦地醒悟这个世界上根本是不存在着神灵和魔鬼的,之所以种种离奇的事件发生,古代的比现代的多,乡村的比城市的多,边地的比内地的多,那都是大自然的力的影响。类似这样的小事,和这样的小事的启示,几乎不断地发生在我的中年,我中年阶段的世界观就逐渐变化。我曾经在一篇短文里写过这样的话:道被确立之后,德将重新定位。于是,对于文学,我也为我的评判标准和审美趣味的变化而惊异了。当我以前阅读《红楼梦》和《楚辞》,阅读《老人与海》和《尤里西斯》,我欣赏的是它们的情调和文笔,是它们的奇思妙想和优美,但我并不能理解他们怎么就写出了这样的作品。而今重新捡起来谈,我再也没兴趣在其中摘录精彩的句子和段落,感动我的已不在了文字的表面,而是那作品之外的或者说隐于文字之后的作家的灵魂!偶尔的一天我见到了一副对联,其中下联是"青天一鹤见精神",我热泪长流,我终于明白了鹤的精神来自于青天!回过头来,那些曾令我迷醉的作品就离我远去了,那些浅薄的东西,虽然被投机者哗众取宠,被芸芸众生人云亦云地热闹,却为我不再受惑和所骗。对于整体的、浑然的,元气淋漓而又鲜活的追求使我越来越失却了往昔的优美、清新和形式上的华丽。我是陕西的商州人,商州现属西北地,历史上却归之于楚界,我的天资里有粗犷的成分,也有性灵派里的东西,我警惕了顺着性灵派的路子走去而渐巧渐小,我也明白我如何地发展我的粗犷苍茫,粗犷苍茫里的灵动那是必然的。我也自信在我初读《红楼梦》和《聊斋志异》,我立即有对应感,我不缺乏他们的写作情致和趣味,但他们的胸中的块垒却是我在世纪之末的中年里才得到理解。我是失却了一部分我最初的读者,他们的离去令我难过而又高兴,我得改造我的读者,征服他们而吸引他们。我对于我写作的重新定位,对于曾经阅读过的名著的重新理解,我觉得是以年龄、经历的丰富做基础的,时代的感触和人生的感触并不是每一个人都能深切体会的,即使体会,站在了第一台阶也只能体会到第二台阶,而不是从第一台阶就体会到了第四第五台阶。世纪末的阴影挥之不去的今天,少男少女们在吟唱着他们的青春的愁闷,他们其实并没有多大的愁,满街的盲流人群步履急促,他们唠唠叨叨着所得的工钱和物价的土涨,他们关心的仅是他们自身和他们的家人。大风刮来,所有的草木都要摇曳,而钟声依然是悠远而舒缓地穿越空间,老僧老矣,他并没有去悬梁自尽,也不激愤汹汹,他说着人人都听得懂的家常话。

《高老庄》落笔之后,许多熟人和生人碰见了我,总在问我又写了什么?我能写什么呢,长期以来,商州的乡下和西安的城镇一直是我写作的根据地,我不会写历史演义的故事,也写不出未来的科学幻想,那样的小说属于别人去写,我的情结始终在现当代。我的出身和我的生存的环境决定了我的平民地位和写作的民间视角,关怀和忧患时下的中国是我的天职。但我有致命的弱点,这犹如我生性做不了官(虽然我仍有官衔)一样,我不是现实主义作家,而我却应该算作一个诗人。对于小说的思考,我在许多文章里零碎地提及,尤其在《白夜》的后记里也有过长长的一段叙述,遗憾的是数年过去,回应我的人寥寥无几。这令我有些沮丧,但也使我很快归于平静,因为现在的文坛,热点并不在小说的观念上,没有人注意到我,而我自《废都》后已经被烟雾笼罩得无法让别人走近。现在我写《高老庄》,取材仍是来自于商州和西安,但我绝不是写的是商州和西安,我从来也没承认过我写的就是行政管理意义上的商州和西安,以此延伸,我更是反对将题材分为农村的和城市的甚或各个行业。我无论写的什么题材,都是我营建我虚构世界的一种载体,载体之上的虚构世界才是我的本真。我终生要感激的是我生活在商州和西安二地,具有典型的商州民间传统文化和西安官方传统文化孕育了我作为作家的素养,而在传统文化的其中淫浸愈久,愈知传统文化带给我的痛苦,愈对其中的种种弊害深恶痛绝。我出生于一九五二年,正好是二十世纪的后半叶,经历了一次一次窒息人生命的政治运动和贫穷,直到现在,国家在改革了,又面临了一个速成的年代。我的一个朋友曾对我讲过,他是在改革年代里最易于接受现代化的,他购置了新的住宅,买了各种家用电器,又是电脑、VCD、摩托车,但这些东西都是传统文化里的人制造的第一代第二代产品,三天两头出现质量毛病,使他饱尝了修理之苦。他的苦我何尝没有体会呢,恐怕每一个人都深有感触。文学又怎能不受影响,打上时代的烙印呢？我或许不能算时兴的人,我默默地欢呼和祝愿那些先蹈者的举动,但我更易于知道我们的身上正缺乏什么,如何将西方的先进的东西拿过来又如何作用,伟大的五四运动和五四运动中的伟人们给了我多方面的经验和教训。我在缓慢地、步步为营地推动着我的战车,不管其中有过多少困难,受过多少热讽冷刺甚或误解和打击,我的好处是依然不掉头就走。生活如同是一片巨大的泥淖,精神却是莲日日升起,盼望着浮出水面开绽出一朵花来。

《高老庄》里依旧是一群社会最基层的卑微的人,依旧是蝇营狗苟的琐碎小事。我熟悉这样的人和这样的生活,写起来能得于心又能应于手。为什么如此落笔,没有扎眼的结构又没有华丽的技巧,丧失了往昔的秀丽和清晰,无序而来,苍茫而去,汤汤水水又黏黏糊糊,这缘于我对小说的观念改变。我的小说越来越无法用几句话回答到底写的什么,我的初衷里是要求我尽量原生态地写出生活的流动,行文越实越好,但整体上却极力去张扬我的意象。这样的作品是很容易让人误读的,如果只读到实的一面,生活的琐碎描写让人疲倦,觉得没了意思,而又常惹得不崇高的指责,但只读到虚的一面,阅历不够的人却不知所云。我之所以坚持我的写法,我相信小说不是故事也不是纯形式的文字游戏,我的不足是我的灵魂能量还不大,感知世界的气度还不够,形而上与形而下结合部的工作还没有做好。人在中年里已挫了争胜好强心,静伏下来踏实地做自己的事,随心所欲地去做,大自在地去做,我毕竟还有七卷书要写。沈从文先生在他的《边城》里说:"他或许明日就回来,或许永远也不回来了。"我套用他的话,我寄希望于我的第十七卷书,或者就寄希望于那第二十四卷了。

1998年6月10日下午

《海风山骨——贾平凹书画作品选》序

日子过得真快,竟然五十九岁了,阴历的二月二十一是我的生日,《古炉》已经出版一月,空闲下来了,就编一本书画集吧,可以给读者汇报一下我的余事,也权当自己送自己个寿礼。

书画确实是我的余事。

之所以认作是余事,一是几十年来我都是在从事文学写作,文学写作是我的职业也是事业,立身之本,不敢懈怠。二是以我的才质和所下的功夫,自知很难在书画方面取得大成就,也要给自己的浅陋早早寻借口,就完全把书画作为陶冶自己心性之道,更作为以收入养文养家之策,那就只能是余事了。

但我是多么地喜欢着书画艺术啊,自感到我生命的土壤里有各种颜色,能长绿的树,也能长红的花,我与书画应该有缘。在我的认识里,无论文学、书法、绘画、音乐、舞蹈,除了各有各的不可替代的技外,其艺的最高境界都是一样的。我常常是把文学写作和书画相互补充着去干的,且乐此不疲,而相得益彰。

我承认我没有临过帖,也没有临过《芥子园》一类的画谱,但我读美术史,读了很多的书画。对于书法,其实我每天的文学写作都是写字,虽然是钢笔字,对汉字的理解却是一致的。你可以把书法说得是如何的抽象艺术,而它最基本的属性还是实用性的,来源于象形,能把握住它的间架结构,能领会它认知世界的智慧和趣味,以你的心性和感觉去写,写出来的字就不会差到什么地方去。至于绘画,我是在有了书法实践的几年后开始的,因为我还能掌握了线条,就以写入画,自然界的所有形象都在眼前,只是捉那些模样去画就是了。

常听到这样的话:文如其人,字如其人,画如其人。其实这话是从事的文、字、画达到了一定程度后方可讲的。只有在达到一定程度上了,手里的钢笔和毛笔才能与人合而为一,那么,人是什么人,文字就是什么文字,书法就是什么书法,绘画就是什么绘画。我的体会是,我有我长期以来形成的对于世界对于人生的观念,我有我的审美,所以,我的文学写作和书画,包括我的收藏,都基本上是一个爱好,那便是一定要现代的意识,一定要传统的气息,一定要民间的味道,重整体,重混沌,重沉静,憨拙里的通灵,朴素里的华丽,简单里的丰富。

我是先文学写作,后书法,再后绘画,当每一项创作刚刚上手的时候,甚觉快意,而愈往前行,才知干什么都是那么艰难。在这每一条路上,到处都是夸父的尸体啊。我常常不知道该书画些什么,它和写作一样,没有了感觉和冲动,笔就提不到手里,而当有了感觉和冲动,又苦于表现不出来,即便表现出来了,今天看着还可以,明天又觉得太糟糕,苦恼复苦恼,总在煎熬中。十多年来,是出版过一些书法和绘画的集子,现在羞于让人翻阅,就想,编辑了这本集子,再过几年,恐怕又是不堪入目的命运吧。却又想,人生都是从幼稚走来,真到那一天了,或许看这些作品难看,那可能我是进步了,或许,那时候了,书画于我就不是余事了呢。

2011 年 3 月 11 日

关于写作
——致友人信五则

从"我"走向"我们"
——致友人信之一

一个人的生存经验来自他的生存方式,读你的作品,我尽量地去理解,但我不得不说,三月二十日寄来的那篇小说,我读了一半就放下了。"一个女人最大的悲哀在于穿了一件不合体的裙子",这样的句子像我这样的人无法接受。国家的发展是因地域差距着,又有各种不同的阶层,可毕竟都是中国,再大的生活差距我应该是大致知道的,不至于有那样的女人吧。即使有,写那样的生活,读者又会有多少呢?国家正处于大变革时期,现实生活为作家提供了丰富的写作题材。任何人都可以自由地选择自己有兴趣的题材。可是,你要明白,真正的大题材往往是在选择着作家的,如果大题材选择着你,你也就是有使命的、受命于天的作家了。我遗憾的是你总那么不热衷现实生活的题材,多是坐在书斋里空想,刻意你以为的新奇。从"我"出发,无可厚非,但从"我"出发要走向"我们"呀,你从"我"出发又回到"我"处。文学价值诚然是写人的,要写到人本身的问题,而中国的国情是正处于社会转型期,大变革着,人的问题是和社会问题搅在一起的。而且,不管什么主张,用什么写法,目的都是让我们更接近生活的本真,现实生活本身就具备了技巧,刻意求新,反而很难写出真来。

关注现实,在现实生活中我们才可能更本真,更灵敏,也更对现实发展有着前瞻性,也才能写出我们内心的欢乐、悲伤、自在或恐惧。作品的张力常常在于和社会的紧张感,也可以说,作家容易和社会发生一些摩擦,这不是别的,是写作的职业性质所决定的。但是,你推荐的那部书稿,多少存在着一些误区,它太概念化。在作品中一旦不放下概念,不放下自己,就带上了偏见,我读到的就是些偏见。它可以说恢复了一些历史事件,却并没有还原到文学。对于现实生活,有各种写法,我不大喜欢那种故意夸张乖戾的写作,那样的作品读起来可能觉得过瘾,但不可久读,也耐不住久读。我主张脚踏在地上,写出生活的鲜活状态。这种鲜活并不是就事论事,虚实关系处理好,其中若有诗性的东西,能让生命从所写的人与事中透出来,写得越实,作品的境界才能越虚,或称作广大。

我常常问,我为什么写作?为谁写作?这问题很大,我也说不清,好像是为写作而生的。其实这很可怕,我感到我周围一些朋友,当然也包括我,常常是为了出名,为了版税,为了获奖去写,写作就变成了一种委屈。我见过一些画家,只画两种画,一是商品画,一是参加美展的画。商品画很草率,不停地重复,而参加美展的又是特大的画幅,又都去迎合政治和潮流。我想到这些画家,就难免替自己担心。我有一个朋友,其作品写得很好,却从不宣传、炒作,是无功利心地写作,写好了最多是放在自己的博客上,我读她的作品就自惭形秽。我有体会,当年写《废都》和《秦腔》,写时并不想着发表出版,完全是要安妥我的,写出后,一些朋友读了鼓动登出来,才登了出来。这样的作品虽可能产生争议,给自己的生活带来许多麻烦,可读的人多些,且能读得久些。反之,我一旦想写些让别人能满意的作品时,作品反而写得很糟。

好好说你的话
——致友人信之二

一碗饭,扒拉几口,你就知道这饭是咸甜辣酸,还是已经馊了。文章也是这样,它是以味道区别的。学书法的人很多,讲究临帖,临王羲之的,临颜真卿的,字都写得蛮不错了。可我们常常看到这种情形:在哈尔滨的书展上看到有人的作品,在广州的书展上同样看到,在上海在西安的书展上也同样看到,它们像是一个人写的。那么,这样的书法家我们能记住是谁吗?这一点,你介绍的×××或许明白,从他的小说里,能看出他一心要有自己的色彩和味道,问题是他看见别人做酒,他也做,却做成了醪糟,又做成了醋,最后成一罐恶水了。

什么树长什么叶子,这是树的本质决定的,不指望柳树长桐树的叶子,只需要柳叶长得好,极致的好。×××的小说,我之所以不满意,仅小说的语言读着就不舒服。为什么连续用短句,一句又都是句号,就像登一段阶距很小的楼梯,使不上劲,又累。语言的功能是表现情绪的,节奏把握好了,情绪就表现得准确而生动,把握节奏又绝对与身体有关,呼吸就决定着节奏。如果×××是哮喘病人,我倒可以理解他使用短句和句号,如果不是,他是模仿那些翻译小说,或者片面理解"形式即内容"的话,那他老用这样的句子就容易使他患哮喘了。学习别人,一定要考察人家本质的内在的东西,老鼠为什么长胡子,蛇为什么有竹的颜色,狐子为什么放臭气,那是自下而上实用的需要,否则,东施效颦,不伦不类。

小说,就是说,好好说你的话。

要控制好节奏
——致友人信之三

××可能近日要去你那里改他的那个长篇,他之所以到你那里去,一是你那里清静,二是许多素材都是你提供的。我想就他这个长篇的初稿,跟你谈谈我读后的一些看法。

小说的故事非常好,但他没写出味道来。怎么能举重若轻,以这个故事举起一个时代是一个大问题。他一写长东西,总是控制不好节奏,不是前边精彩后边散气,就是这一章不错,另一章又乱了。咱们在乡下为人盖房时有这样的经验,地上的人往上抛瓦,房上的人接瓦,一次五六页一垒,配合得好了,一抛一接非常省力和轻松,若一人节奏不好,那就既费劲又容易出危险。唱戏讲究节奏,喝酒划拳讲究节奏,足球场上也老讲控制节奏,写作也是这样呀。写作就像人呼气,慢慢地呼,呼得越长久越好,一有吭哧声就坏了。节奏控制好了,就能沉着,一沉就稳,把每一句每一字放在合宜的地位——会骑自行车的人都骑得慢,会拉二胡的弓子运行得趁——这时的写作就越发灵感顿生,能体会到得意和欢乐。否则就像纸糊的窗子在风中破了,烂声响,写得难受,也写不下去。

当然,沉稳需要内功,一个人的身体不好,不可能呼气缓长。我知道××目前的状态,他是看见周围的人都写出有影响的作品了,他心里急迫,他往往准备不足,又好强用狠,肯定笔躁。再一点,那些素材怎么够完成一个长篇的写作呢?厨房里就那么些菜,怎么会七碟子八碗摆上一桌?

我本想和他谈谈,但他心劲正高,我和他又不甚熟,怕影响他的情绪。我知道在写作中情绪是不能影响的,运动员在场上只能喊加油,不可呼倒好。而你与他熟,啥话都可以说,你可一方面指出他的毛病,帮他控制节奏,再是尽量多提供素材,让他手头宽裕,三是如果可以,劝他写成中篇最好,或许能遮掩他的一些缺陷。

此信不必让他看。

你能来我这里吗?咱们再就这些问题沟通沟通,以便你更好地帮他。另,你爱吃羊肉泡馍,可你绝对没吃过萝卜泡馍,那是将萝卜片炖烂后,混入羊肉泡馍中,佐以酱辣和糖蒜,还是属于小炒类,味道极好,又易消化。这家饭馆我十天前才发现,在一条避背巷中,你几时来,我请你吃去。

精 神 贯 注
——致友人信之四

春节后的第一封信就写给你。

从元月起我一直在开会,过了春节,还要开会,可能四月前都在会上忙着。我是市人大代表,又是全国政协委员,各级的会议不能不参加。但当官的开会是他们的工作,而我开完会后自己的业务还没有干呀！到了咱们这般年纪,时间太重要了,所以我写了一个条幅挂在书房:精神贯注。我的意思是,时间和身体不可浪费,作文每有制述,必贯之神性。

中国有许多词的解释已失去了本意。过去我们在文学上也强调精神,多是政治概念,文学是难以摆脱政治,恰恰需要大的政治,但那时强调精神,往往使文学成为一种宣传,作品容易假大空。我所说的精神贯注,是再不写一些应景的东西,再不写一些玩文字的东西。年轻时好奇,见什么都想写,作文有游戏的快乐。现在要写,得从生活中真正有了深刻体会才写,写人写事形而下的要写得准写得实,又得有形而上的升腾,如古人所说,火之焰,珠玉之宝气。

你我从事文学差不多三十年了,到了今天这地步,名利都有,生活无忧,最担心的是没有了动力,易写油写滑,而外界都说我们的文笔好,我们也为此得意,但得警惕陶醉在文笔之中忘却了大东西的叙写。你是非常有灵性的作家,我还得劝你,不要再多读那些明清小品,不要再欣赏废名那一类作家的作品,不要再讲究语言和小情趣。要往大处写,要多读读雄浑沉郁的作品,如鲁迅的,司马迁的,托尔斯泰的,把气往大鼓,把器往大做,宁粗粝,不要玲珑。做大袍子了,不要在大袍子上追究小褶皱和花边。

近日看央视的《百家讲坛》,马未都在讲收藏,我记住了他所说的一句话,他说艺术的最高境界是病态。不知这话是他发现的还是借用他人的,这话初听好像有点那个,但有道理。试想想,文学也是这样,堂吉诃德,阿Q,这样的人物都是病态的。换一句话说,这样的作品和作品中的人物也正是贯注了精神的,这种抽象是从社会、时代里抽出来的。如果敏感的话,社会、时代的东西往往在一个人身上体现出来。作家要长久,就看能不能写出这样的人物来。

春节期间,晚辈来拜年,都在说要以身体为重,不必再写,或者轻轻松松地写。他们是以他们的角度来关心,但碌碡推在半坡怎能不使劲呢?我之所以新年第一封信给你,谈的仍是文学上的事,因为身体固然重要,写作更是活着的意义,而你又是在写作上有野心的人。

不要写得太顺溜
——致友人信之五

真不凑巧,你来找我,我却去了终南山。你和×××的稿子我大略都读了,直接地说,我不太满意你们的叙述。×××太注意描写,描写又特别腻,节奏太慢,就像跟着小脚老太太去赶集,硌硌拧拧半天走不前去。为什么老去关注山岳表面上的泥土怎样脱落流失,可山岳能倒塌破碎吗?而你,我又觉得写得太顺溜了。那年我去合阳一带看黄河,当时是傍晚,云压得很低,河面宽阔,水稠得似乎流不动,我感叹是厚云积岸,大水走泥,印象非常深。大河流水是不顺溜的,小河流水要它流得有起伏,有浪花和响声,就不妨在河里丢些石头去。我的意思是,文笔太顺溜了就要让它涩一点,有时得憨憨地用词。

现在很有一种风气,行文幽默调侃,但太过卖弄了就显得贫和痣,如果这样一旦成了习惯,作品的味道就变了,也可能影响你写不出大的作品来。

我也想,为什么你会是这样呢?这当然与你的性情有关,你反应机敏,言辞调皮,和大家在一起谁也说不过你,这种逞能可能影响你只注意到一些小的机巧的东西,大局的浑然的东西反倒掌控不够。有些事不要太使聪明才情,要养大拙,要学会愚笨。平日说话,大家都不屑夸夸其谈,古语道:口锐者天钝之。写文章也是说话,道理是一样的。再者,你的节奏少变化,高低急缓搭配不好。

作品的立意是不错的,但你急于要衍义立意,唯恐别人体会不来,这样就坏了。在大的背景下写你的小故事,从人生中体悟了什么,仅有深意藏矣即可,然后就写生活,写你练达的人事。写作同任何事情一样都要的是过程,过程要扎实,扎实需要细节,不动声色地写,稳住气写,越急的地方不能急,别人可能不写或少写的地方你就去写和多写,越写得扎实,整个结果就越可能虚,也就是说,作品的境界就大。反之,境界会小,你讲究的立意要靠不住,害了你。

你留言说这部初稿有的章节你写得顺手,有的章节写得很艰难,这我也能读得出来。其实这是我常遇到的事,我的办法是,每当写得得心应手时就停下来,放到第二天去写。这样,在第二天一开始就写得很快乐,容易进入一个好的状态。你不妨试试。

我们的文学需要有中国文化的立场

　　一个世纪以来,中国在发生着剧烈的变化,社会在不断地转型,一步步走向复兴之路。中国的文学随着时代在颠簸,几代人在适应,在试验,直至今天。今天的中国文学有着它的热闹和华丽,我们欣然着它的成就。但环顾四周,回头望去,我们的文学还存在相当大的缺憾,这不仅未坚挺于世界文学之林,就是在国内,社会和广大的读者仍不满意。长啸还没有山鸣谷应,举头仍不是海阔天空,我们需要反省。这种反省也只有在今天才能提出,是具备了一定实力后的意识。应该说,历史把这一任务扔给了我们,是我们当代作家的使命。

　　我们的文学到了要求展示我们国家形象的时候。

　　如何才能使我们的文学展示国家形象?我不是从政治上来说这个事,我是从文学角度上来说这个事。我又无法从理论上来阐述,我只是感觉到,在面对着永恒和没有永恒的局面时,如果用不着去说明中国文化是世界上先进的文化之一,首先肯定了这一点,那么,我们的文学里中国文化的立场需要进一步提倡和加强。

　　我们似乎一直在说越是民族的越是世界的,但一直是像标语一样只是写在墙上没有刻在心上,好像如中国的许多事情一样,做的不一定说,说的不一定做。可以说,在很长的时间里,我们的心中并没有以中国文化的自豪感去从事写作。如果去问:我们"民族的"这三个字是什么内容,起码我说不清,可能好多人也说不清。再问:代表我们中国文化的经典著作有多少人在研究甚或通读过,起码我很缺乏,可能好多人也缺乏。我们常在抱怨外国对我们的文学了解不如我们对外国文学的了解,而我们自己又了解了多少我们传统的东西?我们没有坚持我们中国文化的立场,我们的血液里没有了中国的哲学、美学,虽然我们使用的是汉语。我们一直满足于自言自语,或者站在他人的文化立场上去看待他人。我们的文学到了不应只仅仅对中国人写作,而到了既要面对中国人也要面对全部人类去写作的时候。我们之所以久久地以缺乏着中国文化立场的态度和角度去写作,是我们的苦难太多,经历了外来的和内部的种种磨难,我们是不如人又极力要改变处境,当我们觉醒了,需要站起来的时候,必然就得倾诉。因此在一段时间里,我们都在倾诉。为了有倾听者,我们诉说自己的不幸,诉说着自己的丑陋。这样,我们习惯了这种倾诉,也养成了外面世界寻找我们就要听我们倾诉的习惯。我们需要倾诉我们的苦难和丑陋去唤醒民众,去引起外面世界的注意、同情和帮助,但这如同出售能源换取富裕一样,它不能保障长久的富裕和尊严。不站在中国文化立场上的倾诉,毕竟完成不了我们独立的体系的叙述,最后将丧失我们。现在,当我们要面对全部人类,我们要有我们建立在中国文化立场上的独特的制造,这个制造不再只符合中国的需要。而要符合全人类的需要。也就是说为全人类的未来发展提供我们的一些经验和想法,即使这种制造还不大,哪怕是一个手电筒,但这手电筒是中国的,在世界上是唯一的,而不是别人用打火机了,我们还津津乐道着松油节,或者只是在说我们多么可怜呀还用着松油节,或者只去组装别人的打火机。

  我再次要说明的,我没有理性分析的能力,我只是感觉我们将调整我们的思维,这就是:我们的文学应该面对着全人类而不仅仅只是中国,在面对全人类的时候,我们要有中国文化的立场,去提供我们生存状况下的生存经验和精神理想,以此在世界文学的舞台上展示我们的国家形象。可能这样的工作将很艰难,但如果从现在起,经过一代两代作家的努力,我们的文学就可能坚挺于世界文学之林,成为世界文化的一部分。

  所以,我们应该保护有着中国文化立场的文学原创。

2009 年 10 月 27 日

天气就是天意

已经是十多年了,我都忙在几部长篇小说上,散文就写得很少,虽然拒绝了许多出版社给我出散文选集的要求,但仍因种种原因推辞不了,出了几本,仍都是有几篇新作而大部分还是旧作。这种情况真的让我不满意,发誓再不允许任何人去编,一定要等新作的篇目达到应有的数字了,自己亲手去编。现在,就有了这本《天气》。

《天气》里的文章都是在长篇《秦腔》《高兴》《古炉》完成之后的间隙中写的,内容可能杂驳,写法也不尽一致,但若细心了,便能读出我写完每一部长篇小说后的所行所思和当时的心境的。小说可能藏拙,散文却会暴露一切,包括作者的世界观、文学观、思维定式和文字的综合修养。我以前研读别人的小说,总要读他小说之外的文章,希望从中寻到一些关于他的规律性东西,我现在编《天气》,又这么说,我把我的衣服就撕了。

上个世纪八十年代,是我写散文最多的时期,现在入选到中小学课本上的那几篇,《读者》等一些杂志不时选登的也都是那时的作品,许多人来信或遇着了交谈,还在说那一段散文的好话,希望我多写。我只是笑笑,说:"对不起,我不会那么写了,我也写不出来了。"春天有春天的景色,秋天是秋天的风光,三十多岁的我和快要六十岁的我决然不是一回事了。我的性格别人不大了解的以为是温顺,其实很犟的。记得上世纪八十年代末,一些人说我散文写得比小说好,我说那我就不写散文了,专门去写小说。也就是从那时起,散文开始少了起来。以现在的年龄上,如果让我评估我的散文,虽不悔其少作,但我满意我中年以后的作品。年轻时好冲动,又唯美,见什么都想写,又讲究技法,而年龄大了,阅历多了,激情是少了,但所写的都是自己在现实生活中真正体悟的东西,它没有了那么多的抒情和优美,它拉拉杂杂,混混沌沌,有话则长,无话则止,看似全没技法,而骨子里还是蛮有尽数的。这话真不该我来说,我说了,我的意思是我对散文的另一种理解。人站在第一个台阶上不明白第三第四个台阶上的事,站在第三第四个台阶上了却已回不到第一个台阶去。读散文最重要的是读情怀和智慧,而大情怀是朴素的,大智慧是日常的。

不多说了,但愿你能喜欢这些散文,也但愿书出版了,读者也喜欢。

2011 年 4 月 12 日